D0586404

VERMOORDE ONSCHULD

Van Joy Fielding verschenen eerder:

Zeg maar dag tegen mammie
Eindspel
Kijk niet om
Nu niet huilen
Tot de dood ons scheidt
Op het tweede gezicht
De huurster
Vriendinnen tot in de dood
Het spoor bijster
De babysitter
Eindstation
Fatale schoonheid
Dodelijke ambitie
Roerloos

Joy Fielding

Vermoorde onschuld

VAN HOLKEMA & WARENDORF
Uitgeverij Unieboek | Het Spectrum bv, Houten – Antwerpen

Oorspronkelijke titel: *The Wild Zone*
Vertaling: Harmien Robroch
Omslagontwerp: Spacebar / Robert Muda
Omslagfoto: Mike Kemp/Rubberball/Corbis
Opmaak: ZetSpiegel, Best

www.joyfielding.com
www.unieboekspectrum.nl

ISBN 978 90 475 1463 3 / NUR 332

Oorspronkelijke uitgave: Atria Books, a division of Simon & Schuster, Inc.

Voor Rod en Bessie

I

Zo begint het.

Met een mop.

'Komt een man een café binnen,' zei Jeff, en hij begon direct te grinniken. 'Ziet een andere man met een lange sik en een sombere blik op zijn gezicht aan de bar hangen waar een fles whisky staat. "Neem ook wat," zegt de man met de sik. De eerste man grijpt de fles en wil net een glas inschenken als er opeens een enorme rookwolk uit de fles komt en er een geest verschijnt. "Doe een wens," zegt de geest. "Wat je maar wilt." "Da's makkelijk," zegt de man. "Ik wil tien miljoen pegels." De geest knikt en verdwijnt weer in een enorme rookwolk. En opeens scharrelen er door het café miljoenen en miljoenen prikkende, stekelige egels. "Ja zeg, donder op, man!" roept de man boos. "Ben je doof, of zo? Ik zei pégels, niet égels, sukkel!" Met een vragende blik kijkt hij naar de man naast hem. Die haalt zijn schouders op en strijkt met een verloren blik over de lange haren aan zijn kin. "Wat? Je dacht toch niet dat ik een sik van dertig centimeter wilde?"'

Het was even stil. Toen de clou van de mop doordrong tot de drie mannen die zich in het drukke café ontspanden, klonk er een lachsalvo dat hun karakters kenmerkte. Jeff, met zijn tweeendertig de oudste van het stel, lachte het hardst. Net als de man zelf paste de lach bijna niet in de kleine ruimte. Hij overstemde de harde rockmuziek uit de ouderwetse jukebox bij de uitgang en weerkaatste tegen de glimmende, zwarte, marmeren bar, waar hij de breekbare glazen, rijen flessen en de grote spiegel erachter dreigde te versplinteren. De lach van zijn vriend Tom was bijna net zo luid. Hoewel hij niet zo galmde, maakte hij deze tekortkoming goed met de duur van zijn lach en een selectie fraaie trillers. 'Goeie,' wist Tom op het laatst al snuivend en grinnikend uit te brengen. 'Da's een goeie.'

De lach van nummer drie was veel terughoudender, maar zeker niet minder oprecht. Zijn bewonderende glimlach liep van zijn bijna meisjesachtige pruilmond tot aan zijn grote, bruine ogen. Will had de mop al eens eerder gehoord, misschien wel vijf jaar geleden toen hij nog een gestreste student aan de universiteit van Princeton was, maar dat vertelde hij Jeff natuurlijk niet. Jeff wist hem trouwens veel beter te brengen. Zijn broer was in de meeste dingen beter dan anderen, bedacht Will, terwijl hij naar Kristin gebaarde om hun nog een rondje te brengen. Kristin glimlachte en wierp haar lange, steile, blonde haar van de ene schouder naar de andere, zoals de door de zon gebruinde vrouwen in South Beach altijd deden. Will vroeg zich loom af of dit een typische gewoonte voor Miami was, of dat alle vrouwen uit het zuiden dit deden. Hij kon zich niet herinneren dat de jonge vrouwen uit New Jersey hun haar zo vaak en zo zelfverzekerd naar achteren gooiden. Maar misschien had hij het te druk gehad om het te zien. Of hij was te verlegen geweest.

Will keek toe hoe Kristin drie grote glazen met Miller Draft vulde en ze vakkundig achter elkaar over de bar schoof, waarbij ze zich iets vooroverboog en de mannen een korte blik gunde in de V-hals van haar bloes met luipaardprint. Je kreeg altijd meer fooi als je wat bloot liet zien, had ze hem laatst toevertrouwd. Ze beweerde dat ze soms wel driehonderd dollar per avond aan fooi kreeg. Niet slecht voor een kleine kroeg als The Wild Zone, met maar veertig zitplaatsen en ruimte voor nog eens dertig mensen aan de altijd drukbezette bar.

U BEVINDT ZICH IN THE WILD ZONE, flikkerde een oranje neonreclame uitdagend boven de spiegel. BETREDEN OP EIGEN RISICO.

De eigenaar van de kroeg had een keer zo'n reclame langs een snelweg in Florida gezien, en had besloten dat The Wild Zone de perfecte naam was voor het chique café dat hij wilde openen aan Ocean Drive. Zijn gevoel was juist gebleken. The Wild Zone had in oktober – aan het begin van het drukke winterseizoen van Miami – de zware, stalen deuren geopend. Acht maanden later liep het er nog steeds storm, ondanks de ondraaglijke zomerhitte en de uittocht van de meeste toeristen. Will vond het een goede naam met de echo's van gevaar en onverantwoordelijkheid die hij opriep. Je voelde je er een beetje roekeloos door. Hij glimlachte naar zijn broer om hem in stilte te bedanken voor het feit dat hij mee had gemogen.

Als Jeff de glimlach van zijn broer al zag, reageerde hij er niet op. In plaats daarvan stak hij zijn hand naar achteren om zijn volgende biertje te pakken. 'En wat zouden jullie idioten willen als de geest uit de fles één wens zou vervullen? En niet zoiets klefs als vrede op aarde of een einde aan hongersnood,' voegde hij eraan toe. 'Het moet persoonlijk zijn. Iets voor jezelf.'

'Bijvoorbeeld een pik van dertig centimeter,' zei Tom, harder dan Will nodig vond. Verschillende mannen in de buurt draaiden zich om, ook al deden ze of ze niet meeluisterden.

'Die heb ik al,' zei Jeff. Hij dronk zijn glas in één keer halfleeg en glimlachte naar een roodharige dame aan de andere kant van de bar.

'Het is echt zo,' moest Tom lachend toegeven. 'Ik heb hem wel eens onder de douche gezien.'

'Ik wil er wel een paar centimeter extra voor jou bij wensen,' zei Jeff, en Tom moest weer lachen, ook al was het deze keer niet zo hard. 'En jij, broertje? Heb jij nog wat toverkracht nodig?'

'Ik red me prima, dank je.' Ondanks de koude lucht van de airco, begon Will het behoorlijk warm te krijgen in zijn blauwe overhemd. Hij richtte zich op een grote, groene, neonalligator tegen de achterwand en hoopte dat hij niet bloosde.

'Kom op, je voelt je toch niet opgelaten?' zei Jeff plagerig. 'Shit, man. Die jongen is gepromoveerd in de filosofie aan de universiteit van Harvard en hij bloost als een meisje.'

'Princeton,' corrigeerde Will hem. 'En ik heb mijn proefschrift nog niet af.' Hij voelde hoe hij van zijn wangen tot aan zijn voorhoofd rood kleurde en was blij dat de ruimte zo slecht verlicht was. Hij had dat stomme proefschrift al af moeten hebben, dacht hij.

'Kappen, Jeff,' zei Kristin van achter de bar. 'Let maar niet op hem, Will. Hij is gewoon een eikel, zoals altijd.'

'Wilde je beweren dat lengte er niet toe doet?' vroeg Jeff.

'Ik zeg alleen dat penissen overschat worden,' antwoordde Kristin.

Een vrouw iets verderop schoot in de lach. 'Inderdaad,' zei ze, zonder van haar glas op te kijken

'Tja, jij kunt het weten,' zei Jeff tegen Kristin. 'Hé, Will. Heb ik je ooit verteld dat Kristin en ik wel eens een triootje hebben gedaan?'

Will wendde zijn blik af, liet zijn ogen niets ziend langs de donkere, eikenhouten planken vloer naar de achterwand glijden en liet ze uiteindelijk rusten op een grote kleurenfoto van een leeuw die een gazelle aanvalt. Hij hield niet van de seksueel getinte praatjes waar Jeff en zijn vrienden zo goed in waren. Hij moest beter zijn best doen om erbij te horen, besloot hij. Hij moest zich een beetje ontspannen. Was hij daarom niet naar South Beach gekomen – om de spanning van het academische leven even te ontvluchten, de echte wereld te ontdekken, de band met zijn broer die hij in geen jaren had gezien aan te halen? 'Ik kan het me niet herinneren,' zei hij. Hij dwong zichzelf om te lachen en wilde dat het hem niet zo opwond.

'Dat was een mooie meid, hè Krissie?' vroeg Jeff. 'Hoe heette ze ook al weer? Weet jij het nog?'

'Heather, volgens mij,' antwoordde Kristin ontspannen, met haar handen op haar heupen in het strakke, korte, zwarte rokje. Als ze zich al schaamde, liet ze het niet merken. 'Nog een biertje?'

'Ik pak alles aan wat je te bieden hebt.'

Kristin grijnsde, een veelbetekenende grijns die met haar mondhoeken speelde, en ze wierp haar haar van haar linkerschouder naar haar rechterschouder. 'Nog een rondje Miller Draft. Komt eraan.'

'Zo mag ik het horen.' En opnieuw vulde Jeffs bulderende lach de ruimte.

Een jonge vrouw baande zich een weg tussen de mannen en vrouwen door die in drie rijen dik voor de bar stonden. Ze was achter in de twintig, had een gemiddeld postuur, iets aan de magere kant, en had donker haar tot op de schouders. Het viel in haar gezicht, waardoor haar gelaatstrekken moeilijk te zien waren. Ze droeg een zwarte broek en een op het oog dure, witte bloes. Vast van zijde, dacht Will. 'Heb je voor mij een granaatappelmartini?'

'Komt eraan,' zei Kristin.

'Geen haast.' De jonge vrouw duwde een lok haar achter haar linkeroor waar een verfijnde parel in zat. Haar gezicht had een zacht en mooi profiel. 'Ik zit daar.' Ze wees naar een lege tafel in de hoek onder een aquarel van een horde olifanten in de aanval.

'Wat is in vredesnaam een granaatappelmartini?' wilde Tom weten.

'Klinkt walgelijk,' zei Jeff.

'Dat is best lekker, hoor.' Kristin haalde Jeffs lege bierglas weg en zette een nieuwe neer.

'O? Nou, laten we die dan maar eens proberen.' Jeff zwaaide met zijn vingers om aan te geven dat Tom en Will ook van de partij waren. 'Tien dollar voor degene die zijn granaatappelmartini als eerste opheeft. Kokhalzen niet toegestaan.'

'Deal,' zei Tom meteen.

'Jullie zijn gek,' zei Will.

Als antwoord legde Jeff met een klap een briefje van tien op de bar. Een paar seconden later kwam daar het geld van Tom bij. Beide mannen keken vervolgens naar Will.

'Best,' zei hij, terwijl hij zijn hand in de zak van zijn grijze broek stak en er een paar briefjes van vijf uit haalde.

Kristin volgde hen vanuit haar ooghoek, terwijl ze de granaatappelmartini naar de vrouw aan het tafeltje in de hoek bracht. Van de drie mannen was Jeff veruit de aantrekkelijkste, altijd in het zwart gekleed, met zijn scherpe gelaatstrekken en golvende blonde haar, waar hij volgens haar highlights in liet zetten, ook al had ze het hem nooit gevraagd. Jeff had een kort lontje en je wist nooit van tevoren waardoor hij zou ontploffen. In tegenstelling tot Tom, dacht ze, terwijl ze haar blik naar de magere, donkerharige man in de blauwe spijkerbroek en het geruite overhemd rechts van Jeff liet glijden. Die sloeg overal van op tilt. Een meter achtentachtig en één bonk amper verholen woede, dacht ze. Ze vroeg zich af hoe zijn vrouw het bij hem uithield. 'Het komt door Afghanistan,' had Lainey haar vorige week nog toevertrouwd, toen Jeff de gasten in de kroeg onthaalde op het verhaal hoe Tom pas, woedend over de foute beslissing van de scheidsrechter, een pistool uit zijn broeksband had gehaald en een kogel door zijn gloednieuwe plasma-tv had gejaagd. Een televisie die hij zich niet kon veroorloven en die nog steeds niet was afbetaald. 'Sinds hij terug is...' had ze gefluisterd, terwijl ze werd overstemd door het lachsalvo dat op het verhaal was gevolgd. Ze had haar zin niet afgemaakt. Kennelijk deed het er niet toe dat Tom al bijna vijf jaar terug was.

Jeff en Tom waren al sinds de middelbare school beste vrienden. De twee mannen hadden samen dienst genomen en waren verschillende keren naar Afghanistan uitgezonden. Jeff was als held thuisgekomen; Tom was te schande gezet en had oneervol ontslag gekregen nadat hij zonder aanleiding een onschuldige burger had aangevallen. Meer wist ze niet over hun tijd daar, besefte Kristin. Jeff noch Tom sprak er ooit over.

Ze plaatste de roze martini voor de donkerharige, jonge vrouw op de ronde, houten tafel en bestudeerde terloops het gave, maar enigszins bleke gelaat. Was dat een blauwe plek op haar kin?

De vrouw gaf haar een verfrommeld briefje van twintig. 'Hou

maar,' zei ze zacht, en vóór Kristin haar kon bedanken, had ze zich al omgedraaid.

Kristin stopte het geld snel weg en liep terug naar de bar. De enkelbandjes van haar hooggehakte, zilverkleurige sandalen schaafden tegen haar blote huid. De mannen waren nu aan het wedden wie het langst een pinda op zijn neus kon balanceren. Dat zou Tom met gemak moeten kunnen winnen, dacht ze. Hij had een deuk in zijn neus die bij de anderen ontbrak. Jeffs neus was smal en recht, even aantrekkelijk geproportioneerd als de rest van zijn lichaam, en die van Will was breder en een beetje scheef, wat alleen maar bijdroeg aan zijn uitstraling van verongelijkte kwetsbaarheid. Waarom zo verongelijkt, vroeg ze zich af. Hij leek vast op zijn moeder.

Jeff, daarentegen, was het evenbeeld van zijn vader. Dat wist ze omdat ze een keer een oude foto van hun tweeën had gezien toen ze een jaar geleden, net nadat ze bij hem was ingetrokken, een la in de slaapkamer aan het opruimen was. 'Wie is dat?' had ze gevraagd, toen ze Jeff achter zich hoorde. Ze had naar een stoere man met golvend haar en een eigenwijze grijns gewezen, die zijn grote arm op de schouder van een serieus kijkende jongen liet rusten.

Jeff had de foto uit haar hand gerukt en weer in de la gestopt. 'Wat ben je aan het doen?'

'Ik maak alleen wat ruimte voor mijn spulletjes,' had ze gezegd, en ze had met opzet zijn dreigende toon genegeerd. 'Ben jij dat met je vader?'

'Ja.'

'Dat dacht ik wel. Jullie lijken als twee druppels water op elkaar.'

'Dat zei mijn moeder ook altijd.' En daarmee had hij de la dichtgeslagen en was hij de kamer uit gelopen.

'Haha, ik win!' riep Tom, met zijn vuist in de lucht toen de pinda die Jeff op zijn neus had gehad langs zijn mond en kin op de grond viel.

'Hé, Kristin,' zei Jeff, en zijn afgemeten toon verried dat hij niet goed tegen zijn verlies kon, zelfs niet als het om iets onbenulligs ging. ‘Hoe zit het met die granaatmartini’s?’

‘Granaatappel,’ verbeterde Will hem, al wilde hij meteen dat hij zijn mond had gehouden. Er gleed een flits van woede over Jeffs gezicht.

‘Wat is een granaatappel in vredesnaam?’ vroeg Tom.

‘Rood fruit met een harde schil, bomvol zaden en antioxidanten,’ antwoordde Kristin. ‘Schijnt heel gezond te zijn.’ Ze zette het eerste glas met lichtroze martini voor hen op de bar.

Jeff bracht het glas naar zijn neus en rook er wantrouwig aan.

‘Wat is een antioxidant?’ vroeg Tom aan Will.

‘Waarom vraag je dat aan hem?’ snauwde Jeff. ‘Hij is filosoof, geen natuurwetenschapper.’

‘Proost,’ zei Kristin, terwijl ze de twee andere martini’s op de bar zette.

Jeff hield zijn glas op en wachtte tot Tom en Will hetzelfde deden. ‘Op de winnaar,’ zei hij. Als op commando gooiden de drie mannen hun hoofd in hun nek en dronken de vloeistof alsof ze naar lucht hapten.

‘Op,’ riep Jeff triomfantelijk, en hij zette zijn glas neer.

‘Jezus, wat een smerig spul,’ zei Tom een halve seconde later met een grimas. ‘Dat mensen dit bocht drinken.’

‘En jij broertje?’ vroeg Jeff aan Will, die net de laatste slok nam.

‘Niet slecht,’ zei Will. Hij vond het leuk als Jeff hem ‘broertje’ noemde, ook al waren ze officieel halfbroers. Dezelfde vader, andere moeder.

‘Ook niet goed,’ zei Jeff, naar niemand in het bijzonder knipogend.

‘Zíj vindt hem wel lekker.’ Tom knikte naar de brunette in de hoek.

‘Dan vraag je je af wat ze nog meer lekker vindt,’ zei Jeff.

Will betrapte zich erop dat hij zat te staren naar de vrouw met de trieste blik in haar ogen. Zelfs op deze afstand en in dit licht wist hij dat ze een trieste blik moest hebben, omdat ze met haar hoofd tegen de wand leunde en doelloos voor zich uit staarde. Hij besefte dat ze knapper was dan hij eerst had gedacht, al was het op een klassieke manier. Niet spetterend knap zoals Kristin met haar smaragdgroene ogen, de jukbeenderen van een fotomodel en het weelderige figuur. Nee, deze vrouw neigde eerder naar gewoontjes. Aantrekkelijk, dat wel, maar niet echt opvallend. Alleen haar ogen waren echt bijzonder. Ze waren groot en donker, waarschijnlijk diepblauw. Ze ziet eruit alsof ze diepzinnige gedachten heeft, dacht Will, terwijl hij toekeek hoe een man op haar afliep. Hij voelde zich merkwaardig opgelucht toen hij zag dat ze haar hoofd schudde en hem wegstuurde. 'Wat zou haar verhaal zijn?' vroeg hij zich hardop af.

'Misschien is ze de gedumpte minnares van een Britse prins,' opperde Jeff, die zijn restje bier opdronk. 'Of een Russische spionne.'

Tom schoot in de lach. 'Misschien is ze gewoon een huisvrouwtje dat op zoek is naar wat actie. Hoezo? Wil jij wel?'

Wilde hij wel, vroeg Will zich af. Hij had al heel lang geen vriendin meer. Sinds Amy, bedacht hij, en hij huiverde toen hij dacht aan de manier waarop dat was afgelopen. 'Gewoon nieuwsgierig,' hoorde hij zichzelf zeggen.

'Hé, Krissie,' riep Jeff. Hij hing met zijn ellebogen op de bar en wenkte Kristin. 'Wat weet jij over die granaatappeldame?' Hij richtte zijn hoekige kin op het tafeltje in de hoek.

'Niet veel. Ik heb haar een paar dagen geleden voor het eerst gezien. Ze komt binnen, gaat in dat hoekje zitten, bestelt granaatappelmartini's en geeft goeie fooi.'

'Is ze altijd alleen?'

'Ik heb haar nooit met iemand gezien. Hoezo?'

Jeff haalde speels zijn schouders op. 'Misschien moeten wij drietjes elkaar wat beter leren kennen. Wat denk je?'

Will merkte dat hij zijn adem inhield.

'Sorry,' hoorde hij Kristin antwoorden, en hij blies toen pas de lucht uit zijn longen, 'niet echt mijn type. Maar, ga je gang.'

Jeff glimlachte en ontblootte twee glimmende rijen volmaakte tanden die zelfs in het stof van Afghanistan hun glans niet hadden verloren. 'Het is toch niet gek dat ik dol ben op dit meissie?' vroeg hij aan zijn maten, die allebei verwonderd knikten. Tom wilde dat Lainey in dat opzicht wat meer op Kristin leek – jezus, in álle opzichten, eerlijk gezegd. En Will vroeg zich niet voor het eerst sinds zijn komst tien dagen geleden af wat er werkelijk in Kristins hoofd omging.

Om nog maar te zwijgen van zijn eigen hoofd.

Misschien was Kristin eenvoudigweg veel te verstandig en accepteerde ze Jeff zoals hij was, zonder te proberen hem te veranderen of te doen alsof het anders was. Ze hadden kennelijk een verstandhouding die hun allebei beviel, ook al vond Will het maar niets.

'Ik heb een idee,' hoorde hij Jeff zeggen. 'Een weddenschap.'

'Waarom?' vroeg Tom.

'Om wie Miss Granaatappel als eerste in bed krijgt.'

'Wat?' Toms bulderlach deed de bar trillen.

'Waar heb je het over?' vroeg Will ongeduldig.

'Honderd dollar,' zei Jeff, en hij legde twee briefjes van vijftig op de bar.

'Waar heb je het over?' vroeg Will opnieuw.

'Simpel. Er zit daar een aantrekkelijke vrouw in haar eentje in de hoek te wachten tot haar prins op het witte paard haar versiert.'

'Dat lijkt me per definitie al onverenigbaar,' zei Kristin.

'Misschien wil ze gewoon met rust gelaten worden,' opperde Will.

'Welke vrouw komt er nou naar The Wild Zone om met rust gelaten te worden?'

Will moest toegeven dat Jeffs vraag niet onredelijk was.

'Dus, we lopen naar haar toe, doen ieder een poging om haar te versieren en kijken met wie van ons ze mee naar huis gaat. Ik wed honderd dollar dat ze mij kiest.'

'Deal.' Tom stak zijn hand in zijn zak en viste er twee briefjes van twintig en een stapeltje briefjes van een uit. 'De rest komt wel, je weet me te vinden,' zei hij schaapachtig.

'Nu we het daar toch over hebben,' onderbrak Kristin hen, en ze keek Tom recht aan. 'Zou jij niet eens naar huis gaan? Je wilt toch geen herhaling van de vorige keer, hè?'

De waarheid was dat Kristin zelf geen zin had in een herhaling van de vorige keer. Lainey was even schrikbarend als haar man wanneer ze boos was, en ze had er geen moeite mee om de hele stad wakker te maken om erachter te komen waar haar overspelige man uithing.

'Lainey hoeft zich vanavond nergens zorgen om te maken,' zei Jeff zelfverzekerd. 'Miss Granaatappel is helemaal niet geïnteresseerd in die knokige reet van hem.' Hij wendde zich tot Will. 'Doe je mee?'

'Nee, niks voor mij.'

'Ach man, wees niet zo'n spelbreker. Waarom doe je zo moeilijk? Bang dat je verliest?'

Will wierp weer een blik op de vrouw die nog altijd voor zich uit staarde, ook al had ze haar drankje wel op. Waarom had hij zijn broer niet gezegd dat hij wel meedeed. Wilde hij dat wel? Had Jeff gelijk? Was hij bang om te verliezen? 'Accepteer je ook creditcards?'

Jeff schoot in de lach en gaf hem een klap op zijn schouder. 'Zo mag ik het horen van een ware Rydell. Pa zou trots op je zijn.'

'Hoe gaan we dit precies aanpakken?' vroeg Tom een beetje stekelig bij deze nieuwe broederlijke kameraadschap. Jeff en hij waren bijna twintig jaar vrienden, en Will was al die tijd alleen maar een bron van ergernis voor zijn broer geweest. Hij was niet eens zijn echte broer, verdomme, alleen maar een halfbroer die ongewenst en onbemind was. Jeff had in geen jaren iets met hem te maken gehad, had hem al die tijd niet gesproken. Maar Will had tien dagen geleden zomaar op de stoep gestaan en opeens was het 'broertje dit' en 'broertje dat', het was om te kotsen. Tom glimlachte breeduit naar Will en wilde dat 'broertjelief' zijn spullen pakte en terugging naar Princeton. 'Ik bedoel, ze moet niet het gevoel krijgen dat we haar overvallen.'

'Wie had het over een overval? We gaan gewoon naar haar toe, bedanken haar voor onze introductie tot antioxidanten met wodka en bieden haar nog een glaasje aan.'

'Ik heb een beter idee,' zei Kristin. 'Als ik nou eens naar haar toe ga, een praatje met haar maak en inschat of ze geïnteresseerd is.'

'Probeer er op zijn minst achter te komen hoe ze heet,' zei Will, die probeerde te bedenken hoe hij zich zonder al te veel schaamte en zonder zijn broer kwaad te maken aan deze situatie kon onttrekken.

'Hoeveel wedden we dat haar naam met een j begint?' vroeg Tom.

'Ik wed vijf dollar dat hij niet met een j begint,' zei Jeff.

'Er zijn meer namen die met een j beginnen dan met een andere letter.'

'Er zijn nog vijfentwintig andere letters in het alfabet,' zei Will. 'Ik ben het met Jeff eens.'

'Hoe kan het ook anders,' zei Tom nors.

'Oké jongens, daar ga ik,' kondigde Kristin aan, en ze liep naar de andere kant van de bar. 'Hebben jullie nog een boodschap voor de dame?'

'Misschien moeten we haar niet lastigvallen,' zei Will. 'Zo te zien heeft ze veel aan haar hoofd.'

'Zeg maar dat ik haar wel iets wil geven om over na te denken,' zei Jeff, en hij gaf een speelse klap op Kristins achterwerk om haar op weg te sturen. Alle drie keken ze hoe Kristin overdreven heupwiegend tussen de tafeltjes door naar de andere kant van de kroeg liep.

Will zag hoe Kristin het lege glas van het tafeltje pakte en hoe de twee vrouwen ontspannen begonnen te praten alsof ze al hun leven lang vrienden waren. Hij zag dat Miss Granaatappel hun kant opkeek, haar hoofd uitdagend schuin hield en langzaam begon te glimlachen terwijl Kristin praatte. *Zie je die drie mannen aan het eind van de bar*, zei ze vast, dacht Will. *De knappe in het zwart, die magere man naast hem met de boze blik en het gevoelige type in het blauwe overhemd? Je mag er eentje kiezen. Maakt niet uit wie. Je kunt hem zo krijgen.*

'Daar komt ze weer,' zei Jeff even later, toen Kristin de vrouw alleen liet en langzaam terugliep naar de bar. De drie mannen leunden tegelijkertijd naar voren om haar te begroeten.

'Ze heet Suzy,' zei ze, zonder te stoppen.

'Dan krijg ik nog vijf dollar extra van je,' zei Jeff tegen Tom.

'Meer niet?' zei Tom tegen Kristin. 'Je hebt al die tijd met haar staan praten, en meer weet je niet?'

'Ze is hier een paar maanden geleden komen wonen. Komt uit Fort Myers.' Kristin ging weer achter de bar staan. 'O ja, dat zou ik bijna vergeten,' zei ze, met een brede glimlach naar Will. 'Ze kiest jou.'

2

'Hè?' Will was ervan overtuigd dat hij het niet goed had verstaan. Kristin keek hem ook niet echt aan. Haar glimlach was duidelijk voor Jeff bedoeld. De wens was de vader van de gedachte, meer niet.

'Dat is een geintje, zeker?' zei Jeff, al even ongelovig.

'Nou, nou,' gniffelde Tom. 'Zo te zien is broertjelief de grote winnaar van vanavond.'

'Weet je zeker dat ze Will zei?' vroeg Jeff, alsof hij het nog een keer bevestigd wilde hebben.

Kristin haalde haar schouders op. 'Kennelijk heeft ze altijd al een zwak gehad voor mannen in stijve overhemden.'

Tom moest lachen. Hij genoot van de onverwachte wending die de avond had gekregen. Niet dat hij graag verloor. Zeker niet van zo'n verwaande klier als Will. De Uitverkorene, noemde Jeff hem vroeger. Nou, uitverkoren was hij zeker.

'Wat zit je nou te lachen?' snauwde Jeff. 'Je bent honderd dollar kwijt, sukkel.'

'Jij ook. En trouwens, dat doet je ego meer pijn dan je portemonnee.' Tom lachte weer. 'Maak je geen zorgen. Het kan de beste overkomen.' Het was wel eens goed voor Jeff om afgewezen te worden. Zelf had hij daar het grootste deel van zijn leven onder geleden, mijmerde Tom. Je werd er niet minder van als je eens een toontje lager moest zingen.

Jeff hield zijn mond, maar zijn vuile blik sprak boekdelen.

'Afijn,' ging Tom verder, terwijl hij zijn glas leegdronk, 'we zijn geen cent kwijt zolang hij zijn woord niet waarmaakt.'

Onmiddellijk ontspande Jeff zijn schouders en hij schudde de afwijzing van zich af alsof het een oude jas was. Hij glimlachte weer. 'Dat is zo, broertje,' zei hij, terwijl hij Will iets te hard op zijn schouder sloeg. 'De avond is jong. Er is nog veel te doen. De toets is nog maar net begonnen.'

Wills mond werd droog en zijn handpalmen begonnen te zweten. Hij had altijd een hekel aan toetsen gehad. En deze keer was het geen stoffige, oude hoogleraar die zijn kwaliteiten beoordeelde. Het was zijn geliefde grote broer. Een broer die hij al jaren tevergeefs probeerde te imponeren. 'Wat moet ik doen?' fluisterde hij. Hij vroeg zich af of het beter was om voor deze toets te zakken of te slagen.

'Daar kan ik je niet bij helpen, broertje. Dit moet je alleen doen.'

'Je zou haar op de tafel kunnen nemen waar we bij zitten,' opperde Tom met een grijns.

'Geef haar deze maar,' zei Kristin, met een nieuwe granaatappelmartini in haar hand.

Will nam het drankje van haar aan en wist met opperste wilskracht zijn hand stil te houden. Het was al erg genoeg dat Jeff en Tom alles wat hij deed volgden. Hij gunde het ze niet dat ze zijn handen zagen trillen. Hij haalde diep adem, dwong zichzelf te glimlachen, draaide zich om en zette de ene voet voor de andere, als een kleuter die net kan lopen.

'Wees lief,' riep Tom hem achterna.

Wat is er toch met je, dacht Will, die het gevoel had dat iedereen hem nastaarde. Het was niet zo dat hij dit nooit eerder had gedaan. Hij was met zát meisjes uit geweest, was echt geen maagd, ook al moest hij eerlijk toegeven dat er niet al te veel meisjes waren geweest. En sinds Amy helemaal niemand meer. Shit, waarom moest hij nou aan haar denken? Hij duwde haar uit zijn gedachten en merkte dat zijn hand onwillekeurig naar voren schoot en de roze vloeistof over de rand van het glas golfde en langs zijn vingers druppelde.

Suzy keek hoe hij naar haar tafeltje toe liep, en haar ogen glinsterden speels toen hij dichterbij kwam. Will was ervan overtuigd dat het een vergissing was. Kristin had Jeff moeten sturen. *Wat doe je hier*, kon hij haar al bijna horen zeggen.

'Kijk niet zo serieus, sufferd,' zei ze in plaats daarvan. 'Ga zitten.'

Will aarzelde, al was het maar even, voordat hij deed wat hem gezegd was. Hij pakte de dichtstbijzijnde stoel en ging met een sukkelige grijns zitten. Het glas zette hij op tafel en hij schoof het haar kant op. 'Voor jou.'

'Dank je. Hoef jij niets?'

Will bedacht dat hij zijn biertje op de bar had laten staan. Dat ging hij mooi niet halen. 'Ik ben Will Rydell,' zei hij. Niet erg ad rem. Jeff zou ongetwijfeld iets uitdagenders hebben gezegd. Jezus, zelfs Tom zou nog iets scherpzinnigers hebben verzonnen dan zijn naam.

'Suzy Bigelow.' Ze leunde naar voren, alsof ze iets belangrijks wilde zeggen, en dus deed hij hetzelfde. 'Zullen we maar direct ter zake komen?'

'Goed,' zei Will, al vroeg hij zich af waar ze het over had. Hij kreeg het gevoel alsof hij een bioscoopzaal was binnengelopen terwijl de film al tien minuten bezig was en hij een stukje wezenlijke informatie had gemist.

'Wat is de weddenschap?' vroeg ze.

'Wat?'

'Ik heb begrepen dat jullie een of andere weddenschap hebben afgesloten,' zei ze. Met grote, helderblauwe ogen keek ze hem aan en wachtte ze op bevestiging van wat ze duidelijk al wist.

'Wat heeft Kristin je precies verteld?'

'De serveerster? Niet veel?'

'Ze is de barkeeper.' Will beet op zijn tong. Wat hád hij? Waarom moest hij haar zo nodig verbeteren? Als hij niet uitkeek, zou hij het verpesten. Hij wist het. 'Wat zei ze?'

'Dat jullie een weddenschap hadden, en dat jouw avond niet meer stuk kon als ik jou koos.'

Will voelde de teleurstelling tot diep in zijn binnenste. Had Kristin het in scène gezet? Had hij helemaal niets gewonnen?

'Hoeveel win je als wij samen vertrekken?'

'Tweehonderd dollar,' gaf Will schaapachtig toe.

Ze leek onder de indruk. 'Wauw. Niet slecht.'

'Het spijt me. We wilden je niet beledigen.'

'Wie zegt dat ik beledigd ben? Dat is veel geld.'

'Als je wilt, ga ik weg.'

'Als ik wilde dat je wegging, zou ik je niet uitgenodigd hebben.'

Will was nu nog meer in de war. Wat was dat toch met vrouwen, vroeg hij zich af. Was het soms genetisch bepaald dat ze niet in staat waren een normaal gesprek te voeren?

'Ik wil alleen direct duidelijk zijn,' ging ze verder. 'Ik ben niet van plan om met je naar bed te gaan, als je dat soms dacht, dus dat idee kun je direct schrappen.'

'Is geschrapt,' zei hij, en er ging een onverwachte scheut van teleurstelling door zijn lijf.

'Maar ik wil hier met alle plezier samen met jou een paar drankjes drinken. Dan gaan we samen weg, kunnen misschien nog een wandeling over het strand maken en gaan dan elk ons weegs. Wat dacht je daarvan?'

'Klinkt heel redelijk,' zei Will. Eigenlijk dacht hij: waardeloos. Maar goed, een paar drankjes was beter dan niets. Misschien bedacht ze zich nog wel.

'Ik bedenk me niet,' zei ze, alsof ze zijn gedachten had gelezen. 'Maar je kunt je vrienden zeggen wat je wilt.'

'Ik ben niet iemand die uit de school klapt. Zeker niet als er niets over uit de school te klappen valt,' voegde hij eraan toe, en ze moest lachen, waarvoor hij absurd dankbaar was.

'Je bent best een schatje,' zei ze. 'Misschien wil ik toch wel met je naar bed. Geintje,' voegde ze er snel aan toe. 'Maar hoe zit dat? Drink jij niet?'

'O, jawel. Natuurlijk wel. Een Miller Draft,' zei hij tegen een serveerster die langsliep. Hij wees naar Suzy's martini. 'Ik heb begrepen dat granaatappel goed voor je is.'

'Vooral in combinatie met wodka,' zei Suzy, en ze lachte toen ze het glas naar haar lippen bracht.

Will vond dat ze een mooie lach had – verrassend warm en hees.

'Volgens mij is een goede gezondheid voornamelijk een combinatie van geluk en goede genen,' zei ze.

'Biologie is lotsbeschikking,' beaamde hij.

'Wat?'

'Ik ben het met je eens,' zei Will snel.

Suzy glimlachte. 'En, wat doe jij?'

'Niets.'

Haar glimlach werd nog breder, en er verschenen een paar diepe kuiltjes aan weerszijden van haar kleine mond. Haar blauwe ogen trokken vol pret samen. 'Niets?'

'Nou ja, niet precies.'

'Niet precies, of helemaal niets?' zei ze plagerig.

'Ik lijk wel een complete sukkel, hè?' zei Will, waarmee hij zijn gedachten hardop onder woorden bracht. Wat zou het ook – ze had hem toch al gezegd dat ze niet met hem naar bed wilde. Wat had hij te verliezen?

'Als je nou eens een paar keer diep ademhaalt,' zei ze. 'De weddenschap heb je al gewonnen. Je weet dat er tussen ons niets gaat gebeuren, dus je hoeft niet zo je best te doen om me te imponeren. Ontspan je en geniet.'

Opnieuw deed Will wat hem gezegd werd. Hij haalde een paar keer diep adem en leunde achterover in zijn stoel. Zich ontspannen was een heel andere kwestie. Wanneer had hij zich voor het laatst ontspannen als het om een vrouw ging? De woorden 'vrouw' en 'ontspannen' gingen helemaal niet samen.

'Zo, dan vraag ik het je nog een keer. Wat doe je? Als je niet niets doet, tenminste.'

Hij kon iets uit zijn duim zuigen, bedacht Will. Haar vertellen dat hij piloot was of financieel adviseur, iets duidelijks wat hij niet hoefde uit te leggen, of iets wat zo ingewikkeld was dat ze niet om een uitleg zou vragen. 'Ik studeer nog,' zei hij, en hij koos daarmee voor de waarheid. *Mijn naam is Will Rydell. Ik ben student.* Tjongejonge, hij was echt op dreef.

'Echt waar? Wat studeer je?'

'Filosofie.'

'Vandaar dat "biologie is lotsbeschikking",' merkte ze op.

Deze keer was het zijn beurt om te glimlachen. 'Ik ben met mijn promotieonderzoek bezig.'

'Ik ben onder de indruk. Waar? De universiteit van Miami?'

'Princeton.'

'Wauw.'

'Betekent dat dat je misschien toch met me naar bed wilt?' waagde hij.

'Vergeet het maar.'

'Dat dacht ik al.'

Opnieuw moest ze lachen. En opnieuw plooiden die prachtige kuiltjes haar bleke huid. 'Maar dat was schattig. Daar scoor je punten mee.'

'Dank je.'

'Maar even serieus, je studeert dus?'

'Serieus, ik ben een serieuze student,' zei hij. 'Althans, dat wás ik. Ik heb een tijdje vrij genomen.'

'De zomer, bedoel je.'

'Ik weet nog niet voor hoe lang.'

'Zo te horen is dat niet het enige wat je niet weet.'

Will probeerde alle gedachten uit zijn hoofd te bannen. De vrouw die voor hem zat was er akelig goed in om zijn gedachten te lezen. Zijn blik gleed naar de bar, waar Jeff hem door halfdichte ogen aanstaarde en Tom opzij leunde om zijn vriend iets toe te fluisteren.

'Sorry, het was niet mijn bedoeling om zo arrogant te klinken,' zei Suzy.

'Dat deed je niet.'

'Je bent een beetje een raadsel, weet je dat?'

'Een raadsel nog wel.' Will lachte en voelde zich onwillekeurig gevleid. 'Mijn moeder zei altijd dat ik een open boek was.' De serveerster arriveerde met zijn bier.

'Moeders kennen hun kinderen niet altijd goed.'

Will hief het glas. Klonk het tegen het hare. 'Daar drink ik op.'

Ze namen ieder een slokje, en haar vingers raakten per ongeluk de zijne toen ze hun glas weer op tafel zetten. Er ging een elektrische schok door Wills vingers en zijn hand trilde. Hij liet hem op schoot zakken zodat Suzy het niet zou zien.

'En wat doe je in Miami?' vroeg ze.

'Ik ben op bezoek bij mijn broer.'

'Wat leuk. Is hij hier ook?' Ze keek even naar de bar.

Will knikte.

'Was hij deel van de weddenschap?'

'De aanstichter,' gaf Will toe.

Suzy bestudeerde de menigte rond de bar. 'Laat me raden. Die knappe man in het zwarte overhemd.'

'Precies.' Natuurlijk was Jeff haar opgevallen, dacht Will, die zijn best deed om niet jaloers te zijn. Natuurlijk vond ze hem aantrekkelijk. Iets anders was toch onmogelijk? Als Kristin zich er niet mee had bemoeid, had ze ongetwijfeld hem gekozen. 'We zijn eigenlijk maar halfbroers. Daarom lijken we ook niet op elkaar.'

'O, ik zie wel enige gelijkenis, hoor,' zei ze, en haar blik bleef misschien net iets te lang op Jeff rusten.

'Hij is veel gespierder dan ik,' zei Will, enigszins overbodig.

'Ik durf te wedden dat hij niet zo slim is als jij,' was haar antwoord.

Will bloosde van trots.

'Wat doet je broer?'

Will deed zijn ogen dicht, en zijn trots verdween als sneeuw voor de zon. Wat zeiden ze ook al weer – hoogmoed komt voor de val? 'Heb je nu al spijt van je keus?' vroeg hij, en hij kon wel op zijn tong bijten. 'Sorry, dat klonk zeker onvoorstelbaar infantiel.'

'Onvoorstelbaar infantiel?' herhaalde ze. 'Dat is een hele mondvol.'

'Het spijt me,' zei Will opnieuw.
'Ik probeerde alleen maar het gesprek op gang te houden, Will. Ik krijg de indruk dat je niet graag over jezelf praat.'
'Mijn broer is privétrainer,' zei Will, in antwoord op haar eerdere vraag.
Suzy knikte en liet haar blik weer langzaam als door een magneet naar Jeff glijden.
'Hij woont samen met de barkeeper,' voegde Will eraan toe.
'Dan neem ik aan dat we het over de bloedmooie blondine hebben en niet over die dikke kerel met de gouden kettingen?'
Will schoot in de lach. 'Dat is de eigenaar.'
'Ze zijn een aantrekkelijk stel,' zei Suzy. 'Je broer en de barkeeper.'
'Ja.'
'Ze lijkt me aardig.'
'Is ze ook.'
Het gesprek stokte. Suzy richtte haar aandacht op het drankje in haar hand.
'Kristin vertelde dat je uit Fort Myers komt,' zei Will, na een paar pijnlijke tellen.
'Kristin?'
'Jeffs vriendin.'
'Jeff?'
'Mijn broer,' verduidelijkte Will. Wat hád hij? Was hij altijd al zo volkomen onhandig met vrouwen? Geen wonder dat Amy hem had gedumpt.
'De barkeeper en de bodybuilder,' stelde Suzy vast.
'Privétrainer,' zei Will, en hij kon zichzelf wel voor zijn kop slaan. Was hij helemaal gestoord? 'Waarom ben je verhuisd?' vroeg hij.
'Ben je er wel eens geweest?' vroeg ze, alsof dat genoeg was.
'Nee.'
'Ach, zo erg is het er ook weer niet. De mensen zijn best aardig. Het was gewoon tijd voor wat anders.' Ze haalde haar schouders op en nam nog een slokje martini.

'Anders dan?'
'Alles.'
'Wat deed je in Fort Myers?'
'Ik werkte bij een bank. Als assistent-manager.'
'Klinkt interessant.
'Het was zo interessant als het klinkt, zullen we maar zeggen.'
Will lachte en voelde dat hij zich echt begon te ontspannen, alsof hij zijn riem een gaatje losser had gedaan. 'Ben je overgeplaatst?'
'Nee. Geloof me, ik hoef van mijn leven geen bank meer vanbinnen te zien. Alleen om geld te storten, natuurlijk.'
'Waar werk je nu dan?' vroeg Will.
'Nergens. Ik ben net als jij. Ik neem de zomer vrij.'
'En daarna?'
'Dat heb ik nog niet besloten. En jij?'
'Ik?'
'Wat gebeurt er als de zomer voorbij is? Het zal wel een volle boel zijn bij je broer.'
Altijd kwam het weer terug op Jeff, dacht Will. 'Een beetje wel. Ik weet het niet. Misschien pak ik mijn studie weer op. Misschien ga ik wel naar Europa. Ik heb altijd een keer naar Duitsland gewild.'
'Waarom Duitsland?'
'Mijn promotieonderzoek... dat gaat over een Duitse filosoof. Martin Heidegger.'
'Nog nooit van gehoord, geloof ik.'
'De meeste mensen kennen hem niet. Hij schrijft over de dood en sterven.'
'Tja, die twee gaan samen.' Ze glimlachte. 'Klinkt deprimerend.'
'Dat zeggen mensen altijd. Maar dat is het niet. Ik bedoel, de dood hoort bij het leven. Vroeg of laat gaan we allemaal dood.'
'Leer je dat op Princeton? Daar hoef ik dan echt niet naartoe.'
Will schoot in de lach. 'Je hoeft er niet bang voor te zijn.'
'Hebben we het nu over de dood of Princeton?'

'Geloof jij in God?' vroeg hij, en hij dacht aan alle vurige discussies die hij als jonge student over het onderwerp had gevoerd, de ruzies die hij met Amy had gehad.

Suzy schudde het hoofd. 'Nee.'

'Je klinkt erg zeker van je zaak.'

'Verbaast je dat?'

'Ja, eigenlijk wel. De meeste mensen zijn wat terughoudender.'

'Terughoudender?'

'Voorzichtig,' zei hij, ook al had hij het idee dat ze precies wist wat hij bedoelde. 'Die houden een slag om de arm, zeggen dat ze het niet weten, dat ze graag in een god willen geloven, of dat ze in een hogere macht geloven of je het nu God wilt noemen of een levenskracht...'

'Ik ben, geloof ik, nooit goed geweest in terughoudendheid.' Haar blik gleed naar de grote plafondventilator die boven hun hoofd draaide.

'Zo te zien heb je heel serieuze gedachten,' waagde Will.

Suzy begon te lachen en was er weer bij. 'Daar ben ik nooit eerder van beschuldigd.'

'Het was een compliment.'

'Compliment geaccepteerd. Ben je ooit getrouwd geweest, Will?'

'Nee. Jij wel?'

'Ja. Maar laten we het daar niet over hebben, goed?'

'Ik vind het prima.'

'Mooi.' Ze nam nog een slokje. 'Ik stel voor dat ik dit opdrink en dat we dan weggaan, akkoord?'

'Wat je maar wilt.'

'Vier prachtige woorden.'

'Je bent echt heel mooi,' zei hij, waarmee hij hen beiden verraste. Tot nu toe had hij dat zelfs niet eens gedacht.

'Nee. Ik ben te mager,' zei ze. 'Ik weet dat het mode is, maar ik heb altijd rondingen willen hebben. Zoals, hoe heet ze ook al weer... Kristin?'

'Ja, die is wel bloedmooi.'

'Vindt ze het niet erg dat je broer...?'

'Wat?' Hij had net gezegd hoe mooi ze was. Waarom begon ze nou weer over Jeff?

'Nou ja, je zei dat hij de weddenschap had bedacht. Stel dat ik hem had gekozen? Zou ze dat niet erg hebben gevonden?'

'Volgens mij hebben ze een heel open relatie.'

'Werkelijk.' Het was geen vraag, eerder een constatering.

'Heb je je glas al leeg?' vroeg hij, zich ervan bewust dat Suzy weer naar Jeff keek. Hij stond op om haar het zicht te ontnemen.

Suzy nam een laatste slok en zette haar lege glas op tafel. 'Op. Gaat u voor, doctor Rydell.'

Will probeerde niet te veel te genieten van die woorden. Hij schoof een briefje van twintig onder zijn bierglas en liep achter Suzy aan, die zigzaggend tussen de tafeltjes door naar de deur liep. Hij zag dat ze even met een speelse blik naar Jeff en Tom knikte en naar Kristin zwaaide toen ze langsliep.

'Shit,' hoorde hij Tom mompelen. 'Niet te geloven!'

Will verwachtte dat Jeff iets zou zeggen, maar het bleef stil. Toen hij bij de uitgang was, keek hij achterom in de hoop dat zijn broer zijn duim in de lucht zou steken, maar in plaats daarvan staarde Jeff dwars door hem heen alsof hij er niet was. Hij zat nog steeds te staren toen Will zich omdraaide en achter Suzy aan de donkere nacht in liep.

3

'Shit,' zei Tom opnieuw. 'Zag je die belachelijke grijns op zijn hoofd? Alsof hij net de hoofdprijs heeft gewonnen. Man, wat zou ik die grijns graag van zijn kop vegen.' Hij sloeg met zijn vuist op de marmeren bar.

'Laat toch zitten,' was Jeffs advies.

'Hebben jullie nog iets nodig?' vroeg Kristin vanaf de andere kant van de bar.

Jeff schudde zijn hoofd.

'Ik bedoel, die weddenschap winnen is één ding,' ging Tom verder. 'Maar dan hoef je er nog niet zo mee te koop te lopen. Godsamme, een beetje arrogant paraderen alsof hij de wederopkomst van de Heer is. Ik dacht dat hij meer fatsoen had.'

Jeff moest bijna lachen. Wat wist Tom nou van fatsoen? Al was hij merkwaardig dankbaar voor Toms boosheid. Dan hoefde hij zelf niet zo kwaad te worden. 'Volgens mij haal je nu te veel dingen door elkaar, Tommy knul.'

'Waar heb je het verdomme over? Wil je beweren dat jij niet kwaad bent?'

'Hé, wat gebeurd is, is gebeurd.'

'Maar dat weten we niet precies, hè?'

'Wat bedoel je?'

'Ik bedoel dat we niet weten waar ze naartoe gaan of wat ze daar gaan doen,' legde Tom uit. 'Als ze al iets doen. Suzy Granaatappel laat je broertje op dit moment misschien wel een blauwtje lopen, en hoe kunnen wij dat bewijzen? Moeten we maar gewoon aannemen dat hij gescoord heeft?'

'Denk je dat hij erover zou liegen?'

'Zou jij dat dan niet doen?'

'Niet nodig,' zei Jeff.

'Tja, nou ja, ze heeft jou anders niet gekozen, of wel? Dan zullen we er wel nooit achter komen,' zei Tom, en hij hees zich overeind.

'Waar ga je naartoe?'

'Ik ga hem volgen.'

'Wat? Nee. Kom terug. Ga zitten. Je bent dronken.'

'Nou en?'

'Straks zien ze je.'

'Welnee. Denk je soms dat ik niks geleerd heb in Afghanistan?'

Jeff hield zijn mond. De waarheid was dat hij vond dat Tom geen zak had geleerd in Afghanistan.

'Kom je nog?' vroeg Tom, en hij wipte ongeduldig van zijn ene voet op de andere.

Jeff schudde zijn hoofd. Hij was echt niet van plan achter zijn broer aan te gaan. Dat gunde hij het joch niet. Het was al erg genoeg dat Will hem vroeger altijd had vernederd en het gras voor de voeten had weggemaaid. Maar om dat hier nu nog eens mee te maken, op zijn eigen terrein… Ik had hem nooit weer in mijn leven moeten laten, dacht Jeff, en hij gebaarde naar Kristin dat hij nog wat wilde drinken. Hij had Will tien dagen geleden moeten zeggen dat hij kon opdonderen. Hij had de deur in dat gretige gezicht van hem moeten dichtslaan.

Jeff dacht aan de mop die hij daarstraks had verteld. *Doe een wens*, had de geest gezegd. *Wat je maar wilt.*

Ik wil dat hij oprot, dacht Jeff.

'Laatste kans,' zei Tom, die richting uitgang liep.

'Ga je te buiten,' zei Jeff zacht, toen Tom de deur opendeed en in een denkbeeldige rookwolk opging.

De warme, vochtige lucht plooide zich als een poncho rond Toms lichaam, terwijl hij op de drukke stoep keek waar Will en Suzy waren. Waar waren ze? Hoe was het mogelijk dat ze zo snel waren verdwenen? Hij keek naar de overkant van de straat, naar de oceaan die hij in de duisternis wel kon horen maar niet zien. Alleen zo nu en dan een maanverlichte schuimkop die rusteloos in de richting van het strand golfde. Waar waren ze verdomme zo snel naartoe gegaan?

Na een paar seconden zag hij ze. Ze stonden op de hoek van Ocean Drive en Tenth Street voor het stoplicht, te midden van een groep vrijdagavondfeestgangers. Met wankele pas liep hij hun kant op. Misschien had Jeff gelijk, dacht hij, terwijl hij over zijn eigen voeten struikelde en bijna tegen een groepje giechelende tienermeisjes in minirokjes en hoge hakken aan viel. Misschien was hij echt te dronken om ze achterna te gaan. En waar gingen ze verdomme naartoe?

Hij zag dat Suzy plotseling Wills mouw vastpakte om zich vast te houden terwijl ze haar sexy, zwarte sandaaltjes uitdeed. Hij zag dat Will zijn hand naar haar uitstak toen ze hem losliet, hij zag dat zij hem negeerde en wegrende, de straat overstak in de richting van de oceaan, alsof ze de aanhoudende stroom auto's helemaal niet zag. Toen ze aan de andere kant van de straat was, bleef ze staan en wachtte op Will, die wachtte tot het verkeer hem de gelegenheid gaf om over te steken. De oceaanlucht blies verschillende lokken lang, bruin haar in haar gezicht, en terwijl ze ze wegveegde, doorboorden haar ogen de duisternis en bleven ze rusten op Tom. Had ze hem herkend, vroeg Tom zich af, terwijl hij wegdook achter een stelletje van middelbare leeftijd in korte broek en slippers, dat arm in arm over straat liep. Hij had het gevoel dat de grond onder hem wegzakte en hij stak zijn beide armen uit om zijn evenwicht te bewaren.

Toen hij weer opkeek, waren Will en Suzy verdwenen.

'Kut,' vloekte Tom, zó hard dat een paar voetgangers opkeken en hun pas versnelden alsof ze niet snel genoeg konden wegkomen. 'Waar zijn jullie nu weer?' wilde hij weten, terwijl hij de stoep af stapte en pal voor een auto ging staan.

De chauffeur van de zwarte Nissan kwam met piepende banden tot stilstand, toeterde en vloekte luid terwijl hij zijn raampje opendeed om zijn middelvinger naar Tom op te steken.

Normaal gesproken zou Tom zonder aarzelen terug gevloekt hebben, misschien zelfs op de passagiersstoel zijn gesprongen om de klootzak iets meer dan zijn middelvinger te laten zien. Maar vanavond had hij iets te doen, en hij moest zijn hoofd erbij houden. Gebrek aan concentratie kon dodelijk zijn. Tom wist dat er maar één tel van onoplettendheid nodig was. Dan trapte je op een landmijn en *bam!* – vlogen je benen zonder jou door de lucht.

Dit was een belachelijk plan, bedacht hij terwijl zijn schoenen in het zand wegzakten. Sinds hij terug was uit dat verdorven land had hij een bloedhekel aan zand. Lainey zat altijd te drammen dat hij met de kinderen naar het strand moest. Maar dat deed hij mooi niet. Hij had genoeg zand gezien.

En moest je nu eens zien. Niet alleen stond hij tot aan zijn enkels in die troep, maar hij verpestte ook nog eens zijn gloednieuwe, zwarte instappers die hem bijna driehonderd dollar hadden gekost, of liever gezegd, *zouden hebben gekost* als hij niet gewoon de winkel uit was gelopen met de schoenen aan zijn voeten. Tom draaide zich langzaam driehonderdzestig graden om en probeerde Will en Suzy in de duisternis te vinden. Waar waren ze? Had Suzy hem gezien en had ze Will verteld dat hij hen volgde? Begluurden ze hem op dit moment van achter een van de gigantische palmbomen die als wachters langs het strand stonden, lachten ze hem uit om zijn belachelijke gedrag en wachtten ze om te zien wat hij ging doen?

Zou hij ze iets moeten laten zien?

Tom grinnikte zacht toen hij het kleine pistool aanraakte dat achter de zilveren gesp van zijn dikke, zwartleren riem zat, verscholen achter zijn geruite shirt. Jeff zou door het lint gaan als hij wist dat hij gewapend was, maar nou en? In tegenstelling tot de heersende mening deed hij niet altijd wat Jeff hem zei.

Sinds hij terug was uit Afghanistan had hij vier wapens gekocht, en voor geen van alle had hij een vergunning. Twee 44. Magnums, een H&R .22 en een oude Glock .23, die hij regelmatig afwisselde. De .22 was zijn favoriet. Het was meer een meisjespistool, omdat het klein en relatief lichtgewicht was, makkelijk te verstoppen, ook al bleef het hem verbazen hoe zwaar het kreng eigenlijk was. Hij had het Lainey gegeven toen ze een jaar bij elkaar waren. Zij had het natuurlijk weer niet willen hebben. Met wapens ging het altijd fout, had ze hem betuttelend gezegd. Hij was er niet tegenin gegaan. Wat had het voor zin? Lainey was ervan overtuigd dat ze altijd gelijk had, toch?

Tom liet het pistool achter zijn riem zitten, hief een onzichtbaar pistool op en haalde een denkbeeldige trekker over.

En toen zag hij ze weer.

Ongeveer dertig meter verderop renden ze langs het water, waar hun blote tenen verstoppertje speelden met de rollende golven. Tom deed snel zijn instappers uit en kreunde toen hij voelde hoe de warme korrels zand zich tussen zijn tenen wurmden.

'Niet te geloven dat het nog zo warm is,' hoorde hij Will zeggen. De wind blies zijn stemgeluid moeiteloos over het strand.

'Het kan mij niet warm genoeg zijn,' was Suzy's antwoord.

Hebben ze het nou echt over het weer, dacht Tom. Wat voor achterlijke idioten nemen ze op Princeton aan?

'Gek om te bedenken dat daar een hele wereld schuilgaat,' merkte Suzy op, terwijl ze naar de oceaan staarde en zich schijnbaar niet bewust was van Tom die op de loer lag.

'Wel mooi,' zei Will.

Jezus, dacht Tom. Wat kansloos.

Misschien vond Suzy dat ook, besefte Tom, want opeens versnelde ze haar pas, haar kuiten wankelend op de oneffen ondergrond. Will rende haar achterna, waarop Tom ook moest. Op dat moment bleef Will opeens staan en draaide hij zich om.

'Shit,' zei Tom. Hij liet zijn schoenen vallen en wilde zijn pistool pakken toen Will in stevig tempo op hem afkwam.

'Liet mijn sok vallen,' riep Will over zijn schouder naar Suzy.

Hij liet zich op zijn knieën vallen en rommelde in het zand tot hij hem had gevonden.

Suzy stond te lachen toen Will haar had ingehaald en de slaphangende, zanderige sok voor zich uit hield alsof het een dooie vis was. 'Mijn held,' zei ze nog altijd lachend.

Maar ík had haar held kunnen zijn, dacht Tom, en hij besloot ter plekke om de volgende ochtend naar Brooks Brothers te gaan om van die kakkerige overhemden te kopen. Snel viste hij zijn instappers uit het zand, sloeg ze tegen zijn dij om het zand eruit te kloppen en ging weer achter hen aan.

Will en Suzy liepen nog een paar kilometer in stilte verder over het strand. Alleen de golven kletsten op het strand, en Tom bleef op gepaste afstand. Gelukkig waren er nogal wat anderen die genoten van de warme avondlucht en dus wekte zijn aanwezigheid geen argwaan op.

'Laten we naar de film gaan,' riep Suzy opeens.

'Nu?' vroeg Will.

Een film? Op dit tijdstip? Waren ze helemaal gek geworden?

'Waarom niet? Dat is leuk. Om de hoek zit een bioscoop die de hele nacht open is.'

Dat méén je niet, kreunde Tom in stilte. Ze gingen niet naar een motel, maar naar de film? Lainey zou woest zijn.

'Best. Ik doe mee,' zei Will.

'Shit,' mopperde Tom, terwijl hij achter hen aan sjokte. Lainey zou hem levend villen.

Op straat bleven ze even staan om hun schoenen aan te trekken, en Tom deed hetzelfde. 'Shit,' zei hij opnieuw, toen zand in zijn schoenen onder zijn tenen gleed en zijn huid doorboorde alsof het honderden dolken waren. God, wat had hij een hekel aan zand.

Hij liep een paar straten achter hen aan, blij dat hij weer beton onder zijn rubberen zolen had. Enkele minuten later keek hij vanuit de portiek van een oude fourniturenwinkel toe hoe ze naar de kassa van een ouderwetse buurtbioscoop liepen. Vijf minuten later kocht hij zelf een kaartje en ging naar binnen.

De trailers waren al begonnen. Het was verrassend druk in de zaal, ondanks het feit dat het bijna twaalf uur was. Tom bleef achterin staan en wachtte tot zijn ogen aan de duisternis waren gewend. Na een paar minuten zag hij dat Suzy en Will op de vierde rij zaten. Pas toen ging hij in een lege stoel aan het gangpad op de allerlaatste rij zitten. Hij vroeg zich af wat voor film hij te zien zou krijgen en hoopte dat het geen liefdesverhaal zou zijn. Daar had hij een hekel aan.

Gelukkig bleek het een gewelddadige actiefilm met Angelina Jolie te zijn. Was er een mooier wijf, vroeg hij zich af, terwijl zij over het scherm vloog en moeiteloos een machinegeweer afvuurde op alles wat bewoog. Tom legde zijn hand even op het pistool in zijn broeksband als gebaar van solidariteit. Hij genoot zó van de film dat hij Will en Suzy bijna was vergeten, tot hij ze een uur later door het gangpad zag lopen. Waar gingen ze naartoe? Hij dook weg in zijn stoel en verborg zijn gezicht achter zijn hand. Ze gingen toch niet weg? De film was nog niet afgelopen.

Onwillig stond hij op, sloop behoedzaam de lobby in, in de hoop dat ze bij de bar stonden om een nieuwe voorraad popcorn te halen. Maar ze gingen echt weg. 'Te veel geweld voor mij,' hoorde hij Suzy tegen de kaartverkoopster zeggen, toen ze de bioscoop verlieten.

'Godver,' zei Tom, die hen volgde. Hij was zó kwaad dat het hem bijna niet meer uitmaakte of ze hem zagen. Waar gingen ze verdomme nu weer naartoe?

'Mijn auto staat op de hoek van Ninth en Pennsylvania,' hoorde hij Suzy zeggen.

Even overwoog hij om het op te geven, de zaal weer in te gaan en de rest van de film te zien voordat hij naar huis ging. 'Nee,' zei hij hardop. Hij kon moeilijk met lege handen bij Jeff aan komen. 'Dat kan niet.' Hij wachtte tot ze de hoek om waren en zette de achtervolging weer in.

Twintig minuten later stonden ze weer in het centrum van South Beach.

'Dat is mijn auto,' zei Suzy, en ze wees naar een kleine, zilvergrijze BMW aan de overkant van de straat. De bekende piep van de afstandsbediening echode door de straat, vergezeld van flitsende koplampen.

Zo, die heeft poen, dacht Tom, toen zij en Will de straat schuin overstaken. Suzy's hoge hakken klikten op het asfalt. Ze stak haar hand uit en was bijna bij het portier.

Twee mannen in bij elkaar passende, strakke, witte spijkerbroek liepen hand in hand langs, en Tom maakte van de gelegenheid gebruik om snel over te steken en achter een zwarte Mercedes weg te duiken.

'Zo, dat was het dan,' hoorde hij Suzy zeggen. 'Het einde van de rit.'

Het einde van de rit, herhaalde hij in zichzelf, en hij moest zich ervan weerhouden om niet hardop te joelen. Hij wist het wel! Broertjelief ging vanavond dus mooi niet scoren.

'Dat hoeft niet,' protesteerde Will slapjes.

'Ja, ik ben bang van wel.' Ze hield haar gezicht schuin voor dat van Will, keek hem recht in de ogen en deed haar lippen verwachtingsvol uit elkaar. 'Zeg, ik krijg een stijve nek, zo,' zei ze na een paar seconden.

En opeens stonden ze te zoenen. Shit. Wat betekende dat nu weer? Kon ze niet gewoon instappen en wegrijden?

'Oké, stop,' zei Suzy, en ze trok zich terug.

Goed zo, meisje, dacht Tom. En nu instappen.

'Het spijt me,' zei Will.

Watje, snoof Tom.

'Wat? Dat je zo'n geweldige kusser bent? Geloof me, excuses niet nodig.'

Noem je dat een geweldige kus? Dan heb je de verkeerde gekozen, schatje. Ik ben de man die je had moeten kiezen.

'Haal die grijns van je gezicht,' zei Suzy tegen Will. 'Het betekent nog steeds niet dat ik met je naar bed ga.'

'Nooit?'

Ze lachte, deed het autoportier open en stapte in.

Eindelijk, dacht Tom.

'Zie ik je nog eens?' vroeg Will.

Jezus, hoe afgezaagd kun je zijn?

Als antwoord hierop startte ze de motor. Pas toen ze wegreed, deed ze het raampje open. 'Je weet me te vinden,' riep ze, waarna ze Will in een wolk van uitlaatgassen liet staan.

'Sukkelaar,' mompelde Tom, terwijl hij de auto door de straat zag scheuren. Ze sloeg links af Ocean Drive in en verdween in noordelijke richting. Je hebt niet eens een auto, toch, broertje? Je zou haar niet eens achterna kunnen, als je zou willen.

Maar ík wel, bedacht hij opeens. Impulsief rende hij haar auto achterna, terwijl hij zichzelf zorgvuldig schuilhield achter de geparkeerde auto's. Hij glimlachte toen hij zag dat ze vast kwam te zitten in het niet-aflatende verkeer dat zelfs op dit tijdstip langs de kust reed. Zijn eigen auto stond maar een paar straten verderop. Misschien kon hij zijn auto pakken voordat ze was verdwenen, en kon hij haar volgen om te zien waar ze woonde. Misschien haar er zelfs van overtuigen hem nog een kans te geven. Sommige vrouwen hadden gewoon iets meer overreding nodig, dacht hij, en hij moest denken aan dat stomme wicht in Afghanistan dat hem in de problemen had gebracht waardoor hij oneervol was ontslagen, alsof hij de enige Amerikaanse soldaat was die ooit iets te ver was gegaan. Terwijl hij daar goddomme elke dag zijn leven voor die ondankbare sukkels had geriskeerd. Was het dan te veel gevraagd dat hij daar iets voor terug wilde?

Een paar minuten later zat hij achter het stuur van zijn oude, mosterdgele Impala en zag hij Suzy's BMW, die amper een halve straatlengte was gevorderd en de richtingaanwijzer naar links aanhad. Hij kon haar volgen of omdraaien, dacht hij. Will slenterde waarschijnlijk nog steeds door South Beach. Hij zou hem een lift naar Jeffs flat kunnen aanbieden, hem laten merken dat het spel uit was.

Of hij kon Suzy Granaatappel blijven volgen om te zien waar ze naartoe ging, waar ze woonde. En wie weet? Misschien verwachtte ze hem wel. Ze had naar hem geglimlacht toen ze de kroeg uit liep. Hij had gezien hoe ze in de duisternis had getuurd, alsof ze wist dat hij er was. Was dat ook zo? Had ze het al die tijd geweten? Keek ze op dit moment in haar achteruitkijkspiegel om te zien of hij nog steeds achter haar zat?

Wat zou het ook, dacht hij, terwijl hij op de kruising links afsloeg en haar auto in het vizier hield. Hij was nu al zo ver. Lainey zou sowieso kwaad zijn. Wat had het voor zin om het nu op te geven? 'Klaar? Af!' fluisterde hij, en hij gaf zijn spiegelbeeld een knipoog. 'Suzy Granaatappel, daar kom ik.'

4

Jeffs mobieltje ging toen Kristin haar groen met bruine tweedehands Volvo de parkeergarage van de kanariegele flat van twee hoog aan Brimley Avenue inreed. De flat lag op twintig minuten rijden van The Wild Zone. Ze hoefde niet te raden wie op dit tijdstip nog kon bellen. Er waren maar twee mensen die er geen moeite mee hadden om om drie uur 's nachts te bellen, dacht ze met een vermoeide blik op Jeff, die naast haar dronken zat te snurken en niets merkte van 'The Star-Spangled Banner' die in zijn broekzak klonk. De een was Tom, die ongetwijfeld verslag uit wilde brengen van de ontwikkelingen van de avond; de ander was Lainey, die wilde weten waar Tom uithing. Kristin had in allebei geen zin.

Ze zette de auto op de eerste de beste plek die vrij was, zette de motor af en bleef zitten. Ze staarde naar de grijze, betonnen muur voor haar terwijl het nationale volkslied naast haar klonk. Niet voor het eerst wenste ze dat het gebouw een lift had. Of dat ze niet op de tweede verdieping woonden. Of dat ze in een nieuwer gebouw woonden. In een andere wijk. Een mooiere wijk. Dat zou zij graag willen, besloot ze, als de geest uit de fles háár ooit een wens zou gunnen.

Het had geen zin om veel meer te wensen, dacht ze. Wat hadden grootse dromen voor zin, als ze toch onveranderlijk in een nachtmerrie eindigden? Daar had ze er al meer dan genoeg van gehad.

Het was niet zo dat ze zich geen betere flat konden veroorloven, misschien zelfs wel een huisje. Met haar werk als barkeeper en een incidentele modellenklus verdiende ze best goed, en Jeff deed het ook goed als privétrainer. Ervan uitgaande dat hij er bij deze sportschool niet weer de brui aan gaf, zoals bij de vorige twee. Nou ja, dacht ze zoals altijd wanneer ze dit soort wensdromen had, het is beter dan vroeger.

Alles was beter dan vroeger. Dát was pas een hel.

'Jeff,' zei ze , en ze gaf hem een vriendelijke por. 'Jeff, schatje, toe. Word eens wakker.'

Jeff maakte een geluid – half brommend, half kreunend – dat zei dat hij met rust gelaten wilde worden.

'Betekent dat dat je wakker bent?' drong Kristin aan.

Deze keer was de kreun langer, resoluter. Ga weg, betekende die.

'Sorry, maar als je niet wakker wordt, laat ik je hier zitten.' Al voelde ze daar niets voor. Jeff had altijd veel contant geld op zak en zou zomaar beroofd of zelfs in elkaar geslagen kunnen worden, of erger. Voor de lol. Zoals die tienerjongens over wie ze een paar weken geleden een artikel in de *Miami Herald* had gelezen. Die hadden een dakloze man in de ondergrondse garage van hun ouders aangetroffen. Toen de arme man had uitgelegd dat hij alleen maar wilde schuilen voor de storm, hadden ze hem in brand gestoken. 'We wilden hem alleen maar warm houden,' had een van de jongens naar verluidt gezegd tegen de agent die hem had gearresteerd. Dus nee, ze kon hem hier moeilijk laten zitten.

Kristin stapte de auto uit, beende naar het passagiersportier, trok het open en begon aan Jeffs arm te trekken. 'Kom op, Jeff. Tijd om wakker te worden en naar bed te gaan.' Wat een logica, dacht ze, en ze trok nog harder.

'Wat is er?'

'We zijn thuis. Je moet wakker worden.'

'Waar is Will?'

'Geen idee.' Kristin voelde iets bij haar borsten. Toen ze omlaag keek, zag ze dat Jeff met gesloten ogen zijn hoofd tegen haar aan duwde en intuïtief op zoek was naar haar tepels onder haar bloes met luipaardprint. 'Jij bent echt niet te geloven. Half bewusteloos, en je bent nog steeds bezig.' Ze trok zich terug en keek hoe zijn hoofd tegen de leuning rolde. Hij had een dwaze grijns op zijn gezicht waardoor hij er zowel arrogant als vertederend uitzag. 'Toe, Jeff,' drong ze aan. 'Het is laat. Ik ben moe. Ik heb de hele avond op mijn benen gestaan.'

Het kostte Kristin vijf minuten om Jeff de auto uit te krijgen, nog eens tien minuten om hem de trappen op te krijgen en daarna nog twee minuten om hem over de galerij naar de voordeur te slepen. 'Als je moet kotsen, doe dat dan voordat we naar binnen gaan,' zei ze, en ze wierp een blik op de richel langs de kant van het gebouw. Zoals veel lage flats in Florida leek het gebouw meer op een motel. De dertig appartementen, tien per woonlaag, keken uit op een klein zwembad, en alle flats waren alleen vanaf een buitengalerij toegankelijk. Kristin hield Jeff nog steeds overeind, viste de sleutels uit haar tas en had geen oog voor de ronde maan die tussen een groepje palmbomen naar haar knipoogde. Door die imposante, oude palmbomen zag alles er beter uit, dacht ze, toen ze de deur openmaakte en Jeff naar binnen duwde. Ze verborgen een veelvoud aan zonden.

Konden ze het interieur van de flat ook maar verbergen, dacht ze, toen ze de deur naar de rechthoekige woonkamer opendeed, die vooral opmerkelijk was door het gebrek aan opvallende dingen. Geen gezellige hoekjes, geen sierlijsten om de saaie witte muren op te fleuren, geen spotjes of sierlijke details in het lage plafond. Zelfs het grote raam aan de westkant zag er niet uitnodigend uit en keek uit op een soortgelijk gebouw aan de overkant van de straat.

De meubeltjes waren een fractie interessanter: een blauw met groene bank die op het moment ook fungeerde als Wills bed, een donkerblauwe, leren voetenbank, een paar staande lampen die niet bij elkaar pasten, een paar witplastic bijzettafeltjes en een overmaatse, beige leren stoel, stuk voor stuk eerder functioneel dan modieus.

Haaks op de woonkamer lag een verrassend ruime eetkeuken, en een smalle gang liep van de woonkamer naar de slaapkamer achter in de flat. De flat had één badkamer.

Zodra Kristin de deur achter zich dicht had gedaan, klonk 'The Star-Spangled Banner' weer, alsof hij hun komst wilde inluiden. Kristin zag dat Jeff bijna intuïtief zijn schouders rechtte. 'Niet opnemen,' zei ze, toen hij in zijn zak begon te graaien.

Even later zweefde Laineys stem als een giftige damp over het donkerblauwe, hoogpolige tapijt langs de muren omhoog. 'Waar is hij?' hoorde Kristin haar dwingend roepen, terwijl Jeff de telefoon op armlengte van zijn oor hield.

'Ik zei toch dat je niet moest opnemen,' fluisterde Kristin, omdat ze het niet kon laten.

'Waag het niet om tegen me te liegen, Jeff,' ging Lainey verder. 'Als Tom bij jou is, kun je het me maar beter zeggen.'

'Met wie spreek ik?' vroeg Jeff. Hij glimlachte speels naar Kristin en liet de telefoon uit zijn hand glijden.

Kristin ving hem voordat hij op de grond viel. 'Tom is er niet,' zei ze tegen Lainey.

'Ik pik het niet meer van die man,' jammerde Lainey. 'Ik meen het, Kristin. Ik heb er schoon genoeg van.'

'Probeer wat te slapen.'

Als antwoord werd de verbinding verbroken.

'Het was weer gezellig, zoals altijd.' Kristin mikte de telefoon op de bank.

'Hé!' klonk een geschrokken kreet. 'Wat krijgen we nou...?'

Kristin hapte naar adem toen er opeens iemand overeind schoot, over zijn hoofd wreef en verward voor zich uit staarde.

'Will?' zei Kristin vragend, en ze deed de plafondlamp aan.

'Shit, man,' zei Jeff. 'Wat doe jij nou thuis?'

'Ik probeer te slapen,' zei Will, en hij hield zijn hand voor zijn ogen tegen het felle licht.

'Ligt er nog iemand anders onder die deken?' Jeff schoot naar voren, trok de deken van het geïmproviseerde bed en gooide hem op de grond.
'Wat doe je?'
'Waar is ze?'
De slaperige blik verdween van Wills bleke gezicht. Hij haalde diep adem en blies langzaam uit. 'Als je het over Suzy hebt, dan nee, die is hier dus niet.'
'Waar is ze dan?' herhaalde Jeff.
'Ik neem aan dat ze naar huis is gegaan.'
'Dat neem je aan? Ben je niet met haar meegegaan?'
'Nee,' zei Will. 'Ze was met de auto. Ik heb een taxi genomen...'
'Wat wil je nou zeggen?'
'Wat wil je nou weten?'
'Heb je haar nou geneukt of niet?' zei Jeff botweg. Hij was nu nuchter en klaarwakker.
Will keek naar Kristin in de hoop dat zij zich ermee zou bemoeien. Dat deed ze niet. Sterker nog, haar blik zei dat ze net zo nieuwsgierig was als Jeff. 'Nee,' zei hij uiteindelijk.
'Wat hebben jullie dán gedaan?'
'Een strandwandeling gemaakt, naar de film geweest.'
'Je neemt me in de zeik,' zei Jeff ongelovig.
Will schudde zijn hoofd, en slaakte nog eens een diepe zucht toen hij zich achterover in de kussens van de bank liet vallen. 'Sorry dat ik je moet teleurstellen.'
'Jullie hebben over het strand gewandeld, zijn naar een film geweest, zij is naar huis gegaan en jullie hebben niet geneukt,' herhaalde Jeff, alsof hij het probeerde te begrijpen. 'Wat is er in vredesnaam gebeurd?'
'Niets, dus.'
'Ja, dat snap ik. Maar ik snap niet waarom. Het was kat in 't bakkie, broertje. Hoe kon je dat nou verknallen?'
'Ik heb het niet verknald.'
'Je hebt haar anders niet geneukt.'
'Wil je dat woord niet meer gebruiken?'

'Heb je d'r nou wel of niet geneukt?'

Opnieuw gleed Wills blik naar Kristin. 'Nee.'

'Oké, Jeff,' zei Kristin, als reactie op Wills stilzwijgende smeekbede. 'Ga je mee naar bed? Dan hoor je morgen alle vunzige details wel.'

Jeff schudde zijn hoofd en lachte. 'Zo te horen zijn die er niet.' Al hoofdschuddend en grinnikend draaide hij zich om en liep door de gang naar de slaapkamer. 'Kom je?' riep hij naar Kristin.

'Ik kom zo.' Kristin wachtte tot Jeff de slaapkamer in liep, ging toen naast Will zitten en legde haar hand op de zijne. 'Gaat het?'

'Best.'

'Wil je erover praten?'

'Je weet alles al,' zei hij, op zachte, samenzweerderige toon. 'Aangezien jij het geregeld hebt.'

Kristin glimlachte even triest. 'Ben je boos op me?'

'Waarom zou ik boos zijn? Ik heb in geen tijden zo'n leuke avond gehad.'

'Gelukkig. Ze leek me aardig.'

'Is ze ook.'

'Denk je dat je nog eens iets met haar afspreekt?'

Will haalde zijn schouders op. 'Wie weet?'

'Het is een rotjaar geweest, hè?'

'Ik bewonder jouw vermogen om het zo zwak uit te drukken.'

'Het is fijn om bewonderd te worden. Maakt niet uit waarvoor,' zei Kristin met een lach. 'Maar er is geen betere plek dan Miami om tegenslagen te verwerken. Je zit hier goed, zou ik zo zeggen.'

'En wat zegt mijn broer?'

'Die zegt nooit veel. Je kent Jeff.'

'Dat is het 'm juist. Ik ken hem niet.'

'Geef hem een kans, Will,' drong Kristin aan. Had ze Jeff niet hetzelfde gezegd sinds Wills onverwachte komst?

'Mijn moeder wilde niet dat ik hiernaartoe ging, wist je dat? Ze zei dat het vragen om moeilijkheden was.'

'Waarom zou ze dat zeggen?'
'The Star-Spangled Banner' klonk opeens weer. Will vond Jeffs telefoon op de tast en keek vragend naar Kristin.
Zij pakte de telefoon uit Wills hand en zette het geluid uit. 'Genoeg met die onzin. Het is hoog tijd dat iedereen gaat slapen.'
Will had geen verdere aanmoediging nodig. Hij ging liggen, deed zijn ogen dicht en rolde zich als een balletje op. Kristin bukte zich en pakte de deken van de grond, legde die over hem heen en streelde zijn rug even. 'Als je ooit wilt praten,' begon ze. 'Maakt niet uit waarover...'
'Dank je wel,' zei Will, bijna zonder zijn lippen te bewegen.
Kristin duwde zich overeind en legde Jeffs telefoon op de voetenbank. 'Slaap lekker,' fluisterde ze, voordat ze de plafondlamp uitdeed en de kamer wegzakte in een zachte, uitnodigende duisternis.

Ze droomde over Norman.
Kristin was vijf jaar toen haar moeders nieuwe vriend aanbood om op te passen zodat haar moeder naar een auditie voor een tv-spotje kon. Hij had het zichzelf gemakkelijk gemaakt op de tweedehands, bruinfluwelen bank in de woonkamer van hun verlopen flatje, had een biertje gepakt en zijn voeten op de vlekkerige salontafel gelegd, en zat rusteloos met de afstandsbediening te rommelen. Kristin zat op de grond met twee gehavende barbiepoppen te spelen die ze de week daarvoor uit de vuilnisbak van de buren had gered. Hun geklitte haar rook nog steeds naar rotte aardappelschillen, ook al had ze het meerdere keren met afwasmiddel gewassen. 'Zeg, kind,' zei Norman, en hij klopte op het kussen naast zich. 'Wil je iets leuks zien?'
Kristin ging naast hem zitten en keek met grote ogen naar een man en een vrouw die intens aan het zoenen waren.
'Je weet vast wel wat ze doen, of niet?' zei Norman. 'Ze proeven elkaars tong.'
Kristin giechelde. 'Is dat lekker?'
'Heel lekker. Wil je het proberen?' Hij leunde naar voren zodat

zijn gezicht heel dicht bij het hare was en ze de bierlucht uit zijn mond tegen haar neus kon voelen. 'Doe eens open,' zei hij, voordat ze nee kon zeggen.

Kristin deed wat haar gezegd was. Had haar moeder haar niet gezegd dat ze goed naar Norman moest luisteren en moest doen wat hij zei? Prompt duwde Norman zijn tong diep in haar mondje. Speeksel vulde haar keel en even had ze het gevoel dat ze geen lucht kreeg. Ze trok zich terug en onderdrukte de neiging om te kokhalzen.

'Vond je dat lekker?' vroeg hij, zich kennelijk niet bewust van haar ongemak.

Kristin schudde haar hoofd, bang om iets te zeggen, alsof zijn tong haar stem had afgepakt.

Norman lachte en haalde een rolletje snoepjes uit de kontzak van zijn spijkerbroek, trok het papiertje los en gaf haar een rode. 'Vind je dit beter?'

Kristin knikte en stak het snoepje snel in haar mond. De rode waren het lekkerst.

'Niet tegen je moeder zeggen wat jij hebt gedaan, hoor,' waarschuwde hij haar, toen de kersensmaak in haar mond was verdwenen.

Wat jíj hebt gedaan, kon Kristin hem nog steeds horen zegen, en ze schrok wakker van de woorden en moest ook nu haar best doen om niet te kokhalzen. Ze keek op de wekker op het nachtkastje naast het tweepersoonsbed. Het was iets na vier uur, wat betekende dat ze nog geen uur sliep. Ze wilde weer gaan liggen, maar Jeff had zich in zijn slaap bewogen en zijn arm en been lagen nu aan haar kant van het bed.

'Wat doe je?' vroeg een slaperige stem naast haar.

'Ik probeer lekker te liggen.' Kristin voelde zijn hand rond haar linkerborst. Dat meen je niet, dacht ze. 'Wat doe jij?'

'Wat dacht je?' Zijn vingers trokken cirkels rond haar tepel, terwijl hij zich op zijn ellebogen probeerde te hijsen en haar lichaam omlaag trok.

'Ik dacht dat je sliep.'

'Ik sliep ook. Nu ben ik wakker. Zoals je kunt zien.' Hij pakte haar hand en legde die op zijn kruis.

'Indrukwekkend,' zei Kristin met een uitgestreken gezicht, terwijl hij boven op haar ging liggen. Zonder verdere plichtplegingen duwde hij zich bij haar binnen en begon langzaam, doelbewust te stoten tot het bed tegen de achterwand van de slaapkamer bonkte.

Kristin verdween in gedachten naar de plaats waar ze op dit soort momenten altijd naartoe ging. Naar haar veilige plek; een zonnig veld van hoog gras en prachtige rode bloemen. Dat had ze ooit in een boek met impressionistische schilderijen gezien dat een lieve juf van groep 6 haar een keer een avond had geleend. Kristin had door het boek zitten bladeren toen Ron onverwachts vroeg was thuisgekomen. Ron was de nieuwe man van haar moeder geweest, een aantrekkelijke, werkloze acteur met een diepe stem en een kort lontje, dus toen hij haar naar de slaapkamer had geroepen en haar opdracht had gegeven de deur dicht te doen en dichterbij te komen, had ze dat gedaan. Toen hij boven op haar was gaan liggen en met zijn vingers in haar had zitten poken, haar tot bloedens toe had verwond, had ze de pijn onderdrukt door al haar energie te richten op dat zonovergoten veld en de vrouw in haar lange, vloeiende jurk die boven op de heuvel stond met een prachtige parasol in haar hand en toekeek hoe haar dochter vrolijk tussen rode bloemen dartelde. En omdat de schilder hun gezichten doelbewust zo vaag had gehouden, was het bijna mogelijk om te doen alsof zij het meisje was dat zo dolgelukkig door het gras rende en dat de vrouw met de parasol haar moeder was die ervoor zorgde dat haar niets zou overkomen.

Het was een plek waar Kristin vaak naartoe ging.

Op een dag was haar moeder vroeg thuisgekomen uit het pannenkoekenhuis waar ze al een halfjaar werkte, en had ze Ron boven op haar inmiddels bijna vijftienjarige dochter aangetroffen. Ze was gaan krijsen... maar niet tegen Ron. 'Waar ben jij mee bezig, vieze slet?' had ze geschreeuwd, terwijl er een haarborstel door de lucht was gevlogen die zo dicht bij Kristin tegen de muur was beland dat ze hem langs haar nekhaartjes had voelen suizen. 'Rot op. Ik wil die rotkop van je nooit meer zien.'

Kristin had niet de moeite genomen om zich te verdedigen. Wat had het voor zin? Ze had geweten dat haar moeder gelijk had. Het was haar schuld. Zij was de schuldige. Als zij niet zo'n flirt was, zo verleidelijk, zoals Ron haar altijd vertelde, dan was hij misschien in staat geweest zichzelf te beheersen.

Niet tegen je moeder zeggen wat jij hebt gedaan, hoor, hoorde ze Norman nog zeggen.

Wat jíj hebt gedaan.

Eerst Norman. Toen Ron. Het lag dus duidelijk aan haar en niet aan de slechte keuzes van haar moeder.

Haar schuld.

Kristin merkte dat Jeff het tempo verhoogde, dat hij haar uit haar veld met rode bloemen stootte. Dit was haar teken, wist ze, om een bijdrage te leveren aan de soundtrack van zuchten en kreetjes, niet te hard, niet zodat Will het zou horen of dat Jeff zou doorhebben dat ze deed alsof. Niet dat het hem iets uitmaakte. Merkwaardig genoeg was dat een van de dingen die ze het meest waardeerde – zijn gebrek aan huichelarij. Ze pakte zijn billen vast om hem dieper in zich te trekken, voelde hem huiveren en klaarkomen, en liet haar handen over zijn borst glijden om zijn energie in zich op te nemen.

'Hoe vond je dat?' vroeg hij, terwijl hij met een trotse grijns boven haar hing.

'Waanzinnig,' zei Kristin. 'Suzy weet niet wat ze mist.'

Jeffs grijns werd nog breder toen hij zich op zijn zij liet rollen en Kristins arm over zijn middel trok. 'Dat komt nog wel,' dacht Kristin dat hij zei, vlak voordat hij in slaap viel.

5

'Waar neem je me verdomme helemaal mee naartoe?' vroeg Tom zich hardop af, terwijl hij Suzy over de Venetian Causeway volgde, die hoog boven het schilderachtige Biscayne Bay naar het vasteland van Miami liep. Toen ze eenmaal aan de overkant waren, kwam het verkeer bijna tot stilstand bij de kruising van Biscayne Boulevard en Northeast Fourteenth Street. 'Shit. Wat nou weer?' Waar ging iedereen naartoe? 'Blijft er dan niemand meer thuis tegenwoordig?' riep hij door het open raam naar niemand in het bijzonder. Het was al twee uur 's nachts geweest, goddomme. Hij had het warm, hij was moe, hij was erg dronken en meer dan een beetje misselijk. Waarom volgde hij dan in vredesnaam iemand die hem vanavond al een keer had afgewezen?

Een witte Lexus SUV verscheen uit het niets en sneed hem af. 'Vuile tyfusklootzak,' vloekte Tom, toen het verkeer weer begon te bewegen. 'Ik knal je gore kop eraf.' Hij pakte zijn pistool, bedacht zich toen snel, telde tot tien, daarna tot twintig en deed een verwoede poging zichzelf tot kalmte te manen. De klootzak verdiende dan wel een kogel door zijn dikke, vette, lelijke achterhoofd, dacht Tom, maar het laatste wat hij wilde was een nodeloze scène. Toeteren was al riskant, besefte hij en hij legde zijn handen in zijn schoot. Hij wilde niet dat Suzy achteromkeek om te zien wat er aan de hand was. Bovendien stikte het hier van de politie. Dat kon hij echt niet gebruiken, een of andere nieuwsgierige, jonge agent die hem aanhield, de alcohol op zijn adem rook en ontdekte dat hij gewapend was. Ze zouden hem zó snel in een cel smijten dat het hem duizelde. Al duizelde het hem nu al, dacht hij, en hij lachte. Toen stelde hij zich voor hoe Lainey in haar pyjama, met aan elke arm een jengelend kind, op de voet gevolgd door haar woedende ouders, naar het bureau zou moeten komen om zijn borgtocht te betalen, en het lachen verging hem.

Wat héb jij toch, kon hij haar horen roepen. Waarom zit je achter een of andere vrouw in een kroeg aan, terwijl je een vrouw en kinderen en een huis vol verantwoordelijkheden hebt?

Dat was het 'm nou net, dacht Tom nu, en hij lachte weer.

Vind je dat grappig, kon hij Lainey bestraffend horen zeggen. Ben je gek? Word toch eens volwassen, man!

'Als ik daar zin in heb!' was Toms weerwoord, haar in gedachten wegduwend, en hij verschoof iets in een poging om boven de witte SUV uit te kijken. Stomme auto, dacht hij. Hij zag al voor zich hoe de Lexus de volgende afslag te snel zou nemen, zou kantelen en in vlammen zou opgaan, met de snotneus van een chauffeur nog in de auto opgesloten, terwijl hij in paniek op de ramen bonsde in een poging aan de vlammenzee te ontsnappen. Dat zou gaaf zijn, dacht Tom.

Suzy's zilvergrijze BMW sloeg bij het wetenschapsmuseum en het Space Transit Planetarium – wat dat dan ook was – links af en reed in zuidwestelijke richting verder over de brede boulevard, voordat hij rechtsaf Douglas Road in ging. Hierna lette Tom niet meer op de straatnaambordjes. Wat maakte het uit waar ze waren? Veel belangrijker was wat er zou gebeuren als ze er waren.

Tien minuten later reden ze door een kronkelend doolhof van straten in de chique buitenwijk Coral Gables. 'Jezus man, Coral Gables,' kreunde Tom. Hij had een hekel aan Coral Gables.

Lainey zat altijd te zeuren dat ze daar zou willen wonen als ze het zich konden veroorloven. Alsof dat er ooit van zou komen.

Hij werkte bij de Gap, verdomme. Verdiende minimumloon. Als ze haar ouders niet hadden die de aanbetaling voor hun kleine huis in het verpauperde deel van Morningside hadden betaald en de maandelijkse hypotheekaflossing deden, zaten ze nu waarschijnlijk net als Jeff en Kristin in een of ander aftands flatje waar je op elkaars lip zat. Maar goed, als hij met Kristin samenwoonde, zou hij het waarschijnlijk niet erg vinden om op elkaars lip te zitten.

Toen Suzy's auto bij de volgende afslag om de hoek verdween, merkte Tom verrast op dat de meeste auto's, inclusief de witte Lexus SUV, onderweg waren verdwenen zonder dat hij het in de gaten had gehad. Laineys schuld, besloot hij. Zoals bijna alles. Ze zat hem altijd in de weg, leidde hem af van waar hij mee bezig was. Hij moest opletten, besefte hij, terwijl hij Granada Boulevard insloeg en Suzy's auto even verderop bij een stopbord zag staan.

Hij keek hoe de zilvergrijze BMW rechtsaf ging en Alava Avenue insloeg, en reed erachteraan. Suzy sloeg algauw links af, toen rechts af, nog een keer rechts af, waarna ze gas gaf. Wat was ze aan het doen? Had ze door dat ze gevolgd werd? Probeerde ze hem af te schudden? En waren ze hier net niet ook al geweest? Hij was er zeker van dat hij het roze gepleisterde huis op de hoek herkende. Waren ze hier net niet langsgekomen? Was dit een grap? Had ze hem herkend en besloten om hem aan het lijntje te houden? Had ze vanaf het begin geweten dat hij haar volgde? 'Kutwijf,' vloekte hij zacht, vechtend tegen een golf misselijkheid.

Keer om en ga naar huis, zei hij tegen zichzelf. Tuurlijk, Lainey zou hem opwachten. En ja, ze zou schreeuwen en zeiken. Maar wat dan nog? Hij was gewend aan haar aanstellerij. Uiteindelijk zou ze zichzelf zo uitputten dat ze huilend in slaap viel. Morgenochtend zou ze het hem vergeven, zoals altijd. En zo niet, als ze vervelend bleef doen, dan ging hij gewoon naar Jeff toe, of naar de sportschool waar Jeff werkte, of naar The Wild Zone. Waar Jeff ook maar was. Als Lainey er maar niet was.

Stom wijf, ook. Al zijn problemen waren Laineys schuld. Het was Lainey die zwanger was geworden, die hem tot een huwelijk had gedwongen terwijl ze wist dat hij er nog niet aan toe was, die zó verdomd vruchtbaar was dat ze amper een jaar later alweer zwanger was geweest en hem had opgezadeld met niet één maar twee kinderen, die allebei zo op hem leken dat niemand twijfelde aan zijn vaderschap. Het was haar schuld dat hij die rotbaan had, haar schuld dat hij niet gewoon met Jeff de hort op kon als hij daar zin in had, terwijl Kristin Jeff liet doen wat hij maar wilde. Wat heeft Kristin toch, kon Tom Lainey horen krijsen.

Er is niets mis met Kristin, dacht Tom in stilte. Ze was de volmaakte vrouw. Ze zeurde niet over verantwoordelijkheden en klaagde niet als Jeff tweehonderd dollar uitgaf aan een leren jas. Ze deed nooit moeilijk als hij laat thuiskwam, als hij te veel dronk of stoned was. Jezus, ze kneep zelfs een oogje toe als hij met een ander aan de scharrel ging. Als hij het gesprek van vanavond moest geloven, was Kristin er zelfs niet vies van om zo nu en dan mee te doen.

Seks met twee vrouwen was altijd Toms opwindendste fantasie geweest. Een rondborstige blondine zoals Kristin aan een kant, een lenige brunette zoals Suzy aan de andere kant en Tom gelukzalig in het midden. Dan nam hij ze om beurten, de een van voren, de ander van achteren, draaide ze om, herhaalde het hele gebeuren nog eens. Dan deed hij dingen waar hij van Lainey niet eens over mocht praten.

Niet dat hij die dingen met de kleine, gedrongen Lainey zou willen doen. Wel met Kristin, die lang was en alles erop en eraan had. Lainey riep altijd dat Kristin neptieten had, maar wat maakte dat nou uit? Ze had ervoor betaald en dus waren ze wat hem betreft van haar. En ze zagen er goed uit, dus wat deed het ertoe dat ze van plastic waren? Toen hij (naar zijn idee voorzichtig) had geopperd dat Lainey misschien wel eens de naam van Kristins plastisch chirurg zou kunnen vragen – hij had nota bene aangeboden om voor haar tieten te betalen – was ze in tranen uitgebarsten, kwaad de kamer uit gebeend en had geschreeuwd dat Kristin nooit twee kinderen de borst had gegeven en dat hij naar de hel kon lopen.

'Daar ben ik al,' zei Tom nu, terwijl hij een diepe zucht slaakte en naar zijn adem tegen de voorruit keek. Hij pakte een sigaret uit zijn borstzak en stak hem op, inhaleerde diep en deed alsof het een joint was. Hij had ergens gelezen dat marihuana goed was tegen misselijkheid. 'Ha!' lachte hij. Dat moest hij onthouden voor Lainey. Ze vond het afschuwelijk als hij stoned was. 'Het is verboden en het is onverantwoordelijk,' had ze gezegd. Onverantwoordelijk. Haar lievelingswoord. 'Stel dat je stoned bent en een van de kinderen wordt wakker en vraagt om papa.'

Alsof dat zo waarschijnlijk was, dacht hij. Wanneer had een van zijn kinderen voor het laatst om papa gevraagd? Zijn drie jaar oude dochter Candy begon al te janken als hij in de buurt kwam, en Cody, zijn zoontje van twee, van wie iedereen zei dat hij als twee druppels water op zijn vader leek, kromp van afschuw ineen als Tom hem op probeerde te pakken, alsof Tom een vreemde was die per ongeluk hun huis was binnengewandeld. Wat trouwens dicht bij de waarheid kwam, dacht Tom nu, terwijl hij een paar seconden bij een stopbord bleef staan voordat hij Suzy door de zoveelste straat volgde.

Waar nam ze hem helemaal mee naartoe?

Cody leek wel op zijn vader, maar hij was precies zijn moeder, dacht Tom. Wat Tom ook deed, hoezeer hij zijn best ook deed, het was nooit goed genoeg. Hij kon vreselijk janken en zich enorm aanstellen, zijn hele lijfje verkrampend in de armen van zijn vader, om zijn armpjes daarna uit te strekken naar de zachtere, herkenbare armen van zijn moeder. Ondertussen werd zijn ronde gezichtje dan met elke snik roder en roder totdat hij een rijpe tomaat op het punt van exploderen leek.

Tom huiverde. Hij had in Afghanistan meegemaakt dat het hoofd van een man was ontploft. Een meisje had langs de kant van de weg gelegen. Ze had gewond geleken. Toen een jonge, Amerikaanse soldaat uit zijn jeep was gestapt om haar te helpen, had zij haar hand in haar vieze gewaad gestoken. En vervolgens waren er ledematen door de rokerige lucht gevlogen en had de behulpzame, jonge soldaat geen hoofd meer gehad.

Tom voelde de gal in zijn keel opkomen en slikte een paar keer in een poging die kwijt te raken. Waar kwam die herinnering verdomme vandaan? Hij wierp zijn sigaret uit het raampje en probeerde wat frisse lucht op te zuigen. Dat hielp niet. De lucht was broeierig en hing als een dikke laag cellofaan in zijn keel, dreigde zijn luchttoevoer af te snijden. Hij moest stoppen. Hij moest de auto uit, rondlopen, zijn bloedsomloop op gang krijgen, de gedachten in zijn hoofd stopzetten. Hij moest deze rotauto zonder airco uit, voordat hij zichzelf onderkotste.

Hij zwenkte de oude Impala naar de stoep en wilde net het portier opendoen, toen hij zag dat Suzy's BMW halverwege de straat tot stilstand was gekomen, alsof ze op hem wachtte. Wat deed ze? Wilde ze achteruit? Wilde ze de confrontatie met hem aangaan? Keer om, zei hij tegen zichzelf. Verdwijn.

Maar ze reed niet achteruit. Ze reed de oprit op van een bruine bungalow met een wit leistenen dak en een dubbele garage begroeid met klimplanten. Toms blik schoot naar het straatnaambord op de hoek. TALLAHASSEE DRIVE, stond er. 'Ze is mijn Tallahassee-meissie,' bromde hij zacht, en hij vergat zijn misselijkheid toen hij langzaam de straat inreed.

Haar garagedeur ging open, maar de auto bleef even op de oprit staan. Waar wacht ze op, vroeg Tom zich af, en hij zag dat er een tweede auto in de garage stond: een glanzend rode Corvette, nog wel. Twee luxewagens. Een huis in een buitenwijk. Alles behalve een wit tuinhekje. 'Wat maak je daaruit op?' vroeg hij, terwijl hij keek hoe Suzy de garage uit kwam en over het gazon liep.

Kon ze nog langzamer lopen? Tom hield zijn adem in toen de voordeur openging en een man – lang, imposant, met een jasje en een stropdas ondanks het tijdstip – in de deuropening verscheen. Wat moet dat voorstellen? De man pakte Suzy bij de elleboog, duwde haar naar binnen en deed de deur achter hen dicht.

Tom zette de motor af en stapte de auto uit. Tijd voor een subtiele ontdekkingstocht. Hij rende schuin de straat over naar haar huis en bleef dicht bij de rij palmbomen langs de weg.

En toen kwam het. Een plotselinge golf misselijkheid, gevolgd door een tweede, een derde, steeds heftiger dan de vorige, met scherpe, stekende pijn. Hij sloeg zijn handen tegen zijn buik en klapte dubbel van de pijn door het kokhalzen en kotste uiteindelijk midden in een bloeiende struik. Hij hapte naar adem, zijn ogen prikten van de tranen toen hij probeerde rechtop te staan. Wanneer was hij voor het laatst zo misselijk geweest? Hij bedwong de neiging om nog een keer te kotsen, liet zich met knikkende knieën op het gras vallen en liet zijn hoofd in zijn handen zakken. Hij moest naar huis. Hij moest liggen. Hij moest zich door Lainey laten verzorgen.

Zodra zijn benen sterk genoeg aanvoelden, liep hij terug naar zijn auto. Tallahassee Drive 121, zag hij, toen hij de keurige, bruine bungalow met het witte leistenen dak passeerde. Onderweg herhaalde hij het adres een paar keer hardop, zodat hij het zou onthouden.

'Dit is niet de laatste keer, Suzy Granaatappel,' zei hij, toen hij de hoek om ging en naar huis reed.

'Kijk nou eens,' zei Suzy, en ze glimlachte naar de man in de deuropening. Ze slaagde erin blij te klinken, hoewel haar hart in haar keel bonkte. Het was nooit een goed idee om angst te tonen. Wat deed Dave thuis? Hij zou morgenavond pas terugkomen. 'Ik verwachtte je pas...'

'Ga naar binnen.' Hij pakte haar bij de elleboog, duwde haar de hal in en sloeg de deur achter hen dicht.

'Is er iets gebeurd? Is alles goed? Je moeder...?' Had het verpleeghuis gebeld om hem te vertellen dat ze haar strijd tegen kanker, die haar lichaam al twee jaar lang verwoestte, eindelijk op had moeten geven?

'Waar ben je verdomme geweest?' Lange, boze vingers knepen in haar arm. Dezelfde plek waar Will haar nog geen halfuur eerder zo teder had aangeraakt.

'Ik ben naar de film geweest.'

'Welke bioscoop is op dit tijdstip open?'

'Het Rialto, in South Beach.'

'Moet ik nou werkelijk geloven dat je helemaal naar South Beach bent geweest om naar de film te gaan?'

'Het ís zo.'

'Welke film?'

'Die nieuwe met Angelina Jolie, waar jij niet naartoe wilde.'

'Met wie ben je geweest?'

'Een vriendin.'

'Welke vriendin?'

'Kristin,' zei Suzy. Het was de eerste naam die in haar opkwam.

'Kristin,' herhaalde hij. Hij schudde zijn hoofd alsof hij de onbekende naam weg wilde hebben en wreef met de vingers van zijn rechterhand over zijn stoppels. 'Wie is Kristin, verdomme?'

'Iemand die ik ken.'

'Sinds wanneer?'

'Een paar dagen.'

'Waar heb je haar ontmoet?'

'Wat maakt dat nou uit?'

Het antwoord was zijn hand die tegen haar wang sloeg. Suzy klapte tegen de roomkleurige muur en viel op de grond.

'Sta op,' beval Dave boven haar. Met zijn een meter drieëntachtig en tweeëntachtig kilo was hij bijna dertien centimeter langer en tweeëndertig kilo zwaarder. Een man met inhoud had ze vijf jaar daarvoor gedacht, toen ze aan elkaar waren voorgesteld. De knappe prins die haar kwam redden. Een man die voor haar zou zorgen. Een man tegen wie ze kon opkijken.

Precies wat ik nu doe, dacht ze vanaf de vloer, en ze probeerde een lach te onderdrukken.

'Wat? Vind je dit grappig?'

'Nee, natuurlijk niet.'

'Zit je te lachen?'

'Nee. Het was niet mijn bedoeling...'

'Sta op,' zei hij opnieuw.

Ze kwam met moeite overeind. 'Sla me alsjeblieft niet weer.'

'Lieg dan niet tegen me.'

'Ik lieg niet.'

'Zeg me waar je haar van kent.' Met kille, blauwe ogen waar de woede van afspatte staarde hij naar Suzy.

En dan te bedenken dat ze die blauwe ogen ooit aardig had gevonden. 'Ze werkt in South Beach.'

'Waar?'

'The Wild Zone, heet het,' fluisterde ze.

'Wat? Wees eens duidelijk.'

'Ik zei dat het The Wild Zone heet,' herhaalde Suzy, en ze zette zich schrap voor een tweede klap.

'The Wild Zone?' herhaalde Dave ongelovig. 'Wat is dat voor iets?'

'Gewoon een café.'

'Een café dat The Wild Zone heet,' zei David, en hij balde zijn vuisten langs zijn lichaam. 'En wat deed je precies in The Wild Zone?'

'Niets. Heus. Ik was naar het strand geweest. Ik had dorst...'

'En uiteraard ga je dan naar de dichtstbijzijnde kroeg.' Opnieuw schudde hij vol ongeloof zijn hoofd en balde zijn vuisten nog strakker.

'Ik ben maar eventjes binnen geweest.'

'Lang genoeg om contact te maken met het plaatselijke "wild".'

'Ze werkt daar.'

'Ze is serveerster?'

'Barkeeper.'

'Je hebt vriendschap gesloten met de barkeeper,' herhaalde hij sceptisch.

'We hebben elkaar een paar minuten gesproken. Ze leek me aardig.'

'Waar hebben jullie het over gehad?'

'Hè?'

'Ik vraag je waar jullie het over hebben gehad.'
'Dat weet ik niet meer.'
'Natuurlijk wel, Suzy. Of moet ik je geheugen even opfrissen?' Hij hief zijn rechterhand in de lucht.
'Nee!'
'Zeg me waar jullie het over hebben gehad, Suzy.'
'Ik wilde een granaatappelmartini hebben. Ze zei dat ze had gehoord dat die heel gezond voor je zijn.'
'Je zat midden op de dag aan de martini?'
'Het was na vijven.'
'Waar hebben jullie het nog meer over gehad met zijn tweetjes?'
'Over het weer,' zei Suzy, en ze probeerde zich te herinneren wat ze precies tegen Will had gezegd.
'Het weer?'
'Ze vroeg of het nog steeds zo warm was buiten, en ik zei dat het wat mij betreft niet warm genoeg kon zijn, en ze vroeg waar ik vandaan kwam en ik heb haar verteld dat ik net was verhuisd en uit Fort Myers kwam.'
'Je hebt haar verteld dat jíj net was verhuisd?'
'Ik bedoel "we".'
'Maar dat heb je niet gezegd, of wel?'
'Dat weet ik niet meer precies. Waarschijnlijk wel. Vast wel.'
'Zeg me wat je hebt gezegd.'
'Ik zei dat we uit Fort Myers kwamen.'
'Heb je het over mij gehad?'
'Wat? Nee.'
'Wat heb je haar verteld?'
'Niets. Ik heb niets over jou gezegd.'
'Je hebt helemaal niets gezegd over de hardwerkende man aan wie je eeuwige liefde en trouw hebt beloofd? Over mijn recente aanstelling in het Miami General? Dat ik naar een radiologiecongres in Tampa was en pas zaterdagavond zou thuiskomen? Daar heb je het helemaal niet over gehad?'
'Nee.'

'Waarom niet?'
'Wat?'
'Vroeg ze daar niet naar?'
'Nee.'
'Ze vroeg alleen naar het weer,' constateerde hij.
'Ja. En waar ik vandaan kwam.'
'En toen? Heel toevallig zei ze dat ze wel met jou op een vrijdagavond naar een nachtfilm wilde, een van de drukste avonden van de week voor een tent als The Wild Zone, stel ik me zo voor.'
'Ik weet niet meer wat ze precies zei.'
Suzy zag Daves vuist pas toen hij haar wang raakte. Ze struikelde achteruit de donkere woonkamer in, greep het bijzettafeltje bij de bank vast om niet te vallen en stootte de lamp omver.
'Raap op,' beval hij, terwijl hij op haar afkwam.
Suzy zette met moeite de lamp weer op zijn plek op de kleine tafel.
'Wat...? Denk je nou echt dat ik zo stom ben? Dat ik het niet doorheb als je liegt?' vroeg hij dwingend, en hij gooide de lamp weer om. De tere, ivoorkleurige lampenkap zat scheef. 'Raap op!'
Opnieuw zette Suzy de lamp op tafel. Opnieuw gooide hij hem op de grond.
'Zet die kap recht, verdomme.'
Met trillende vingers worstelde Suzy met de gedeukte lampenkap en wist hem uiteindelijk weer in vorm te krijgen.
'Raap op,' beval hij opnieuw.
Suzy wilde de lamp snel terugzetten, maar zijn arm kwam al weer omlaag. De lamp vloog uit haar hand, de kap raakte los en schoot in de richting van het plafond. Het koraalrode, ovalen voetstuk ging rakelings langs het beige met groene tapijt en barstte op de koude, marmeren vloer in stukjes. 'O, god,' riep Suzy uit, toen hij op haar af dook, haar overeind sleurde en aan de andere kant van de kamer tegen de muur smeet. Naast haar hoofd wiebelde een bekende zwart-witfoto van een matroos die aan het eind van de Tweede Wereldoorlog midden op Times

Square een vrouw omhelst, enkele seconden voor hij op de grond viel.

Hij was nu niet meer te houden, wist Suzy, en dus deed ze haar ogen dicht, gaf zich over aan zijn vuisten en wachtte tot het voorbij was.

6

Veertig minuten later reed Tom eindelijk de oprit op aan Northwest Fifty-sixth Street in Morningside, een zodanig verlopen wijk dat hij bijna hip was. Dat rottige Coral Gables ook, vloekte hij in stilte. Het was daar bijna net zo'n doolhof als in die klotegrotten in Afghanistan. Wegen die volkomen onlogisch naar links en naar rechts kronkelden, doodlopende straten die als sluipschutters uit het niets opdoemden, straten die als slangen in cirkels liepen. Het was een wonder dat iemand er ooit uit kwam. Drie keer dacht hij dat het hem gelukt was, maar dan bleek hij weer op diezelfde rotweg te zijn uitgekomen. Hij was bijna beschamend dankbaar dat het reusachtige, betonnen skelet van flats en winkelcentra, beter bekend als de binnenstad van Miami, opeens opdoemde.

Hij deed de koplampen uit en stopte een plakje fruitkauwgom in zijn mond voor het geval Lainey nog op was en hij haar kon overhalen om een kop thee voor hem te zetten. Daarna reed hij langzaam tot onder de carport, zette de motor af en voelde hoe de auto met een trilling tot stilstand kwam. Keek Lainey naar hem van achter het raam boven, vroeg hij zich af, toen hij het portier opende en zijn blik langs het eenvoudige, witte huis met bovenverdieping liet glijden. Haar ouders hadden het huis zogenaamd als huwelijkscadeau voor hen gekocht, maar het stond op

Laineys naam. Het was Tom wel duidelijk dat hij kon oprotten als ze gingen scheiden.

Het zou niet de eerste keer zijn dat hij op straat stond, mijmerde hij, en hij dacht aan de keer dat zijn ouders hem het huis uit hadden gegooid, toen hij was betrapt op spieken tijdens zijn eindexamen en te horen had gekregen dat hij niet samen met Jeff en zijn andere vrienden zijn diploma zou krijgen. Jeff was na zijn eindexamen direct naar het zuiden gegaan, naar de universiteit van Miami, en Tom had vastgezeten in het saaie Buffalo.

Zonder Jeff was alles anders geweest. Mooie meisje hingen niet langer om hem heen; ze vertelden hem niet dat hij gevoelvolle bruine ogen en een lekker kontje had; hun handen streken niet per ongeluk langs de zijne als ze langsliepen; ze giechelden niet en lieten hun vriendinnen niet meer staan als hij hen wenkte. Eigenlijk liepen ze met een grote boog om hem heen, tenzij ze iets over Jeff wilden weten. Hoe ging het tegenwoordig met hem? Was hij inderdaad gestopt met zijn studie en was hij van plan om in Miami te blijven? Kwam hij binnenkort nog eens langs en wist Tom misschien ook wanneer?

Tom had een baantje bij McDonald's gevonden, maar had er de brui aan gegeven zodra hij genoeg geld had om naar Jeff in het zuiden van Florida te gaan. Daar was hij nog geen dag geweest of hij had Lainey ontmoet, en zij had haar klauwen in hem gezet en nooit meer losgelaten. Een paar maanden later, wankelend na een nacht vol drank en wijven, opgejut door Jeff, die honderd dollar had gewed dat hij het lef niet had, was hij een rekruteringskantoor van Defensie binnengestapt en had hij dienst genomen. Daarna had hij zich omgedraaid en dezelfde honderd dollar gewed dat Jeff de ballen niet had om hetzelfde te doen. Ach wat, hadden ze gedacht, toen ze hun handtekening op de stippellijn hadden gezet. Het was een avontuur, een kans om iets van de wereld te zien, een kans om met grote geweren te schieten. En trouwens, de oorlog zou toch maar een paar maanden duren?

'Deze kant op, heren,' had de rekruteringsofficier met een glimlach gezegd.

'Volgende halte, het vagevuur,' zei Tom nu. Hij liep door de vochtige lucht naar de gruwelijk paars geschilderde voordeur. Hij dacht terug aan de smaakvolle, bruine bungalow in Coral Gables, terwijl hij in zijn zak naar zijn sleutels graaide. Wie schildert zijn voordeur nou paars, dacht hij, horend hoe de sleutel in het slot draaide.

Paars brengt geluk, kon hij Lainey horen zeggen, en hij zette zich schrap toen hij de drempel overging. Hij zag Lainey ervoor aan hem in het donker te bespringen met beschuldigingen die als kogels over zijn hoofd vlogen, hem van kamer naar kamer achtervolgend, met haar stem jankerig als van een geleide raket die genadeloos op zijn doel afgaat.

Maar niemand stond hem op te wachten toen hij het kleine halletje in ging. Niemand die hem afsnauwde, toen hij als een schildpad zijn hoofd om het hoekje van de donkere woonkamer stak. Hij liet zich op de dichtstbijzijnde stoel zakken en staarde naar de lege plek waar de plasma-tv had gestaan. Hij probeerde zich een paar minuten tevergeefs te ontspannen in de veel te kleine bloemetjesstoel, en stond toen op. Hij had dit nooit een fijne kamer gevonden, had nooit kunnen wennen aan de afdankertjes van Laineys ouders.

Hij liep de trap op en kromp ineen bij elke tree die kraakte.

Er klopte iets niet, besefte hij, toen hij op de overloop stond. Hij bleef een paar seconden doodstil staan, haalde amper adem, zijn spieren tot het uiterste gespannen, en probeerde te bedenken wat er was. En toen wist hij het. Het was te stil.

Zijn ogen schoten naar het plafond, alsof hij half verwachtte dat er plotseling een bom uit de lucht zou vallen. Hij stak zijn hand naar achteren, pakte zijn pistool en hield het voor zich toen hij over de smalle overloop verder liep en onzichtbare landmijnen ontweek, terwijl raketten om hem heen in stilte explodeerden.

De deuren van de kinderkamers stonden open, dat was niet normaal. Lainey wilde toch altijd dat ze dicht waren? Hij sloop Cody's kamer binnen, liep op zijn tenen naar het bedje en spande zijn oren om de rustgevende ademhaling van zijn zoon te horen.

Hij hoorde niets.

Zag niets.

Zelfs in het donker was duidelijk dat zijn zoon niet in zijn bed lag.

Wat was er verdomme aan de hand, dacht Tom, terwijl hij naar de kamer ernaast rende, direct registreerde dat het bed van zijn dochter leeg was, de afdruk van haar kleine lichaam duidelijk in de roze gestreepte lakens, alsof iemand haar halverwege de nacht uit bed had gehaald.

Tom rende over de overloop naar de grote slaapkamer, deed het licht aan en hapte naar adem toen hij het keurig opgemaakte bed zag. Hij sloeg met zijn vuist tegen de lichtpaarse muur en dwong zichzelf toe te geven wat hij diep vanbinnen al wist.

Lainey was vertrokken en had de kinderen meegenomen. Ze was weg.

En als hij die stomme trut uit de kroeg niet bijna twee uur had achtervolgd, was hij misschien op tijd thuis geweest om te voorkomen dat zijn vrouw bij hem wegging. Die stomme Suzy ook, dacht hij, en in gedachten zag hij voor zich hoe ze langzaam naar de man was gelopen die onheilspellend bij de voordeur had gestaan.

Het was allemaal haar schuld.

'Kom hier,' zei Dave teder. Hij glimlachte naar Suzy en klopte op het grote bed naast hem, terwijl hij het frisse, witte laken terugsloeg. Hij was naakt van boven en zijn gebruinde borst ging met zijn ademhaling regelmatig op en neer.

Suzy stond wankelend in de deuropening. Haar natte haar hing op de schouders van haar lichtroze, badstof badjas. Ze klemde haar tenen in het witte, kamerbrede tapijt.

'Kom,' zei hij. Zijn stem was zacht en geruststellend, vergevingsgezind alsof zij degene was die iets verkeerd had gedaan.

Aarzelend deed ze een paar stappen.

'Heb je het ijs?' vroeg hij.

Suzy stak haar gekneusde rechterhand op, met daarin een

plastic zak die ze volgens zijn instructies had gevuld met ijsklontjes uit de vriezer.

'Mooi. Kom naar bed. Dan zullen we eens even kijken.'

Alsof hij niet weet hoe ik eruitzie, dacht Suzy, toen ze naast hem kroop. Alsof hij niets heeft gedaan. Ze huiverde toen hij haar kin vastpakte en die naar boven en beneden en van links naar rechts bewoog om zijn werk te bekijken.

'Dat valt wel mee,' merkte hij gevoelloos op. 'Met wat ijs is de zwelling zo weg. Een beetje make-up doet de rest. Niet dat ik je aanraad de komende dagen de deur uit te gaan.'

Ze knikte.

'Sterker nog, ik denk erover om een paar dagen vrij te nemen om voor mijn meisje te zorgen,'

'Kan dat?' vroeg Suzy nederig.

Het was niet het ijs waar ze een koude rilling van kreeg, maar zijn antwoord. 'Ik kan alles.'

'Ik bedoel, omdat je net nieuw bent in het Miami General...'

'Ze denken dat ik naar dat stomme congres ben,' zei hij. 'En trouwens, wat is belangrijker, mijn werk of mijn vrouw?'

Suzy zei niets.

'Ik stel je een vraag.'

'Sorry. Ik dacht dat je...'

'Je dacht dat mijn vraag geen antwoord waard was?'

'Ik dacht... dat het een retorische vraag was.'

'Een retorische vraag,' herhaalde hij, met opgetrokken wenkbrauwen. 'Dat is mooi gezegd, Suzy. Ik ben onder de indruk. Als mensen in de toekomst willen weten waarom zo'n succesvolle, aantrekkelijke arts getrouwd is met een mager mens dat de middelbare school niet eens heeft afgemaakt, dan zal ik ze vragen of dat een retorische vraag is. Daar hebben ze vast niet van terug. Hier, hou dat ijs tegen je wang. Braaf zo.' Hij leunde dicht tegen haar aan en begroef zijn gezicht in haar haar. 'Mmm. Wat ruik je lekker.'

'Dank je.'

'Lekker schoon. Wat is het? Zeep van Ivory?'

Ze knikte.
'Heb je lekker in bad gelegen?'
'Ja.'
'Niet te heet?'
'Nee.'
'Goed. Je moet nooit een te heet bad nemen. Dat is niet goed voor je.'
'Het was niet te heet.'
'Ik heb de rommel in de woonkamer opgeruimd.'
De rommel in de woonkamer, dacht Suzy. Alsof die daar uit het niets terecht was gekomen. Alsof het niets met hem te maken had. 'Dank je.'
'We zullen een nieuwe lamp moeten kopen.'
Ze knikte.
'Die zal ik uit je toelage moeten halen.'
'Natuurlijk.'
'Volgens mij geef ik je te veel. Als je het verspilt aan nachtfilms en een tent als The Wild Zone...'
Suzy verstrakte. Ze wilde niet dat hij weer over The Wild Zone begon. Ze draaide zich om in zijn armen, hief haar gezicht naar hem op en bracht haar lippen naar de zijne in de hoop hem af te leiden. Ze dacht aan Will en zijn lieve, aarzelende kus, terwijl haar man zijn mond hard op de hare perste. Maar goed, Daves kussen waren in het begin net zo lief en teder geweest. Net zo zacht. Zo zacht en geruststellend als zijn stem, toen ze elkaar leerden kennen.
'Dit is dokter Bigelow,' had de verpleegkundige gezegd. 'Hij heeft uw moeders röntgenfoto's bekeken. Hij wil u graag even spreken, als u tijd hebt.'
'Onder vier ogen,' had dokter Bigelow er met kalm gezag aan toegevoegd. 'Voordat uw vader er is.'
'Is er iets mis?' had ze gevraagd, en ze had bedacht hoe aantrekkelijk hij was, op een stijve manier. Donkere krullen. Een hoog voorhoofd. Een krachtige neus. Een mooie mond. Buitengewoon lange wimpers boven lichtblauwe ogen. Vriendelijke ogen, had ze gedacht.

Hij had haar bij de elleboog genomen en haar vriendelijk van de ziekenhuiskamer van haar moeder naar de gang gebracht. 'Zegt u het maar.'

'Ik begrijp het niet,' had ze gezegd, ook al had ze het heel goed begrepen.

'Hoe komt uw moeder aan die verwondingen?'

'Dat heb ik de andere artsen al gezegd. Ze was met de hond uit. Ze struikelde over de riem. Toen viel ze met haar gezicht op straat en met haar hoofd tegen de stoeprand.'

'Hebt u haar zien vallen?'

'Nee. Dat vertelde ze ons toen ze thuiskwam.'

'Ons?'

'Mijn vader en ik.'

'Mijn vader en mij,' had hij haar gecorrigeerd, waarna hij schaapachtig had geglimlacht. 'Sorry. Een ergernisje van me. Je zegt toch ook niet: dat heeft ze ik verteld toen ze thuiskwam? Dan zeg je: dat heeft ze míj verteld. Het verandert niet omdat je er een andere naam aan toevoegt. Ik dacht dat uw vader aan het werk was,' was hij in één adem verder gegaan.

'Wat?'

'U hebt de artsen verteld dat uw vader aan het werk was toen uw moeder viel, en dat hij er niets van wist.'

'Dat klopt. Dat is ook zo. Hij wist er niets van. Hij heeft er niets mee te maken.'

'Dat zeg ik ook niet. Zegt u dat?'

'Wat? Nee. U maakt me in de war.'

'Het spijt me... mevrouw Carson, klopt dat?' had hij gevraagd, en hij had in het dossier van haar moeder gekeken. 'Suzy?' had hij vriendelijk gevraagd, en haar naam had zacht als suikerspin geklonken. 'Als je me nu eens vertelt wat er werkelijk is gebeurd.'

Ze had haar hoofd geschud. 'Dat kan ik niet.'

'Zeg het me, Suzy. Je kunt me vertrouwen.'

'Er is niets gebeurd. Ze struikelde over de hondenriem. Toen is ze gevallen.'

'Haar verwondingen komen niet overeen met de val die je beschrijft.'

'Nou ja, dan heb ik het misschien mis. Ik heb al gezegd dat ik er niet bij was. Ik heb het niet zien gebeuren.'

'Ik denk het wel.'

'Nee,' had Suzy geprotesteerd. 'Ik was er niet bij.'

'Hoe kom je aan die blauwe plekken op je armen, Suzy? Ook een ongelukje met de hond?'

'Dat stelt niks voor. Ik weet niet eens meer hoe ik daaraan kom.'

'En deze?' Hij had naar een rode plek op haar wang gewezen. 'Die ziet er erg recent uit.'

'Ik weet niet waar u het over hebt.'

'Je vader heeft dat gedaan, of niet? Hij heeft je moeder zo verwond. En jou ook,' had hij er zacht aan toegevoegd.

'Nee, echt niet. U weet niet waar u het over hebt. Zijn we nu klaar?'

'Je hoeft hem niet te beschermen, Suzy. Je kunt me vertellen wat er werkelijk is gebeurd. Dan gaan we samen naar de politie. Zij kunnen hem arresteren.'

'En dan?' had Suzy indringend gevraagd. 'Zal ik u vertellen wat er dan gebeurt, dokter Bigelow? Dan wordt mijn moeder beter, de blauwe plekken verdwijnen, ze mag naar huis en trekt de aanklacht tegen mijn vader in, zoals altijd. Daarna verhuizen we naar een andere stad, is alles een paar weken goed, misschien zelfs wel een paar maanden, en dan... Verrassing! Dan begint het allemaal weer van voren af aan.'

'Zo hoeft het niet te gaan, Suzy.'

'Ik ben eenentwintig, dokter Bigelow. Het gaat al op deze manier zolang ik me kan herinneren, waarschijnlijk ging het al zo voordat ik geboren werd. Denkt u nou echt dat u met uw magische stethoscoop kunt zwaaien en dat alles dan beter wordt?'

'Ik zou het graag willen proberen,' had hij gezegd.

En zij had hem geloofd.

Ze had zich laten overhalen om naar de politie te gaan, te getuigen tegen haar vader, ondanks de smeekbedes en heftige ontkenningen van haar moeder. Hij was bij haar geweest toen haar vader zes maanden gevangenisstraf kreeg. Uiteindelijk had hij nog geen vier maanden hoeven zitten voordat hij was vrijgelaten en in de open armen van zijn vrouw was gevallen. Drie weken later waren die armen, evenals het sleutelbeen, op meerdere plaatsen gebroken en lag ze weer in het ziekenhuis. Twee weken daarna hadden de artsen haar ontslagen en had haar vader besloten om met het gezin naar Memphis te verhuizen. Hun achtste verhuizing in bijna acht jaar. Deze keer was Suzy niet meegegaan. Ze was in Fort Myers gebleven om dicht bij haar beschermer, de lieve dokter Bigelow, te zijn.

Tien maanden later waren ze getrouwd. Negen weken daarna had hij haar voor het eerst geslagen. Ze had 'mij' in plaats van 'ik' gezegd. Natuurlijk had hij daarna uitgebreid zijn excuses aangeboden, en Suzy had zichzelf de schuld gegeven. De maand daarna, toen hij haar had geslagen vanwege weer een schandelijke grammaticale fout, was hij een stuk minder verontschuldigend geweest. Het had niet lang geduurd of ze werd volledig in elkaar geslagen. De afgelopen vijf jaar was het vaak gebeurd: het duurde te lang voordat ze in bed lag, de pasta was niet *al dente*, ze had 'geflirt' met de man van de boekhandel. Het was al zó vaak gebeurd dat ze de tel kwijt was, dacht Suzy nu, zonder weerstand te bieden tegen Daves handen die haar hoofd naar zijn kruis duwden.

Ze overwoog even om hem te bijten, maar duwde die gedachte snel weg. Hij zou haar vermoorden.

En trouwens, verminken was niet genoeg. Niet meer.

Nu wenste ze hem dood.

Misschien had ze de man gevonden die haar daarbij kon helpen.

7

De eerste keer dat Jeff had geprobeerd zijn broertje te vermoorden was hij acht.

Niet dat hij iets tegen Will had. Niet dat hij hem kwaad toewenste. Hij wilde hem alleen maar weg hebben. Will was er altijd, stond altijd in het middelpunt van de belangstelling, hoefde maar een kik te geven of hij kreeg aandacht en mocht alles. De Uitverkorene. In elke kamer was hij dominant aanwezig, zoog alle lucht op en liet Jeff verlaten, aan de rand, happend naar adem achter.

Hij had vaak last van buikkrampjes en huilde veel. Dan lag Jeff in bed te luisteren naar Wills gejammer en voelde hij zich vreemd genoeg getroost door het feit dat zijn broertje, ondanks alle aandacht waarmee hij werd overstelpt, net zo ongelukkig leek als hij.

Met één cruciaal verschil: als Will huilde, luisterde iedereen, maar als Jeff huilde, kreeg hij te horen dat hij zich niet zo moest aanstellen. Dan moest hij zijn mond houden, stilliggen, niet opstaan, zelfs niet als hij midden in de nacht naar de wc moest, want hij mocht de baby niet wakker maken. En dus lag hij in het donker met pijn in zijn buik onder de met pietepeuterige aandacht zelfgemaakte quilt van zijn stiefmoeder, omgeven door boze geesten in elke hoek van de kamer. En op een nacht had hij het niet kunnen ophouden en had hij in zijn bed geplast. De volgende ochtend had zijn stiefmoeder, met een jammerende baby op de arm, de vochtige lakens ontdekt, en hem op zijn kop gegeven. Will was opeens gestopt met huilen en gezellige pruttelgeluidjes gaan maken, alsof hij begreep wat er was gebeurd en er blij om was.

Dat was het moment waarop Jeff had besloten hem te vermoorden.

Hij had gewacht tot iedereen in bed lag en was toen naar de kinderkamer geslopen. Wills handbeschilderde, houten wieg stond tegen een lichtblauwe muur, en boven zijn hoofd cirkelde traag een mobiel met kleine, felgekleurde stoffen vliegtuigjes. Speelgoed in allerlei vormen en maten stond op de planken aan de muur daartegenover. Pluchen beesten – reuzenpanda's en fiere pony's, pluchen pups en donzige vissen – lagen overal op het zachtblauwe, kamerbrede tapijt. Dit was een échte slaapkamer, wist Jeff. Niet zomaar een geïmproviseerde ruimte in een kamer die eigenlijk voor iets anders was bedoeld. Zoals zíjn kamer met het kleine bed tegen de kale, witte muur. De oude naaikamer van zijn stiefmoeder. Maar het was allemaal tijdelijk. Tot zijn eigen moeder haar leven weer op de rails had en hem zou halen. *En dat kon niet gauw genoeg zijn.* Dat had zijn stiefmoeder een keer op een middag tegen een vriendin gezegd, toen ze vrolijk zaten te koeren boven Will.

Jeff had naast de wieg van zijn broertje gestaan en gekeken hoe hij lag te slapen. Toen had hij het grootste pluchen beest gepakt dat hij kon vinden – een grijnzende, groene alligator – en had hij de donzige, citroengele onderbuik van het beest tegen Wills gezicht gedrukt. Wills voetjes hadden een aantal seconden wild in de lucht getrappeld en daarna was hij gestopt en was zijn beweeglijke lichaampje plotseling stil blijven liggen. Jeff was de kamer uit gerend. De hele nacht had hij onder zijn bed gelegen, doodsbang dat de quiltgeesten hem achterna zouden komen en hem in zijn slaap zouden verstikken.

Toen Jeff de volgende ochtend de keuken binnenliep, zat Will rechtop in zijn kinderstoel met een lepel op het tafelblad te slaan en te zeuren om zijn ontbijt. Jeff had het kind in stilte verbijsterd aangestaard en zich afgevraagd of hij het niet allemaal had gedroomd.

Hij wist het nog steeds niet zeker.

Zelfs nu, meer dan twintig jaar later, half slapend in het tweepersoonsbed dat hij met Kristin deelde, vroeg Jeff het zich af. Niet of hij in staat was om te doden. Daar wist hij het antwoord wel op. Hij had in Afghanistan meer dan zes mensen gedood, inclusief een man die hij van dichtbij had uitgeschakeld. Maar dat was anders. Dat was oorlog. Daar golden andere regels. Je moest snel reageren. Je kon het je niet veroorloven om te twijfelen. Iedereen kon een zelfmoordaanslag plegen. En Jeff was ervan overtuigd geweest dat de man een wapen had willen pakken en niet zijn armen in overgave in de lucht had gestoken, zoals zijn radeloze echtgenote later had beweerd.

Zelfs nu kon Jeff het zand in zijn ogen voelen en het gewicht van het geweer in zijn handen. Hij hoorde de klik van de trekker die overging, gevolgd door de hysterische kreten van een vrouw. Hij zag de ongelovige blik in de donkere ogen van de man nog voor zich, toen een explosie van rode spetters over diens witte gewaad neerkwam, als een patroon van een van de quilts van zijn stiefmoeder.

Ja, hij was in staat om te doden.

Maar opzettelijk, koelbloedig?

Had hij echt geprobeerd om Will te verstikken?

En die keer toen Will drie was en Jeff hem achter in de tuin op de schommel zó hoog had geduwd dat zijn stiefmoeder rennend het huis uit was gekomen... Ze had Will van de schommel gerukt en tegen Jeff geschreeuwd: 'Waar ben jij mee bezig? Wil je hem soms dood hebben?' Was dat zijn bedoeling geweest?

Of had hij alleen maar haar aandacht willen trekken?

Wat zijn bedoeling ook was geweest, het had niet gewerkt. Will was voorspoedig opgegroeid, hoe akelig Jeff ook tegen hem had gedaan. Zijn vader was hem blijven negeren, hoezeer Jeff ook zijn best had gedaan hem tevreden te stellen. Zijn moeder had haar leven niet op de rails weten te krijgen en was hem nooit komen halen. Zijn stiefmoeder had duidelijk laten merken dat hij haar alleen maar in de weg zat.

Op zijn veertiende had hij een lange, slungelige brok kwaaie energie ontmoet in de vorm van Tom Whitman, van nature een meeloper die op zoek was naar een leider. En zo was een levenslange vriendschap geboren.

Tegen de tijd dat Jeff achttien was, hadden inspannende, dagelijkse trainingen tien kilo goedgevormde spieren aan zijn bijna een meter drieëntachtig toegevoegd. Het aantrekkelijke gezicht dat hij van zijn vader had geërfd verzekerde hem van een constante stroom meisjes. Hij hoefde maar met een lome glimlach hun kant op te kijken of ze kwamen op hem afgerend, zo leek het.

Jeff grijnsde bij de herinnering aan die eerste overwinningen, terwijl hij zijn ogen liet wennen aan het warme zonlicht dat door de dikke, blauwe gordijnen van het slaapkamerraam drong. 'Krissie?' vroeg hij, en hij voelde naast zich, terwijl hij op de klok op het nachtkastje keek. Twee uur? 's Middags? Echt waar? 'Krissie?' riep hij, harder deze keer.

De slaapkamerdeur ging open. Het silhouet van een man verscheen in de deuropening. 'Die is er niet,' zei Will.

Jeff hees zich overeind en duwde een weerbarstige, blonde lok uit zijn gezicht. 'Waar is ze dan?'

'De supermarkt. We hadden geen toiletpapier meer.'

'Schijt,' zei Jeff, en hij moest om zijn eigen grapje lachen.

Will lachte ook, al vond hij het eigenlijk niet echt grappig. 'Voel je je goed?' vroeg hij.

'Waarom niet?'

'Weet ik niet. Je was behoorlijk dronken gisteravond. En het is ondertussen wel middag.'

'Het is zaterdag,' mopperde Jeff. 'Dan mag ik uitslapen.'

'Hebben mensen op zaterdag geen privétrainers nodig?' Will

probeerde zijn stem luchtig te houden. Het was niet zijn bedoeling geweest om zo neerbuigend te doen.

'Ik heb hén niet nodig.' Jeff stapte uit bed, liep zonder zijn naakte lijf te bedekken naar de badkamer en grinnikte toen hij zag dat Will zijn blik afwendde. Hij plaste, waste zijn handen, spetterde wat water in zijn gezicht en was even later weer terug. 'Er is zeker geen koffie,' zei hij. Hij stond naast het bed, rekte zich uit en strekte zijn gespierde armen boven zijn hoofd. Als Will moeite had met deze ogenschijnlijk ontspannen naaktheid, dan had hij pech, dacht Jeff. Het kon geen kwaad om de tegenstander te laten zien wat je in huis had. Met wat subtiele intimidatie kon je een heel eind komen. Jeff pakte zijn spijkerbroek van de rand van het bed en trok hem over zijn blote heupen.

'Volgens mij heeft Kristin een verse pot gezet voordat ze wegging,' zei Will, met zijn blik vastberaden op de grond gericht. Hij wilde niet dat Jeff het idee kreeg dat hij staarde.

Jeff liep langs Will door de woonkamer naar de keuken. Hij schonk koffie in een beker die de vorm van een flamingo had, deed er wat melk bij en nam voorzichtig een slokje. 'Hoe laat is ze weggegaan?'

'Een minuut of twintig geleden. Ze zei dat ze met een uurtje terug zou zijn.'

'Ze zet lekkere koffie.'

'Ze doet alles goed.'

'Dat is waar,' zei Jeff, en hij dacht aan de vorige avond.

'Je hebt maar mazzel.'

'Ja.' Jeff zag de aarzelende blik op het gezicht van zijn broertje. 'Wat?' vroeg hij wantrouwig.

'Wat?' herhaalde Will.

'Je kijkt alsof je iets wilt zeggen.'

'Nee. Niet echt.'

'O, jawel,' hield Jeff vol.

Will keek de andere kant op, schraapte zijn keel en keek toen naar Jeff. 'Nou ja...'

'Zeg het nou maar, broertje.'

'Weet je... Het is zo... Gisteravond...'
'Gisteravond?'
'Vindt ze het dan niet erg?'
'Vindt ze wát niet erg?'
'Je weet wel,' zei Will. 'Van Suzy.' Haar naam voelde als een gebed op zijn lippen. Het gaf hem een goed gevoel.
'Er is niks gebeurd tussen mij en Suzy.'
'Vindt ze het niet erg dat jij wílde dat er iets zou gebeuren, dat er ook echt iets gebeurd zou zijn als...' Jezus, waar was hij mee bezig, vroeg Will zich af. Was hij alleen nieuwsgierig of probeerde hij zijn broer met opzet op de kast te jagen?
'... als ze mij had gekozen?' maakte Jeff Wills zin af. 'Geloof me, er zou absoluut iets zijn gebeurd. Maar ze heeft mij niet gekozen, ze heeft jou gekozen.' De Uitverkorene, dacht Jeff. Hij nam nog een slok koffie, die opeens bitter smaakte.
'Daar gaat het niet om.'
'Waar gaat het dan wél om?' vroeg Jeff ongeduldig. Geen wonder dat zijn broertje gisteravond misgeschoten had. Was hij altijd al zo'n twijfelaar? 'Wat wil je nou zeggen, Will?'
'Ik kan me gewoon niet voorstellen dat Kristin het allemaal goedvindt.'
'Ze is een fantastische vrouw.'
'Waarom bedonder je haar dan?' De vraag was eruit voordat hij er erg in had.
'Je kunt het toch niet echt "bedonderen" noemen als de ander er geen probleem mee heeft?' zei Jeff.
'Dat zal wel niet. Maar...'
'Maar wat?'
'Ik begrijp niet waarom je dat zou willen.'
'Hé, man. Je weet wat ze zeggen: "Niks ruikt zo lekker als een ander poesje,"' zei Jeff lachend. 'Wat is er gisteravond trouwens met jou gebeurd?' Hij pakte een keukenstoel, ging er schrijlings op zitten en genoot van de ongemakkelijke blik van zijn broertje.
Will bleef staan. 'Je weet wat er is gebeurd.'
'Ik weet wat er níét is gebeurd. Je hebt niet...'

'Kunnen we het hier niet weer over hebben?' vroeg Will.

'Je hebt haar toch op zijn minst wel even betast? Zeg me dat je meer hebt overgehouden aan gisteravond dan alleen een kater.'

'We hebben gezoend,' gaf Will na een lange stilte toe. Hij wilde de herinnering niet bezoedelen met goedkope opmerkingen.

'Jullie hebben gezoend? Meer niet?'

Will zei niets.

'Was er dan in elk geval nog wat tongactie?'

'Het was een goeie zoen,' zei Will, waarna hij zich omkeerde en naar de woonkamer liep.

Jeff liep achter hem aan. 'Ach toe, broertje, ik wil wel wat meer weten.'

'Meer krijg je niet.' Will liet zich op de bank zakken. 'Sorry dat ik je moet teleurstellen.'

'Wie zegt dat ik teleurgesteld ben? Het scheelt me honderd dollar.'

Will haalde zijn schouders op. 'De weddenschap is nog niet voorbij,' zei hij zacht.

Jeffs lach vulde de kamer. 'Zo mag ik het horen. Heb je kennelijk toch wat van pa's bloed in je.'

Het was even stil voordat Will zei: 'Heb je hem de laatste tijd nog gesproken?'

'Wie?'

'Dat weet je best. Onze vader.'

'Onze vader die in Buffalo zijt? Waarom zou ik?' vroeg Jeff, en hij slenterde naar de keuken om nog wat koffie in te schenken.

'Gewoon, om dag te zeggen. Om te vragen hoe het met hem is.'

'Hij leeft toch nog?'

'Ja, natuurlijk.'

'Wat valt er dan te zeggen? Ik neem aan dat ik wel bericht krijg als hij de pijp uit is.' Jeff liep weer naar de woonkamer en zag nog net zijn broertje huiveren. 'Niet dat ik denk dat ik in zijn testament sta.'

'Geloof me, er valt niet veel te halen,' zei Will.

Jeff knikte begrijpend. 'Al die jaren op Princeton hebben het familiekapitaal zeker aardig uitgeput.'

'Dat hebben mijn grootouders betaald,' zei Will afwerend. 'Van mijn moeders kant,' voegde hij er onnodig aan toe.

'Bof jij even.'

'Ik vind het heel erg van je moeder,' zei Will, na een ogenblik stilte.

'Hoeft niet.'

'Ellie zei dat het een erg agressieve vorm van kanker is, en dat ze nog maar een paar maanden heeft.'

'Tja, nou ja. Die dingen gebeuren. Valt niet veel aan te veranderen.'

'Je zou naar huis kunnen gaan,' drong Will aan. 'Om haar nog een keertje te zien voordat ze overlijdt.'

'Nee. Dat kan niet.'

'Volgens Ellie heeft ze naar je gevraagd.'

'Mijn zus kletst te veel. Ik wist niet dat jullie zoveel contact hadden.'

'Ze is ook *míjn* zus,' zei Will.

'Halfzus,' corrigeerde Jeff hem scherp. 'Heeft ze je soms gevraagd om er met me over te praten? Ben je daarom hier?'

'Ze heeft me wel gevraagd erover te beginnen, maar dat is niet de reden waarom ik hier ben.'

'Wat doe je hier dan wél, broertje?'

'Ik miste je,' antwoordde Will eenvoudigweg. 'Je bent mijn broer.'

'Halfbroer,' corrigeerde Jeff hem een tweede keer. Deze keer klonk zijn stem zo monotoon als een bot mes.

'Ik heb het de laatste tijd nogal moeilijk gehad,' zei Will, en hij gooide alle voorzichtigheid overboord. Als hij Jeff in vertrouwen nam, zou die hem misschien ook in vertrouwen willen nemen. 'Ik was mentor van een meisje op Princeton... Amy...'

'Amy?' Jeff ging op zijn gemak in de grote, beige leren stoel zitten en leunde naar voren met zijn ellebogen op zijn dijen, terwijl de damp die opsteeg uit zijn koffiebeker de glimlach rond zijn lippen deels verborg.

'Ze was eerstejaars. Ik gaf haar les in Logica. We konden het goed met elkaar vinden. En van het een kwam het ander...'

'Je hebt met haar geneukt,' zei Jeff.

'Jezus, Jeff. Is dat het enige waar je aan kunt denken?'

'Zo ongeveer.'

'Er is wel iets meer binnen een relatie, hoor.'

'Je hebt dus niet met haar geneukt.'

'Dat zeg ik niet.'

'Heb je nou wel of niet met haar geneukt?'

'Ja... wel.'

'Goddank. Wat was dan het probleem?'

'Dat was er niet. Voorzover ik wist, in elk geval. Een jaar lang ging alles goed, totdat ze het van de ene dag op de andere uitmaakte. Zonder reden. Ik heb haar gebeld, geprobeerd met haar te praten, weet je, omdat ik wilde weten wat ik fout had gedaan.'

'Hoe heette hij?' vroeg Jeff.

'Wat?'

'De vent voor wie ze je heeft gedumpt. Hoe heette hij?'

'Hoe weet jij nou dat ze me voor een andere vent heeft gedumpt?'

'Niet bepaald hogere wiskunde, broertje. Hoe ben je er uiteindelijk achter gekomen?'

'Ik kwam op een gegeven moment uit een werkgroep en zag haar met een vent in de gang staan zoenen, en toen ben ik door het lint gegaan. Ik heb me als een gestoorde superheld op hem gestort. Overal bloed.'

'Goed zo, broertje.'

'Zo word je wel van Princeton afgetrapt.'

'Ze hebben je weggestuurd?'

'De ouders van die jongen dreigden met een rechtszaak. Ik had zijn neus gebroken en een paar tanden uit zijn mond geslagen. Ik ben de rest van het semester geschorst. Het stelt niet zoveel voor. Ik heb mijn promotieonderzoek toch bijna af.'

'Toe maar,' zei Jeff lachend. 'Ik had geen idee dat filosofen zulke heethoofden waren.'

'Zo nu en dan.'

'Ik ben trots op je, broertje.'

Onverwachts voelde Will zijn borst opzwellen. Zijn broer was trots op hem.

Een luide bons op de deur verbrak het moment.

'Krissie is zeker de sleutel vergeten,' zei Jeff, en hij bleef zitten.

Will liep naar de deur en deed open. Tom walste naar binnen.

'Wat is er verdomme aan de hand?' wilde hij weten, terwijl hij naar het midden van de kamer beende. 'Neem je tegenwoordig verdomme je telefoon niet meer op?'

Jeff tastte zijn broekzakken af.

'Is dit hem?' vroeg Will. Hij pakte de mobiele telefoon van het voetenbankje en gooide hem naar Jeff die hem met links opving.

'Godsamme, ik heb je geloof ik wel vijftig keer gebeld,' zei Tom boos, en hij liep gespannen voor Jeffs stoel heen en weer.

Will zag dat Tom zijn kleren van de vorige avond nog aanhad en dat hij naar bier en slaapgebrek stonk.

'Sorry, jongen,' zei Jeff. 'Ik was behoorlijk ver heen.'

'Wil je koffie?' bood Will aan.

'Zie ik eruit alsof ik koffie wil?' vroeg Tom boos.

'Je ziet eruit alsof je wel een kop kunt gebruiken,' zei Jeff. 'Extra melk, extra suiker,' zei hij tegen Will. 'Is er iets?' vroeg hij Tom, toen Will de kamer uit was.

'Lainey is weg,' zei Tom. 'Ze heeft de kinderen meegenomen en is bij me weg.'

'Die komt wel terug.'

'Nee. Deze keer niet.'

'Heb je haar gesproken?

'Geprobeerd. Ze zit bij haar ouders. Ik ben er vanmorgen geweest, maar ze wil niet met me praten. Ze is echt kwaad.'

'Over een paar dagen is ze wel weer afgekoeld. Ze draait wel bij.'

'Haar ouders zeiden dat ik tot aanstaande zaterdag heb om

mijn spullen uit het huis te halen. Klinkt dat alsof ze wel bijdraait?'

'Zo te horen heb je een goeie advocaat nodig,' zei Will, die de woonkamer binnenkwam met Toms koffie in zijn hand.

'Zo te horen moet jij je met je eigen zaken bemoeien,' snauwde Tom.

'Misschien heeft hij gelijk,' zei Jeff.

'Ja? Alsof hij ergens verstand van heeft.'

'Als ik jullie eens even met rust laat,' bood Will aan. Hij zette Toms koffie op het voetenbankje voor de bank en liep naar de voordeur. Hij had geen zin in een aanvaring met Tom die duidelijk uit was op ruzie.

'Ga maar lekker naar je vriendinnetje in Coral Gables,' riep Tom hem na. 'Ze is getrouwd, trouwens. Wist je dat, meneer de wijsneus?'

'Wat?' Waar had Tom het over?

'Waar heb je het over?' vroeg Jeff in plaats daarvan.

'Ik heb het over het feit dat Suzy Granaatappel getouwd is.'

'Je bent gek,' zei Will.

'Is ze je dat vergeten te vertellen tijdens die romantische strandwandeling?'

'Heb je ons gevolgd?'

'Naar het strand, naar de film, naar haar auto. Een zilvergrijze BMW, voor het geval je het je afvroeg,' zei hij tegen Jeff, waarna hij zijn aandacht weer op Will richtte. 'Ik heb gezien dat je een sok in het zand liet vallen, hoe je bij haar auto stond te stuntelen.' Tom lachte. 'Wát een afscheidskus. Heeft hij verteld dat hij heeft misgeschoten?' vroeg hij Jeff.

'Ja.'

'Ik geloof je niet,' zei Will, hoewel het loodzware gevoel in zijn maag hem zei dat het waar was.

'Waar wil je om wedden? Honderd dollar? Duizend?'

'Zo te horen weet je het wel heel zeker,' zei Jeff.

'Nou en of. Ik ben de dame helemaal tot in Coral Gables gevolgd. Tallahassee Drive 121. Een mooi huis. Dubbele garage.

Manlief stond in de deuropening te wachten. Ik kan je laten zien waar het is, als je bewijs wilt.'

Jeff stond direct op en liep naar de deur. 'Gaat u voor,' zei hij tegen Tom, en hij gebaarde naar Will. 'Ga je mee, broertje?'

Wat? O, nee. Absoluut niet, dacht Will. 'Na jou,' zei hij.

8

'Dit is belachelijk,' zei Will twintig minuten later, terwijl hij achter in de roestige Impala van Tom nog steeds geen lekkere houding wist te vinden. Maar de auto was oud en stonk nog erger dan Tom, zelfs met de raampjes open. Bovendien was Tom een ramp achter het stuur, ging zonder enige reden zenuwachtig met zijn voet heen en weer tussen het gaspedaal en de rem, zodat de auto constant schokte alsof hij de hik had. Als ze niet snel stopten, was Will bang dat hij over zijn nek zou gaan. 'Waar is het?'

'Geduld, jongen, geduld,' zei Tom. De lach in zijn stem gaf aan dat hij met volle teugen genoot.

Klootzak, dacht Will, en hij bedacht wat een hekel hij aan Tom had. Je geniet hiervan, hè? Van het onbekende gevoel van macht dat je over ons hebt.

'Weet je zeker dat je weet waar je naartoe gaat?' vroeg Jeff vanaf de bijrijdersstoel.

'Die niet zo moeilijk, man. Ik ben hier gisteravond geweest.'

'Zijn we hier vijf minuten geleden niet ook langsgekomen?' vroeg Jeff dringend.

'Al die straten lijken op elkaar. Geloof me. Ik weet waar ik naartoe ga.'

'Hoe gaat het achterin, broertje?' riep Jeff over zijn schouder.

'Ik weet niet wat we hier moeten,' was Wills oprechte antwoord.
'We gaan op huizenjacht,' zei Tom grinnikend.
'En als we er zijn?' vroeg Will.
'Dat is aan jou, broertje,' zei Tom.
Will werd woest bij het horen van Toms arrogante gebruik van het woord. 'Ik ben je broertje niet,' zei hij, harder dan hij had bedoeld.
'Inderdaad,' beaamde Tom, gevolgd door weer een pesterig lachje.
'Hoe is het trouwens met ze?' vroeg Jeff.
'Met wie?'
'Alan en Vic. Hoe is het met ze?'
'Hoe moet ik dat verdomme weten?' vroeg Tom afwerend, en het lachje verstomde in zijn keel.
Will ging iets rechter op zitten, zijn interesse was gewekt. 'Is Alan niet een of ander computergenie in Californië?'
'Weet ik veel. Is dat zo?'
'Volgens mij heeft mijn moeder me dat een keertje verteld. Ze zei dat ze had gehoord dat allebei je broers het bijzonder goed doen.'
'Verneuk jezelf,' snauwde Tom hatelijk.
'Tja, iemand moet het doen,' zei Jeff. 'Aangezien het er niet naar uit ziet dat Suzy Granaatappel hem binnenkort wil neuken.' Hij lachte en Tom deed met hem mee. Dat irritante kakellachje klonk weer en kraste als een kartelmes langs de donkergroene, vinyl bekleding. Jeff draaide zich om en gaf zijn broer een knipoog. De knipoog zei: relax, we zijn hier met zijn allen.
Maar het was duidelijk ieder voor zich, dacht Will.
Tom trapte plotseling op de rem. 'Tada!' verkondigde hij triomfantelijk, en hij wees naar de overkant van de straat. 'Mag ik jullie presenteren, jongens? Tallahassee Drive 121.'
De drie mannen staarden naar de bescheiden bruine bungalow met het witte, leien dak.
'Leuk huis,' zei Jeff. 'Weet je zeker dat ze hier woont?'
'Absoluut.'

'Waarom zouden we jou geloven?' vroeg Will.

'Hé, man. Het interesseert me geen flikker of je me gelooft of niet. Ik zeg je dat ze hier woont. Ze reed deze oprit op, reed die garage in, liep over dat pad naar die voordeur waar een kerel stond te wachten. Die niet al te blij keek.'

'Misschien was het haar vader,' zei Will, die dacht dat Suzy mogelijk nog bij haar ouders woonde. Misschien was ze weer bij haar ouders gaan wonen toen haar huwelijk was mislukt. Hoewel ze niet echt had gezegd dat haar huwelijk was mislukt, dacht Will, en hij probeerde zich te herinneren wat ze precies had gezegd.

'Ben jij ooit getrouwd geweest, Will?' had ze gevraagd.

'Nee. Jij?'

'Ja. Maar laten we het daar niet over hebben, goed?'

Dus had ze nooit gezegd dat haar huwelijk voorbij was. Wat in principe betekende dat ze in elk geval niet had gelogen.

'Haar vader,' schimpte Tom. 'Neem je me in de zeik?'

'Hoe zag hij eruit?' vroeg Jeff.

'Ongeveer een meter drieëntachtig, een kilootje of tweeëntachtig, zesentachtig. Eind dertig, misschien begin veertig. Niet onaantrekkelijk. Goedgekleed. Jasje en dasje om twee uur 's nachts, niet te geloven.'

'Zo te horen eerder bezoek dan een echtgenoot,' zei Will, in een poging zichzelf te overtuigen.

'Tuurlijk, jongen. Droom lekker verder.'

'Wat maakt het uit wie die vent is?' vroeg Jeff na een ogenblik. 'Maakt het iemand iets uit of ze getrouwd is of niet? Ik bedoel, wat mij betreft maakt dat het er alleen maar makkelijker op. Geen verwikkelingen, geen beloftes die verbroken moeten worden, niemand die gekwetst wordt. Het mens heeft gewoon zin in een pleziertje. Net als wij. Zo te horen perfect voor mij.'

'Maar als dat het enige was wat ze wilde, waarom...'

'Waarom heb jij dan niet gescoord?' onderbrak Tom hem zelfgenoegzaam.

'Misschien vond ze je bij nader inzien gewoon niet zo'n lekker ding, broertje.'

'Misschien besefte ze dat ze de verkeerde had gekozen,' voegde Tom eraan toe.

'Ik stel voor dat we het haar vragen,' zei Jeff.

'Wat?'

'Degene die aanklopt en haar man vraagt of Suzy buiten mag komen spelen, krijgt honderd dollar van mij.'

'Afgesproken,' zei Tom, en hij duwde het portier open.

'Wacht. Nee.' Will stak zijn arm over de stoel heen en pakte Tom bij de schouder vast. 'Dit slaat nergens op. Toe, kunnen we niet gewoon gaan?'

'Laat me los.'

'Dit kun je niet maken.'

'Denk je dat je me kunt tegenhouden?'

'Kom, kom, jongens,' zei Jeff. 'Gedraag je.' Hij lachte. 'We plagen je gewoon, broertje. Tom gaat helemaal nergens naartoe, hè Tom?'

Tom grinnikte toen hij het portier dichttrok. 'Ik had je goed te pakken, hè? Jezus, je leek wel een meisje. "Toe, kunnen we niet gewoon gaan?"'

'Hé,' zei Jeff, die zag dat de gordijnen aan Tallahassee Drive 121 bewogen. 'Zag je dat?'

'Wat?'

'Er zit iemand naar ons te kijken.'

'Wat?' Tom liet zich direct in zijn stoel wegzakken. 'Duik weg! Straks zien ze je nog.'

'Shit,' vloekte Will, en hij deed wat hem gezegd was.

Alleen Jeff bleef rechtop zitten. 'De voordeur gaat open,' kondigde hij aan, terwijl Will zijn ogen sloot en een schietgebedje deed.

Laat het een droom zijn, wenste hij. Laat ik alsjeblieft op de bank in Jeffs woonkamer liggen, opgaan in een droom over romantische wandelingen langs de oceaan en tedere kussen op straat. Laat deze onzin allemaal niet waar zijn. 'Wie is het?' hoorde hij zichzelf vragen.

'Suzy.'

'Wat doet ze?

'Ze staat daar gewoon, kijkt wat om zich heen,' zei Jeff. 'Wacht. O, ze komt deze kant op.'

'Wat? Shit.'

Will keek uit het open zijraampje toe hoe Suzy zonder opkijken de straat overstak en regelrecht naar Toms auto liep. Ondanks de drukkende hitte droeg ze een lange broek en een blauwe bloes met lange mouwen. Het grootste deel van haar gezicht ging verborgen achter een grote, donkere zonnebril. Maar zelfs met die bril kon Will zien dat ze bang was.

'Wat doen jullie hier?' vroeg ze zonder enige plichtplegingen. Haar hoofd bewoog heen en weer tussen Jeff en Tom voorin en Will op de achterbank.

'Dat zouden we jou ook kunnen vragen,' antwoordde Tom, die rechtop ging zitten.

'Jullie moeten weg,' zei Suzy, en ze keek Will smekend aan. 'Nu.' Ze keek weer naar Jeff. 'Alsjeblieft.'

'Is er iets?' vroeg Jeff.

'Toe, voordat hij jullie ziet...'

'Je bent getrouwd.' Het was meer een constatering dan een vraag.

Suzy liet haar hoofd zakken en zei niets.

'Zie je wel,' zei Tom.

'Toe, ga nou,' zei Suzy, en ze negeerde hem.

'Suzy?' Een mannenstem zweefde moeiteloos vanuit de deuropening van Tallahassee Drive 121 over straat. 'Wat is er aan de hand?'

Suzy liet haar hoofd nog verder zakken en haar schouders gingen omlaag.

'Hij komt deze kant op,' zei Tom.

'Snel,' zei Suzy. 'Heb je een kaart?'

'Wat?'

'Een stratengids. Zeg alsjeblieft dat die in het dashboardkastje ligt.'

Jeff begon in het dashboardkastje te rommelen. Zijn vingers

raakten een opengescheurd pakje kauwgom, een verfrommeld papieren zakdoekje en iets plakkerigs waarvan hij niet eens wilde weten wat het was.

'Is er een probleem?' vroeg de man, en hij liep op de auto af. Hij droeg een kakikleurige broek en een blauw met goudgeel gestreept golfshirt, maar verder was hij precies zoals Tom hem had beschreven, dacht Will. Hij nam de brede schouders en de grote handen van de man in zich op.

'Ze zijn de weg kwijt,' zei Suzy, een tikkeltje te opgewekt.

'Ik vroeg mevrouw net of ze de weg wist.' Jeff vouwde op overdreven wijze de grote, onpraktische kaart open die hij wonder boven wonder achter in het dashboardkastje gepropt had gevonden. 'Ik probeer te vinden waar we nou eigenlijk zijn.'

De man ging op zijn hurken zitten en zijn gebruinde gezicht vulde de raamopening toen hij Suzy opzij duwde. Ze deed een paar passen naar achteren, in de richting van Will. Het kostte Will al zijn wilskracht om haar hand niet vast te pakken.

'Helaas heeft mijn vrouw geen goed richtinggevoel. Of wel, lieverd?'

'Nee, ik ben bang van niet.'

Je bent bang, dacht Will.

'Ken ik jou niet?' vroeg de man opeens aan Jeff.

Will merkte dat hij zijn adem inhield.

'Ik dacht het niet,' zei Jeff ontspannen.

'Volgens mij hebben we elkaar een keer ontmoet. Werk je hier in de buurt?'

'Nee. Ik werk in Wynwood. Bij Elite Fitness aan Northwest Fortieth. Ken je dat?'

'Nee. Ben je privétrainer?'

'Jeff Rydell, tot uw dienst.'

'Misschien kom ik wel eens langs. Welke straat zoeken jullie?' vroeg hij, en hij spande en ontspande zijn vingers.

Will dacht dat hij wat kneuzingen op de knokkels van de man zag. Zijn blik schoot naar Suzy's gezicht.

'Ze zoeken Miracle Mile,' zei Suzy. Ze negeerde Wills doordringende blik en staarde naar haar voeten, haar zonnebril een scherm tegen zijn nieuwsgierige ogen.

'Miracle Mile? Iedereen weet toch waar Miracle Mile is.'

'Iedereen behalve mijn vriend hier,' zei Jeff, en hij rolde met zijn ogen in de richting van Tom.

'Je kunt wel naar binnen gaan, lieverd,' zei de man zacht, ook al was het duidelijk geen verzoek. 'Ik handel dit wel af.'

Suzy liep achteruit. 'Succes,' zei ze, en ze richtte zich rechtstreeks tot Will. Daarna draaide ze zich om en liep snel naar huis zonder nog achterom te kijken.

'Bedankt voor je hulp,' riep Jeff haar achterna.

'Miracle Mile,' mijmerde de man, alsof hij serieus nadacht. 'Eens kijken. Wat is de beste weg vanaf hier? Waarschijnlijk over Anderson Road.'

'Anderson Road?' vroeg Tom.

'Aan het eind links, twee afslagen negeren, dan opnieuw links, en dan bij het eerstvolgende stoplicht rechtsaf. Dat is Anderson. Die volg je tot je bij Miracle Mile bent.'

'Klinkt simpel,' zei Jeff.

'Weet je zeker dat ik je niet ergens van ken?' vroeg de man scherp. 'Ik weet zeker dat ik je eerder heb gezien. The Wild Zone, misschien?'

Will merkte dat zijn keel droog werd. Wat was dit? Een naam als The Wild Zone zoog je niet zomaar uit je duim. Hoeveel wist Suzy's man? Wat had ze hem verteld?'

'The Wild Zone?' herhaalde Jeff. Hij dacht even na. Zijn gezicht verried niets. 'Is dat een kledingzaak?'

De man lachte, ook al klonk het hol. 'Het is een bar in South Beach. Nooit geweest?'

'Volgens mij niet.'

'Ik ook niet,' echode Tom. 'En jij Will? Ben jij ooit in The Wild Zone geweest?'

'Ik woon hier helemaal niet, weet je nog?' zei Will met moeite.

'Nou, veel plezier in Miracle Mile,' zei de man tegen Jeff, alsof de anderen niet bestonden. Als hij al iets vermoedde – en hij vermoedde duidelijk íéts – dan viel zijn verdenking op Jeff. De man rechtte zijn rug en liep naar achteren.

'Nogmaals bedankt,' zei Tom, en hij zwaaide.

Hij wilde net de motor starten toen het gezicht van de man weer in de raamopening verscheen. 'O,' zei hij, alsof hij een inval had. 'En laat ik jullie hier niet nog eens zien.' Hij knipoogde, draaide zich om en beende doelbewust naar zijn huis.

'Waar sloeg dat op?' sputterde Tom, toen de voordeur achter de man dichtging. 'Wat denkt die klootzak wel niet?' Hij stak zijn hand onder zijn stoel en haalde er een klein pistool onder vandaan. 'Misschien moet ik die gore klootzak eens voor zijn kop knallen.'

'Ho, effe!' riep Jeff uit, en hij hield Tom tegen, die met het pistool heen en weer begon te zwaaien. 'Wat denk jij nou? Wat doe je in godsnaam met dat ding?'

'Hij heeft een pistool?' riep Will. 'Is hij helemaal gek geworden? Wil je ons dood hebben?'

'Ach, wees niet zo'n mietje. Het stelt niks voor.'

'We zijn hier niet in Kandahar, hufter,' zei Jeff bestraffend. 'Doe dat ding weg.'

'Shit,' zei Tom, en hij legde het pistool weer terug.

'Een pistool. Niet te geloven.' Will haalde moeizaam adem. Zijn ademhaling stak in zijn luchtpijp. 'Is het geladen?'

'Natuurlijk is het geladen. Wat denk je nou? Dat ik als een watje met een ongeladen pistool rondloop?'

'Ik denk dat je knettergek bent. Dat denk ik.'

'Oké, oké. Genoeg.' Jeff leunde opzij om de motor te starten. 'We gaan.'

'Ik snap echt geen zak van wat er net is gebeurd,' zei Tom, toen hij wegreed.

Will zei niets. Tom had hem de woorden uit de mond gehaald.

'Zo, Suzy, zou je me willen vertellen wat dat allemaal was?' vroeg haar man vriendelijk.

Ze zat op de bank. Dave stond pal voor haar neus en hing als een spugende koningscobra boven haar.

'Ik weet niet wat je bedoelt.'

'Vertel eens over die mannen in de auto, Suzy.'

'Er valt niets te vertellen,' begon ze uit te leggen. 'Ik keek naar buiten, zag een auto die ik niet kende...'

'Je keek toevallig naar buiten?' onderbrak hij haar.

'Ja.' Ze had naar buiten gekeken om te ontsnappen aan de gedachten die door haar hoofd tolden. Kon ze de deur uit vluchten zonder dat hij het zou zien? Hoe lang zou het duren voor hij doorhad dat ze weg was? Hoeveel uur had ze voordat hij haar zou vinden en zijn belofte zou waarmaken? De belofte dat hij haar zou vermoorden als ze ooit probeerde te ontsnappen.

'Je zag een onbekende auto met daarin drie onbekende mannen, en dus liep je naar buiten om gedag te zeggen?'

Ze had hem onmiddellijk herkend als de auto die haar de vorige avond had gevolgd. Ze had vermoed dat hij van een privédetective was die haar man had ingehuurd. Toen had ze de mannen uit de bar herkend en had ze Will achterin zien zitten. 'Ik zag ze rommelen met een kaart,' zei ze tegen Dave. 'Ze waren duidelijk de weg kwijt. Ik wilde alleen maar helpen.' Ik wilde alleen maar ontsnappen, dacht ze. Met die gedachte was ze de straat overgestoken. Ze kon het zich niet veroorloven nog meer tijd te verspelen. Neem me mee, had ze willen roepen. In plaats daarvan had ze gezegd: 'Wat doen jullie hier? Jullie moeten weg. Nu.'

Dave glimlachte, ging naast haar zitten en nam haar hand in de zijne. 'Je handen zijn ijskoud,' merkte hij op.

'Ja?'

'Heb je het koud, lieverd?' Hij sloeg zijn arm om haar heen en trok haar tegen zich aan.

'Een beetje.'

Hij wreef over haar arm. Ze huiverde toen hij hard over haar blauwe plekken gleed. 'O, neem me niet kwalijk, lieverd. Deed ik je pijn?'

'Nee. Het gaat wel.'

'Want je weet hoe akelig ik het vind om je pijn te doen, hè?'

'Ja.'

'Ja, wat?'

'Ja, ik weet hoe akelig je het vindt om me pijn te doen.'

'Bijna net zo akelig als wanneer er tegen me gelogen wordt. Je liegt toch niet tegen me, hè lieverd?'

'Nee.'

'Weet je zeker dat je die mannen nooit eerder hebt gezien?'

'Heel zeker.'

'Zelfs niet in The Wild Zone?'

'The Wild Zone?' Lieve god, wat hadden ze tegen hem gezegd?

'Die aantrekkelijke man met het blonde haar? Privétrainer,' verklaarde Dave. 'Je hebt het toch niet met hem aangelegd, hè?'

'Wat? Nee.'

'Ga me niet vertellen dat het die sukkel achter het stuur is. Zeg me alsjeblieft dat je meer stijl hebt.'

'Ik weet niet waar je het over hebt. Ik heb die mannen nooit eerder gezien.'

'Dus heel toevallig reden ze door Coral Gables en bleven ze voor ons huis staan, op zoek naar Miracle Mile.'

'Dat zeiden ze.'

'Wat zelfs de grootste sukkel geblinddoekt kan vinden.'

Suzy zei niets. Zelfs zij vond het suf klinken.

Daves arm gleed naar haar nek, waar hij haar ruggengraat masseerde. 'Weet je wat een van de mooiste dingen is van mijn vak, Suzy?' vroeg hij. 'Mensen respecteren je. Ze denken dat je een fatsoenlijk mens bent, omdat je arts bent. En dus hebben ze de neiging om alles wat je zegt te geloven.'

Suzy knikte, ook al had ze niet veel bewegingsruimte.

'Als ik iemand, de politie bijvoorbeeld, zou vertellen dat mijn vrouw de laatste tijd wispelturig en depressief is geweest, zou het ze waarschijnlijk niet verbazen dat ze zelfmoord had gepleegd. En dat is nóg zo'n plezierige kant van mijn vak,' ging hij bijna opgewekt verder. 'Ik weet hoe het lichaam werkt. En wat er voor nodig is om daar een eind aan te maken. Begrijp je wat ik bedoel, schatje?'

'Dave, toe...'

‘Begrijp je dat? Een eenvoudig ja of nee is genoeg.’

‘Ja.’

‘Goed zo.’ Hij ontspande zijn greep. ‘Want ik zou het werkelijk hartverscheurend vinden als jou iets overkwam. Dat weet je toch, hè? Opnieuw, eenvoudig ja of nee is genoeg.’

Suzy deed haar ogen dicht en perste het woord uit haar mond. ‘Ja.’

‘Mooi. Als jij nu eens iets spannends aantrekt. Het lijkt erop dat je man in een verliefde bui is.’

Suzy duwde zich van de bank overeind en liep zwijgend naar de slaapkamer.

‘Kom gauw terug,’ hoorde ze hem zeggen.

9

'Jeff, telefoon,' riep Melissa, van achter de balie bij de ingang van de kleine sportschool.

'Neem me niet kwalijk,' zei Jeff tegen een vrouw van middelbare leeftijd in een zwarte legging en een turkooizen shirtje. 'Ga maar vast een paar minuten op de loopband. Ik ben zo terug.'

'Ik heb gezegd dat je met een cliënt bezig bent,' zei Melissa verontschuldigend, 'maar hij zegt dat het een noodgeval is.'

Jeff had de hoorn van de ouderwetse, zwarte telefoon met kiesschijf nog niet van Melissa overgenomen of Toms stem bulderde in zijn oor. 'Ze zit goddomme bij een advocaat,' schreeuwde hij.

Jeff keek bezorgd over zijn schouder om te zien of zijn baas in de buurt was. Maar Larry was bezig met een jonge vrouw met een paardenstaart die op een crosstrainer stond. Toch moest hij voorzichtig zijn. Je mocht tijdens het werk geen privégesprekken voeren. Larry was misschien maar een paar jaar ouder dan hij, en hij was geen lastige baas, maar hij was nog altijd Jeffs meerdere, en Jeff wilde zijn baan niet kwijt. Elite Fitness, boven een bakkerij gelegen, was redelijk dicht bij zijn flat en de klanten waren aardig. Niet zo arrogant als bij de laatste sportschool waar hij had gewerkt. 'Wie zit bij een advocaat?' vroeg hij, zijn stem nauwelijks hoorbaar boven de luide rapmuziek die uit de speakers kwam.

'Wie denk je? Lainey, natuurlijk. Over wie zou ik het anders hebben?'

Jeff bedacht dat het beter was om Tom maar niet te herinneren aan het weekend. 'Zeg me alsjeblieft dat je haar niet volgt,' fluisterde hij met een hand over de hoorn. Zijn ogen schoten van de grote apparaten aan de ene kant van de ruimte naar de banken en gewichten aan de andere kant. Hij verschoof wat, probeerde de felle zon te vermijden die door het grote raam aan de voorkant scheen en in de spiegels reflecteerde, die vrijwel overal hingen. Ondanks de airco was het behoorlijk warm in de lange rechthoekige ruimte, ook al zweefde er een heerlijke geur van versgebakken brood door de luchtkokers omhoog, zodat de zweetlucht enigszins werd verdrongen.

'Natuurlijk volg ik haar,' zei Tom ongeduldig. 'Hoe kan ik anders weten waar ze is? Het is verdomme amper maandagmorgen of ze zit al bij zo'n klote-advocaat.'

'Zeg me dat je geen pistool bij je hebt.'

'Ik heb geen pistool bij me.'

Jeff wist direct dat Tom loog. 'Jezus, Tom, je moet hier eens mee ophouden. Het wordt je dood nog een keer.'

'Als er hier iemand doodgaat, ben ik het niet.'

'En je werk?' vroeg Jeff, om het over een andere boeg te gooien.

'Niks aan de hand, ik heb me ziek gemeld.'

Jeff voelde de doffe druk van een beginnende hoofdpijn in zijn nek. Hij had even geen geduld voor Tom. 'Hoor eens, ik kan nu niet met je praten. Ik ben met een cliënt bezig.'

'Ging ik vanmorgen om negen uur bij haar ouders langs,' ging Tom verder, alsof Jeff niets had gezegd, 'wilde beleefd zijn, weet je, niet te vroeg aan komen zetten. Gaat Lainey net het huis uit, in nette kleren, dus weet ik dat er iets aan de hand is. Ik bedoel, waarom draagt ze op een maandagochtend zulke nette kleren? Waar gaat ze naartoe? Dus besluit ik haar te volgen om erachter te komen. Rijdt ze naar West Flagler, loopt een felroze gebouw binnen dat eruitziet als een grote fles Listerine. Kijk ik op de bedrijvenlijst. Allemaal advocaten, man!'

‘Nou ja, ze is dus in gesprek met een advocaat. Dat betekent nog niet...’

‘Het betekent dat ze een scheiding gaat aanvragen, man. Het betekent dat ze mijn kinderen van me wil afpakken. Die kinderen zijn mijn alles, man. Dat weet je.’

Jeff besloot dat dit waarschijnlijk niet het beste moment was om Tom erop te wijzen dat hij nauwelijks tijd met zijn kinderen doorbracht. ‘Moet je horen, haal een paar keer diep adem en probeer rustig te worden. Bel je baas, zeg dat je je beter voelt en weer aan het werk wilt. Dan heb je wat afleiding.’

‘Denk maar niet dat dat takkewijf mijn kinderen afpakt.’

‘Hou je even rustig. Doe nou niets stoms. Wacht de komende dagen even af.’

‘Ik weet wel wat er de komende dagen gaat gebeuren. Ik krijg scheidingspapieren door mijn strot geduwd.’

‘Misschien niet. Als je nou even niet over de rooie gaat, als je kalm blijft...’ Jeff zweeg. Hij had het per slot van rekening tegen Tom.

‘Misschien kun jij met haar praten,’ zei Tom.

‘Wat? O, nee!’

‘Alsjeblieft, Jeff. Je moet me helpen. Deze ellende is jouw schuld.’

‘Hè?’ Waar had Tom het nou weer over, vroeg Jeff zich af, terwijl hij keek hoe Caroline Hogan de snelheid van de loopband wat lager zette en het hem opviel dat ze een opmerkelijk goede conditie had voor een vrouw van bijna zestig. ‘Hoe kom je daarbij?’

‘Door jou en die stomme weddenschap in de kroeg...’

‘Hé, het was jóúw idee om achter Suzy aan te gaan.’

De receptioniste schraapte haar keel en keek even veelbetekenend naar rechts.

‘Welke tijd komt u het beste uit?’ vroeg Jeff luid, toen Larry langsliep met zijn jonge cliënt in zijn kielzog, haar staart zwaaiend van links naar rechts.

‘Hoi, Jeff,’ zei het meisje, dat Kelly heette, met een brede glimlach op haar mooie, hartvormige gezicht.

Jeff glimlachte terug, terwijl Tom in zijn oor bulderde. 'Waar heb je het over?' vroeg hij.

'Natuurlijk. Kijkt u in uw agenda en neem dan nog even contact met me op. We kunnen vast wel iets regelen.'

'Waar gáát dit over?'

'Ik heb pas vanaf zeven uur een opening.'

'Neem je me in de zeik, of zo?'

'Luister,' fluisterde Jeff, toen Larry en het meisje buiten gehoorsafstand waren. 'Ik zei toch dat ik hier niet kan praten. Mijn baas zit te kijken.'

'Wat boeit dat? Vind je dit niet wat belangrijker?'

'Ik bel je straks. En ga nou naar huis, doe rustig aan en volg haar niet meer. Hoor je me, Tom? Luister je naar me?'

'Ik zal haar niet meer volgen.'

'Oké. Goed zo. Ik spreek je straks.' Jeff hing op en verwonderde zich over het feit dat iemand die zoveel loog als Tom er toch zo slecht in was. Hij gaf de hoorn aan Melissa. 'Bedankt voor de waarschuwing.'

'Geen probleem. Je afspraak van elf uur gaat trouwens niet door.'

'Alles goed?' vroeg Caroline Hogan, toen ze van de loopband afstapte en op hem afkwam. Er zaten grote transpiratievlekken op de voorkant van haar turkooizen T-shirt, en met een roodgelakte nagel wreef ze over haar vochtige bovenlip.

'Mijn afspraak van elf uur gaat niet door,' zei Jeff droogjes. 'En een vriend van me belde net om te vertellen dat zijn vrouw bij hem weg is.'

Ze trok een welgevormde wenkbrauw op en er verschenen wat rimpeltjes op haar voorhoofd.

Vergeten botox in te spuiten, dacht Jeff, en hij leidde haar naar een oefenbank.

Caroline Hogan ging liggen, drapeerde de blonde krullen die tot op haar kin kwamen op de witte handdoek onder haar hoofd en liet haar fraaie benen over het uiteinde van de smalle bank bungelen. Haar Adidas-gympen hingen vlak boven de lichtgekleurde, hardhouten vloer.

'Hoe snel ben je op de loopband gegaan?'

'Tien kilometer per uur.'

'Niet slecht voor een oud wijf.' Het was eruit voor Jeff tijd had om zijn woorden op te schonen, en hij was opgelucht toen hij Caroline hoorde lachen. Ze had een mooie lach. Niet te hard, niet te meisjesachtig. Krachtig. Oprecht. Niets zoals Kristins verrassend aarzelende lach, of Lainey, die altijd zo geforceerd klonk, alsof ze tegen hun zin lachten. 'Hij is beter af zonder haar,' zei Jeff, en hij plaatste een halter van vijf kilo in Carolines handen.

'Ik neem aan dat je het nu over je vriend en zijn vrouw hebt,' concludeerde Caroline, terwijl ze haar ellebogen langs haar voorhoofd boog en ze weer omhoog bracht, zonder dat haar iets gezegd hoefde te worden. Ze kwam hier al drie jaar lang twee keer per week. Dan deed ze een warming-up op de loopband en deed een uur lang oefeningen met een trainer. Haar vorige trainer was twee maanden geleden naar New York gegaan, en Jeff was ingehuurd om hem te vervangen. Caroline wist precies wat van haar werd verwacht, iets wat Jeff waardeerde in een vrouw.

Een eigenschap die Lainey Whitman beslist niet had.

Al moest ze toch hebben geweten wat ze deed toen ze met Tom trouwde.

'Armen recht,' adviseerde hij. 'Ietsje hoger. Goed zo, Caroline. Nog acht.'

'Waarom is ze bij hem weggegaan?' vroeg Caroline.

'Wie zal het zeggen?' Jeff haalde zijn schouders op. 'Waarom ben jij bij jouw man weggegaan?'

'Welke?'

'Hoeveel heb je er gehad?'

'Twee maar. Ik ben bij de eerste weggegaan toen ik hem in bed betrapte met de oppas – afgezaagd, maar waar; de tweede is vier jaar geleden aan kanker overleden, dus in feite is hij bij mij weggegaan.'

'Denk je dat je ooit nog een keer zult trouwen?'

'O, dat hoop ik wel,' zei Caroline, en ze klonk als een tiener.

Jeff nam de halter van haar over. 'Ik heb het altijd fijn gevonden om getrouwd te zijn. En jij?'

'Het genoegen heeft mij nooit mogen smaken.' Het woord 'genoegen' bleef in Jeffs keel steken. Soms, meestal als hij het het minst verwachtte, kon hij nog steeds zijn moeder en vader tegen elkaar horen schreeuwen achter de gesloten deur van hun slaapkamer. Niet bepaald een genoegen. Hij wees naar de grond. 'Ga maar eens opdrukken.'

'Jullie mannen hebben het maar makkelijk,' zei Caroline. Ze ging op de grond liggen, strekte haar benen achter zich uit en duwde zich op de palmen van haar handen op.

'Iets langzamer,' waarschuwde Jeff. 'Je vindt het makkelijk voor ons?'

'Ja, toch?'

'In welk opzicht?'

'Met vrouwen,' kreunde Caroline.

Jeff keek eerst naar Melissa, die met een beschaamde glimlach toegaf dat ze naar hen had staan kijken, en toen naar Kelly, die even met de vingers van haar linkerhand zwaaide terwijl ze zich klaarmaakte om twee lange halters van vijf kilo naar haar borst te brengen. 'Het zal wel,' zei hij, en hij stelde zich even zijn moeder voor in de grote spiegel achter haar.

'Bij wie was je nu weer?' wilde zijn moeder weten, en haar stem klonk beschuldigend.

'Bij niemand,' was het kregelige antwoord van zijn vader. 'Op kantoor.'

'Ja, vast. Net als donderdagavond toen je ook op kantoor was, en de donderdagavond daarvoor.'

'Als jij het zegt.'

'Ik zeg dat je een waardeloze klootzak bent, dat zeg ik.'

'Moet je horen wie het zegt.'

'Goed, iets verder omlaag, Caroline,' zei Jeff luid om het geluid van zijn ruziënde ouders buiten te sluiten zoals hij vroeger deed, toen hij nog klein was. 'Dat is beter. Nog een keer tien.'

'Waarom schreeuw je zo?' vroeg Caroline.

'Sorry. Dat had ik niet in de gaten.'

'Alles in orde?' vroeg Larry, die langsliep in zijn mouwloze, witte T-shirt waar zijn gespierde armen uit puilden. Kelly liep weer braaf achter hem aan, ook al volgde ze Jeff met haar blik.

'De muziek is wat hard,' zei Jeff.

'Ja, hè?' beaamde Larry. Hij liep naar de andere kant van de ruimte en zette die iets zachter. 'Zo beter?'

'Veel beter,' loog Jeff. Eigenlijk hield hij van harde muziek. Vooral van rap en hiphop, het soort muziek dat niet alleen doordrong tot in je hoofd, maar tot onder je nagels en tussen je tenen. Het soort muziek dat gedachten meestal onmogelijk maakte.

Wanneer hij als klein jongetje probeerde niet te luisteren naar het geschreeuw van zijn ouders, zette hij zijn radio zo hard mogelijk en zong hij mee met Aerosmith of Richard Marx. Als hij de woorden niet kende, dan verzon hij wel iets. Hij zong zelfs mee met Abba. *You are the dancing queen.*

Een van Ellies lievelingsnummers. Zijn zus was drie jaar ouder dan hij en soms, als zijn ouders weer eens bezig waren, dan rende hij naar haar kamer, zetten ze de radio aan en zong hij, danste zij. Soms pakte ze hem vast, draaide ze hem in de rondte totdat ze uitgeput en duizelig op de grond vielen en de kamer boven hun hoofd verder tolde.

You are the dancing queen.

Dat was vóór hun moeder hen op een winterse avond uit hun warme bedjes haalde, hun jassen over hun pyjama's aantrok, ze in de bittere kou in de auto zette en huilend en mompelend de snelweg opreed, zonder ervoor te zorgen dat ze hun gordel om hadden. Jeff begreep niet wat ze zei, maar wist aan de manier waarop ze ze in de richting van de voorruit spuwde dat het slechte woorden waren. Uren zaten ze in de auto tot ze de parkeerplaats van een of ander motel aan de rand van een stadje opreed, ze de auto uit sleepte, zonder laarzen door de sneeuw dwong zodat de broekspijpen van hun pyjama's door ijskoude plassen sleepten en ze allemaal huilden tegen de tijd dat ze bij kamer 17 kwamen.

'Doe nog zeventien,' zei Jeff.

'Wat?' Caroline hees zich op haar knieën. 'Nog zeventien? Hou je me voor de gek?'

'Sorry. Even kijken of je wel oplet.'

'O, reken maar dat ik oplet.'

'Ga maar even op de rand van de bank zitten.' Jeff pakte een halter van twaalf kilo, en Caroline stak haar beide handen uit. Hij liet het gewicht in haar open handpalmen zakken waarna haar lange, rode vingernagels zich eromheen vouwden. 'Handen iets verder uit elkaar. Zo, ja. Goed, adem uit als je omhooggaat. En probeer je armen recht te houden.'

Het kind Jeff haalde diep adem terwijl hij toekeek hoe zijn moeders vuist op de hotelkamerdeur bonsde. 'Laat me erin, klootzak,' gilde ze in de koude nachtlucht. 'Ik weet dat je binnen bent.'

En toen ging langzaam de deur van kamer 17 open en stond zijn vader daar in zijn boxershort met een schaapachtige grijns. Op het bed zat een vrouw met een laken tot aan haar kin opgetrokken. Maar voordat hij tijd had om zich af te vragen wat zijn vader midden in de nacht met deze onbekende vrouw deed, duwde zijn moeder hem en zijn zus uit de weg, schreeuwde ze dat de vrouw een smerige hoer was, rukte het laken weg zodat de borsten van de vrouw helemaal bloot waren, dook op haar af en bewerkte het gezicht van de vrouw met haar lange, rode nagels.

Precies als die van Caroline, bedacht hij, en hij keek hoe de halter in Carolines handen omhoog en omlaag ging. Hadden haar lange, rode nagels deze ongewenste herinneringen aan zijn moeder losgemaakt? Of kwam het door het gesprek dat hij afgelopen zaterdag met Will had gehad?

Had zijn moeder echt nog maar een paar maanden te leven?

'Stomme wijven,' hoorde hij zijn vader mompelen, met een verdwaasde, onverschillige blik op zijn gezicht, terwijl de twee vrouwen over het motelbed rolden.

'Heel goed, Caroline,' zei Jeff nu, en hij hield zijn stem bewust rustig en laag. 'Je bent erg sterk.'

'Tja, ze zeggen dat vrouwen het sterke geslacht zijn, hè?'

'Denk je dat dat zo is?' Hij gaf haar een springtouw. 'Een minuut.'

'In sommige opzichten wel, denk ik,' zei Caroline.

'Welke opzichten?'

'Emotioneel.' Ze begon op de plaats te springen. 'Mannen zijn veel kwetsbaarder dan ze zelf denken.'

'Zei je net niet dat het zo makkelijk voor ons was?'

'Dat dingen makkelijker voor jullie zijn, maakt jullie nog niet minder kwetsbaar,' zei Caroline cryptisch.

Waar heeft ze het verdomme over, vroeg Jeff zich af, en hij had genoeg van het gesprek. Hij hield er niet van als vrouwen hem het gevoel gaven dat hij dom was. 'Drink maar even wat water,' stelde hij voor, toen ze uitgesprongen was.

'Stomme wijven,' hoorde hij zijn vader weer zeggen.

'Jij gaat een tijdje bij je vader wonen,' zei zijn moeder kort daarop. Het kind Jeff stond verstijfd, met tranen in zijn ogen, toe te kijken hoe zijn moeder zijn kleren in een bruin koffertje op bed smeet. 'Maar ik wil niet bij hem wonen.' Hij was zeven. De tien jaar oude Ellie stond met ogen als schoteltjes in de deuropening van de slaapkamer.

'Je hebt helaas geen keus. Je vader geeft me niet genoeg geld om voor jullie allebei te zorgen, en ik heb geen zin meer om over elke cent ruzie met hem te maken. Laat hem maar eens een tijdje voor je zorgen. Dan zal de lol er snel afgaan voor Miss Clarabelle.'

Miss Clarabelle was de naam die zijn moeder de nieuwe vrouw van zijn vader had gegeven, ook al heette ze gewoon Claire. Jeff mocht haar niet. Ze had een mager en schonkig postuur en was altijd wel ergens boos over. En nu ze een nieuwe baby had, was het of hij altijd in de weg zat als hij daar was.

'Ik heb wat tijd voor mezelf nodig,' ging zijn moeder verder, en ze klikte het koffertje dicht. 'Om uit te zoeken wat het beste voor me is. Voor ons allemaal,' voegde ze eraan toe, alsof ze dat net bedacht had. Zelfs Jeff besefte dat.

'En Ellie? Gaat die ook mee naar pa?'

'Nee. Ellie blijft bij mij.'

'Waarom mag ik niet ook blijven?' huilde Jeff. 'Ik beloof dat ik niet stout zal zijn. Ik beloof dat ik braaf zal zijn.'

'Hij doet me zo aan zijn vader denken,' had hij haar later aan de telefoon horen zeggen, terwijl hij sniffend op de trap op zijn vader zat te wachten. Ze had geen moeite gedaan om zachtjes te praten. 'Ik zweer je, hij heeft verdomme hetzelfde gezicht. En ik kan er niets aan doen, maar elke keer als ik naar hem kijk, kan ik hem wel wurgen. Ik weet dat het nergens op slaat. Ik weet dat het niet zijn schuld is. Maar ik kan gewoon niet naar hem kijken.'

'Dit is tijdelijk,' had zijn vader later gezegd, toen hij Jeff naar de naaikamer vol quilts van zijn stiefmoeder bracht en zijn koffertje op het smalle, haastig tegen de muur geschoven bed zette. 'Zodra je moeder op orde is, komt ze je halen.'

Maar ze kwam niet meer. Een enkele keer voor een gespannen bezoekje, waarbij ze hem niet recht aankeek. Uiteindelijk stopten ook die bezoekjes, ook al hield Ellie de daaropvolgende jaren trouw contact met zowel haar vader als haar broertje.

Volgens Ellie heeft ze naar je gevraagd, hoorde Jeff Will weer zeggen.

'Jeff? Jeff?' zei Caroline nu. 'Contact. Ben je er nog?'

Jeff keerde abrupt terug naar het heden en het beeld van zijn jongere zelf verdween in een baan weerspiegeld zonlicht. 'Sorry.'

'Volgens mij is er iemand voor je.' Caroline wees naar de balie. Met een ruk ging Jeffs hoofd die kant op. Eén absurde seconde verwachtte hij zijn zus, of misschien zelfs zijn moeder in de deuropening te zien. In plaats daarvan stond er een broze, jonge vrouw met donker haar en een grote zonnebril.

'Neem me niet kwalijk,' zei Jeff, en hij liep snel naar haar toe. Wat deed zij verdomme hier?

Toen Jeff dichterbij kwam, deed Suzy haar zonnebril af, zodat een dikke blauwe wang zichtbaar werd. 'Ik moet met je praten,' zei ze.

10

Een halfuur later liet Jeff zich op een harde, houten stoel zakken achter in de bakkerij onder Elite Fitness. De bakkerij had een lange, exotische koffiebar en een zestal tafeltjes voor twee, die dicht op elkaar, achter in de kleine, zoetgeurende ruimte stonden. 'Fijn dat je kon wachten,' zei hij, en hij vroeg zich af wat hij hier deed, en wat zíj hier eigenlijk deed.

'Fijn dat je tijd voor me kon maken,' zei Suzy, en ze roerde in de cappuccino met kaneel die ze had besteld, terwijl ze had zitten wachten tot Jeff klaar was met zijn cliënt.

'Mijn afspraak van elf uur ging niet door.'

'Bof ik even,' zei Suzy.

'Je ziet er niet uit alsof je erg boft.' Jeff keek uit het grote raam en zag dat zijn baas Caroline Hogan naar haar chocoladebruine Mercedes bracht die aan de overkant van de straat voor een brandkraan geparkeerd stond.

Ze had tijdens hun sessie meerdere keren opgemerkt dat hij er niet bij was – zeker na Suzy's onverwachte verschijning – en hij hoopte dat ze er niet over zou klagen tegen Larry.

Suzy zette haar zonnebril recht, ondanks het feit dat het binnen donker was, en nam een slok koffie. Toen ze opkeek, zat er schuim op haar bovenlip. Ze perste haar lippen op elkaar en veegde met de achterkant van haar vingers voorzichtig het schuim weg alsof zelfs de lichtste aanraking al te pijnlijk was.

'Heeft je man dat gedaan?' vroeg Jeff, en hij gebaarde naar haar gezicht.

'Wat? Nee. Natuurlijk niet.'

'Ga je me vertellen dat je tegen een deur aan bent gelopen?'

Suzy lachte ongemakkelijk. 'Toevallig was ik met de hond van de buren aan het wandelen.' De vertrouwde leugen floepte met verbazingwekkend gemak haar mond uit. 'Fluffy. Een heel schattig dwergkeesje. Wit en donzig. Afijn, ze moet aan de riem, zo een waarmee je kunt klikken als je wilt dat de hond blijft staan. Weet je welke ik bedoel?'

'Niet echt.'

'Nou ja, Fluffy stoof weg en ik probeerde te klikken, maar ik deed het dus niet goed en lette niet op want mijn voet bleef achter de riem haken en voor ik het wist, vloog ik met mijn kont door de lucht, zoals ze zeggen.'

'Zoals wie zegt?' Jeff wreef over zijn voorhoofd. Hij had geen zin meer in al die leugens van iedereen.

'Tja... mijn schoonmoeder bijvoorbeeld,' antwoordde Suzy. 'Dat deed ze vroeger tenminste. Ze is erg ziek. Kanker.'

'Mijn moeder heeft ook kanker,' zei Jeff, en hij schudde het hoofd. Waarom zei hij dat?

'Wat naar voor je.'

'Valt wel mee.' Jeff schoof op zijn stoel heen en weer en snoof de geur van versgebakken brood op. 'Wat doe je hier?' vroeg hij.

'Dat vroeg ik me ook af,' zei Suzy. 'Afgelopen zaterdag,' legde ze uit.

Jeff haalde zijn schouders op. Als ze een spelletje wilde spelen, dan kon hij dat ook, dacht hij, al wist hij eerlijk gezegd niet precies wat voor spelletje het was. 'Wat kan ik zeggen? Gewoon drie mannen die een ritje maakten.'

'En die toevallig bij mijn huis stopten?'

'Jij struikelt over hondenriemen,' merkte Jeff spits op. 'Wij maken autoritjes.'

Suzy knikte en keek naar haar cappuccino. 'Je vriend heeft me die nacht gevolgd. Ik herkende zijn auto.'

Jeff schoot in de lach. 'Tom is nooit erg goed geweest in verkenning.'

'Waarom volgde hij me?'

'Waarom vraag je dat niet aan hem?'

'Ik vraag het liever aan jou.'

'Waarom?'

'Weet ik niet goed. Misschien omdat je een vriendelijk gezicht hebt,' zei ze, waarna ze even zweeg. 'En je vriend niet.'

'En mijn broer? Wat voor gezicht heeft hij?'

Weer was het even stil, en ze keek naar haar koffie. 'Wat wil je horen?'

'Waarom koos je Will?' vroeg Jeff onwillekeurig. Waarom wilde ze hem spreken? Wat deed ze hier?

Suzy glimlachte, hoewel haar mondhoeken omlaag gingen in plaats van naar boven. 'Hij leek me aardig.'

'Aardig?'

'Ongevaarlijk.'

'Aardig en ongevaarlijk,' zei Jeff. 'Duidelijk een geslaagde combinatie.'

Suzy wiebelde onrustig in haar stoel en keek naar de vitrine aan haar linkerhand. 'Die gebakjes zien er verrukkelijk uit.'

'Wilde je wat bagels mee naar huis nemen voor je man?'

'Kunnen we het zonder sarcasme doen?'

'Kunnen we het zonder leugens doen?' was Jeffs weerwoord.

'Het spijt me. Mijn leven zit op dit moment nogal ingewikkeld in elkaar.'

'Dat krijg je als getrouwde vrouwen naar een tent als The Wild Zone gaan, op zoek naar een man.'

'Ik was niet op zoek naar een man.'

'Je kon "aardig" en "ongevaarlijk" gewoon niet weerstaan.'

'Ik weet niet waar ik mee bezig was. Echt niet. De barkeeper bracht me een drankje, zei dat jullie een weddenschap hadden afgesloten en opeens ging het een eigen leven leiden. Het was een impulsieve reactie en duidelijk een vergissing.'

'De vergissing was dat je de verkeerde man koos.'

'Is dat zo?'

'Dat weet je best.'

Suzy schudde haar hoofd waardoor er een hele reeks blauwe plekken onder haar haar zichtbaar werd. 'Ik weet niet goed meer wat ik weet.'

'Volgens mij wel. Daarom ben je hier.' Waar ben ik mee bezig, vroeg Jeff zich af. Zat hij werkelijk deze vrouw te versieren? Waarom? Omdat hij echt in haar geïnteresseerd was? Of omdat zijn broer dat was?

Suzy zette langzaam haar bril af en toonde een gelige halve cirkel onder haar rechteroog. 'Denk je dat ik hier voor jou ben?'

'Niet dan?' Rustig aan, zei Jeff in zichzelf. Doe dit nou niet. Niet alleen was haar man gestoord, hij sloeg ook nog eens zijn vrouw in elkaar. Wie wist waar hij nog meer toe in staat was? Al was iemand die vrouwen in elkaar sloeg meestal een lafaard, vond Jeff, bang om iemand van zijn eigen kaliber te pakken te nemen.

'Ik dacht dat je een vriendin had,' zei Suzy, en ze negeerde zijn vraag. 'Kristin, toch?'

'Klopt,' beaamde Jeff. 'Kristin.'

'Ze is erg mooi.'

'Ja.' Ze was niet alleen mooi, ze was alles wat hij maar kon wensen in een vrouw – avontuurlijk, begripvol, deed niet moeilijk, geweldig in bed. De waarheid was dat Jeff nooit echt de behoefte had gehad om haar te bedonderen en het ook veel minder vaak deed dan hij deed geloven. Maar goed, een mens moest de schijn hoog houden en een vrouw moest zich nooit te veel thuis gaan voelen. Trouwens, in dit geval stonden er honderden dollars op het spel. En, nog belangrijker dan geld, het recht om erover op te scheppen.

'Waar gaat het allemaal om?' vroeg Suzy.

'Zeg jij het maar. Dit was jouw idee, weet je nog?' Jeff liet zich achteroverzakken in zijn stoel en legde één arm op de hoge leuning zodat zijn arm nog gespierder leek.

'In tegenstelling tot wat je denkt,' begon Suzy langzaam, 'ben ik hier vandaag omdat ik niet wist hoe ik Will kon vinden, en toen herinnerde ik me dat je mijn man had verteld waar je werkte.'

Jeff verstrakte. 'We staan in het telefoonboek. Je had ook kunnen bellen.' Was ze echt helemaal hiernaartoe gekomen om over Will te praten?

'Ik zou graag willen dat je hem iets doorgaf,' zei ze, en ze negeerde de opmerking.

'Ik ben je loopjongen niet,' zei Jeff pissig.

'Je bent zijn broer.'

'En dus niet zijn hoeder.'

'Toe. Ik wil alleen mijn excuses aanbieden. Ik weet dat ik hem heb gekwetst. Ik kon het aan zijn gezicht zien.'

'Je geeft jezelf te veel eer.'

'Misschien. Ik zou het alleen heel fijn vinden als je hem wilt zeggen dat het me spijt.'

'Zeg het hem zelf maar.'

'Dat kan ik niet.'

'Tuurlijk wel.'

'Het lijkt me duidelijk dat ik niet snel terugga naar The Wild Zone.'

Jeff kwam overeind. 'Hoeft ook niet. Kom. Ben je hier met de auto? Dan breng ik je wel.'

'Nu? Lijkt je dat echt verstandig?'

'Dat weet ik niet. Ik ben niet goed in "verstandig".'

'Ik ook niet.'

'Ga je mee?'

Suzy duwde zich overeind, bleef even staan om het heerlijke aroma van pas gesmolten chocolade op te snuiven en liep toen weifelend achter Jeff de bakkerij uit, de bloedhitte van de middagzon in.

'Wil je erover praten?' vroeg Kristin. Ze stond bij de open koelkast in een laag uitgesneden, limoengroen T-shirt en een kort, strak broekje. Haar lange, blonde haar zat in een losse, hoge staart. Een reeks plukjes krulde langs haar oren. Haar felrode teennagels tikten op de goedkope, linoleum vloer.

Will staarde naar haar vanaf zijn stoel aan de keukentafel. Hij droeg een spijkerbroek met een wit T-shirt. Ook hij was op blote voeten. 'Hoe bedoel je?'

'Je zit al een uur naar die kleffe cornflakes te kijken. Volgens mij zit je ergens over te piekeren.'

'Niet alleen beeldschoon, maar ook nog opmerkzaam.'

Kristin haalde een pak vers sinaasappelsap uit de koelkast en schonk een glas in. 'O, ik krijg het er helemaal warm van als je zulke dingen zegt,' zei ze, en ze hield het pak op. 'Jij ook?'

'Lekker.'

Kristin schonk een glas voor hem in, zette het op tafel en ging naast hem zitten. 'Nou, ga je het me nog vertellen?'

'Ze is getrouwd,' zei Will simpelweg.

Kristin hoefde niet te vragen over wie hij het had. 'Ja, ik weet het. Jeff vertelde me dat jullie een ritje naar Coral Gables hebben gemaakt.'

'Waarom ben ik toch zo'n sukkel?'

'Hoe kun jij nou een sukkel zijn? Je bent promovendus aan de universiteit van Princeton.'

'Ik heb mijn proefschrift nog niet af,' zei hij. 'En geloof me, als het om vrouwen gaat, ben ik een sukkel.'

'Niet moeilijk doen. Dat hoort bij je charme.'

'Vind je me charmant?'

Kristin moest lachen. 'Ik vind je geen sukkel.' Ze hief haar glas en tikte ermee tegen het zijne. 'Op betere tijden.'

'Daar drink ik op.' Ze dronken allebei hun glas leeg. 'Hoe laat moet je werken?' vroeg hij.

'Pas om vijf uur. En jij? Wat zijn jouw plannen?'

'Weet ik nog niet.'

'We kunnen samen wat doen, naar de film, of zo,' bood ze aan.

‘Ik heb voorlopig genoeg films gezien, geloof ik.’

‘O ja, dat is waar ook. Dan wil je zeker ook niet naar het strand?’

Will schoot in de lach. ‘Jezus, wat ben ik sneu.’

‘Een beetje. Je vond haar leuk, daar kun je niets aan doen.’

‘Hoe kun je iemand leuk vinden die je helemaal niet kent?’ vroeg Will.

‘Ik denk dat het soms makkelijker is,’ zei Kristin. ‘Hoe beter je iemand kent, des te moeilijker is het om ze aardig te vinden. Hoe minder je weet, des te beter.’

‘Volgens mij ben jij degene die zou moeten promoveren.’

‘Begin je nou weer?’ Ze slaakte een zucht. ‘Het spijt me. Het is mijn schuld, hè?’

‘Hoe kan dit nou jouw schuld zijn?’

‘Ik heb Suzy verteld van de weddenschap die jullie hadden. Ik heb haar gevraagd te kiezen.’

‘Jij wist toch ook niet dat ze getrouwd was?’

Kristin haalde haar schouders op. ‘Het is nogal een engerd, hoorde ik.’

‘Eng is een understatement. Die vent is een psychopaat.’

‘Erger dan Tom?’

‘Slimmer dan Tom,’ zei Will. ‘Ik weet niet wat erger is. Mag ik je iets vragen?’

‘Tuurlijk.’

‘Het is nogal persoonlijk.’

‘Nogal?’

Will glimlachte. ‘Wat zou je gedaan hebben als ze Jeff had gekozen?’

Kristin haalde haar schouders weer op en zei niets.

‘Zou je dat echt niet erg hebben gevonden?’

Een derde schouderophalen. ‘Het stelt niks voor.’

‘Echt niet?’

‘Moet je horen. Voordat ik achter de bar stond, werkte ik in elke gore stripclub in Miami. Zo nu en dan had ik een modellenklus voor zwemkleding of lingerie, maar meestal moest ik mijn inkomen aanvullen met vrijgezellenfeestjes. Zo ben ik Jeff tegengekomen. Het was een behoorlijk ruige groep mannen, ze hadden allemaal flink gezopen en even leek het erop alsof het uit de hand zou lopen. Maar je broer greep in, wist iedereen te kalmeren, haalde mij daar weg. Zorgde er zelfs voor dat ik mijn geld kreeg. Hij vroeg mijn telefoonnummer. We eindigden die avond bij hem thuis. Ik kwam er later achter dat het allemaal doorgestoken kaart was geweest, dat de jongens honderd dollar hadden gewed dat hij me in bed kon krijgen. Maar toen deed dat er al niet meer toe. We woonden al samen. Ik ben gestopt met strippen, heb een cursus barkeepen gevolgd, toen opende The Wild Zone zijn deuren en vond ik deze baan. Dat is het hele verhaal. Met Jeff is het makkelijk. Geen drama's, geen gezeik, geen onrealistische verwachtingen. Hij laat mij mijn gang gaan, en ik hem.'

'En daar horen andere vrouwen bij,' merkte Will op.

'Als hij dat wil...'

'En wat wil jij?'

'Soms vraagt hij of ik meedoe.'

'Dat bedoelde ik niet, dat weet je best.'

'Wat wil je nou eigenlijk weten?'

'Gelden voor jou dezelfde regels?' vroeg Will na een ogenblik. 'Ga jij wel eens...'

'Ga ik wel eens wat?' zei ze met een plagerige glimlach rond haar lippen.

'Nou ja, gelijke monniken, gelijke kappen, zeggen ze.'

'Echt waar. Zeggen ze dat op Princeton?'

'Ik geloof dat Nietzsche het als eerste zei.'

Kristin schoot in de lach. Een zoet, verrassend teer geluid dat Will erg aantrekkelijk vond.

Hij schraapte zijn keel in een poging zijn gedachten helder te krijgen. 'Hoe is het om met een andere vrouw te vrijen?'

'Gaat wel.'

'Meer niet?'

'Het is anders,' zei Kristin, en ze dacht aan de eerste keer dat ze het met een vrouw had gedaan. Een meisje, eigenlijk. Ze waren allebei zo jong geweest.

Het was kort nadat haar moeder haar het huis uit had gegooid. Ze was niet meer naar school gegaan, was een paar weken later als spijbelaar opgepakt en aan de zorg van de kinderbescherming overgedragen. Vervolgens was ze naar een gezinsvervangend tehuis gestuurd, waar ze drie jaar had gewoond. En in die groezelige, onverschillige omgeving, acht meisjes op een kamer, had ze iemand ontmoet die op haar eigen manier net zo beschadigd was als Kristin. Maandenlang hadden ze omzichtig om elkaar heen gedanst, hadden ze elkaar nauwelijks gesproken en elkaar uitgebreid ingeschat. Uiteindelijk was het Kristin die de stilte had doorbroken: 'Ik ben mijn portemonnee kwijt? Weet jij daar iets van?'

Ondanks het provocerende begin, of misschien juist daarom, waren de twee meisjes snel onafscheidelijk geworden en ging hun vriendschap gaandeweg over in iets meer, iets wat ze geen van beiden hadden verwacht. Het ging op een natuurlijke, ongedwongen manier. Op een avond was het meisje eenvoudigweg van het bovenste bed naar beneden geklommen en was ze bij Kristin in het smalle bed gekropen. Kristin had plaats voor haar gemaakt, had de jonge vrouw in het donker vastgehouden en zich verwonderd over haar zachte huid en de intense tederheid van haar aanraking. Het daaropvolgende anderhalf jaar waren ze altijd bij elkaar. De liefde van haar leven, besefte Kristin, zelfs toen.

En op een dag was ze weg. De officieuze verklaring was dat haar ouders haar waren komen halen. Later werd bekend dat het gezin naar Wyoming was verhuisd en dat ze niet terugkwam.

En ze kwam ook niet terug. Kwam niet op bezoek. Schreef niet. Belde niet.

Twee maanden later, op haar achttiende verjaardag, had Kristin het gezinsvervangend tehuis verlaten en was ze in de gevaarlijke straten van Miami verdwenen.

'Denk je dat Jeff boos zou zijn als je het met een andere man deed?' vroeg Will nu, waarmee hij Kristin met een schok teruggebracht in het heden.

'Alleen als hij niet zou mogen toekijken.' Deze keer was Kristins lach scherper, geforceerder. 'Jezus, Will. Je zou jezelf eens moeten zien.' Plotseling stopte ze met lachen en werd haar gezicht somber en serieus. 'Was dat een oneerbaar voorstel?'

'Wat? Nee. Ik bedoelde alleen...'

'Rustig maar. Ik weet heus wel wat je bedoelde.' Ze leunde naar voren zodat hun knieën elkaar raakten. 'Er zijn geen andere mannen, Will.'

'Hou je van hem?'

'Of ik van hem hou?' herhaalde Kristin. 'Dat is nog eens een beladen vraag.'

'Het leek me anders vrij eenvoudig.'

'Niets is eenvoudig.'

'Je houdt van hem of niet.'

'Ik heb er nooit over nagedacht. Ik denk het wel. Op mijn manier.'

'Wat voor manier is dat?'

'De enige manier die ik ken.' Ze kwam overeind. 'Genoeg navelstaren voor een dag.'

'Het spijt me,' zei Will direct. 'Het was niet mijn bedoeling om je overstuur te maken.'

'Heb je niet gedaan.' Ze stak haar hand uit en streek over zijn wang. 'Jezus, wat ben je toch lief. Ik vind het heel naar dat je verdrietig bent, Will. Ik wilde dat ik je kon kussen en alles beter kon maken.'

'Pas maar op,' zei Will luchtig. Hij hees zichzelf overeind zodat ze niet meer dan dertig centimeter uit elkaar stonden.

Een paar seconden bleven ze zo staan en staarden ze elkaar aan. Gaat ze me kussen, vroeg Will zich af. Kan ik Jeff dat aandoen? Gaat hij me kussen, vroeg Kristin zich af. Kan ik dat laten gebeuren?

Toen klonk de sleutel in het slot en klonk Jeffs stem. 'Hallo? Is er iemand thuis?'

Kristin deed snel een stap naar achteren. 'Jeff?' Ze beende de keuken uit en haalde een paar keer diep adem. 'Is alles goed? Ik dacht dat je de hele dag cliënten had.'

'Mijn afspraak van elf uur ging niet door. Ik heb maar een paar minuten. Is mijn broer thuis?'

Will liep het halletje tussen de keuken en de woonkamer in. Jeff stond bij de voordeur. 'Is er iets?' vroeg hij.

'Ik heb hier iemand die je wil spreken.'

En als de geest uit de fles verscheen Suzy opeens in de deuropening met de zon achter zich. 'Dag, Will,' zei ze.

11

Tom stond in de glazen hal van het twee verdiepingen hoge, roze gebouw aan West Flagler Street en tuurde zeker voor de vijftigste keer naar de wand met namen. Hij had ze het afgelopen uur al zó vaak gelezen dat hij ze uit zijn hoofd kende. Eerste verdieping: Advocatenkantoor Lash, Carter & Kroft, suite 100; Advocatenkantoor Blake, Felder & Sons, suite 101; Advocatenkantoor Lang, Cunningham, suite 102; Advocatenkantoor Torres, Saldana & Mendoza, suite 103. Tweede verdieping: Advocatenkantoor Williams, Seyffert & Keller, suite 200; Advocatenkantoor Marcus, Brenner, Scott & Lokash, suite 201; Advocatenkantoor Levy, Argeris, Kettleworth, suite 202; Sam Bryson Advocatuur, suite 203. Derde verdieping: Advocatenkantoor Tyson, Rodriquez, suite 300; Advocatenkantoor Michaud, Brunton, Birnbaum, suite 301; Advocatenkantoor Abramowitz, Levy & Carmichael, suite 302; en tot slot Advocatenkantoor Pollack, Spitzer, Walton, Tepperman & Rowe, suite 303.

'Hoe noem je honderd advocaten op de bodem van de zee?' vroeg Tom hardop, terwijl hij door de kleine ruimte ijsbeerde. 'Een begin!' riep hij. Hij lachte om zijn eigen grap en vroeg zich af of iemand hem had gehoord. De hal was verlaten. Links was de lift en daarachter een trappenhuis, maar niemand had er gebruik van gemaakt sinds hij was binnengekomen. 'De zaken gaan zeker goed,' mompelde hij. Hij bedacht dat hij op de bovenste verdieping zou kunnen beginnen en dan naar beneden gaan. 'Dag, heren Pollack, Spitzer, Walton, Tepperman en Rowe. Gegroet, dames Lash, Carter en Kroft. Heeft een van jullie aasgieren mijn aanstaande ex-vrouw gezien?' Hij lachte opnieuw en vroeg zich af hoe lang hij erover zou doen om haar te vinden. Toch niet langer dan het uur dat hij al had verspild met haar volgen.

Waarom stonden de specialismen van die omhooggevallen lui er niet bij, verdomme? Die hadden ze ongetwijfeld. Was een beetje duidelijkheid te veel gevraagd? Bijvoorbeeld: Lang, Cunningham, *familierecht*? Of Sam Bryson, *echtscheidingsadvocaat*? Iets... wat dan ook... om hem een hint te geven, hem de juiste kant op te sturen. Maar nee, dat zou te makkelijk zijn.

En Lainey was niet van plan om het hem makkelijk te maken.

Dat had ze namelijk nooit gedaan.

'Had nooit iets met haar moeten beginnen,' mompelde Tom. Jeff had hem nog gewaarschuwd dat ze een klaploopster was en dat hij beter verdiende. Alleen bestond 'beter' meestal uit een van Jeffs afdankertjes, en afdankertjes kreeg hij al zijn hele leven toegeschoven. Eerst uit de kast van zijn broer, daarna uit het bed van zijn beste vriend. Hij wilde een vrouw aan wie Jeff niet met zijn poten had gezeten, en een van de dingen die hij het leukst vond aan Lainey was dat ze nooit erg onder de indruk was geweest van Jeffs charme. 'Ik begrijp gewoon niet waar iedereen het over heeft,' had ze op een avond gezegd, niet lang nadat ze iets met elkaar hadden. Tom was halsoverkop verliefd op haar geworden.

Uiteraard was de liefde snel weer bekoeld. Toen hij Lainey door Jeffs ogen had gezien... 'jezus, man, ze is niet eens mooi. Ze heeft kraalogen en die neus is veel te groot voor haar gezicht. En die benen, man, het lijken wel bowlingkegels. Je kunt toch veel beter krijgen'... was zijn toch al dovende hartstocht helemaal geblust. Maar toen was het te laat geweest. Lainey was al zwanger en wilde per se trouwen. Hij had zich laten overhalen met het idee dat hij na Afghanistan wel wat rust kon gebruiken. Laat me voor je zorgen, had ze gezegd. Waarom ook niet, had hij besloten. Dat verdiende hij wel. Hij kon altijd later nog van haar scheiden.

Waarom was hij dan zo boos dat het ging gebeuren?

Omdat niemand Tom Whitman zomaar in de steek liet, dacht hij. 'Ik beslis wie wanneer weggaat,' verklaarde hij tegenover de lijst advocaten. Hij dacht aan Coral Gables. Die klootzak van een man van Suzy. *En laat ik jullie hier niet nog eens zien*, had hij gewaarschuwd. Wat dacht hij wel niet? 'Ik besluit wie wat doet,' zei Tom nu. 'Ik besluit hoe. Ik besluit wanneer.' Vraag maar aan dat kutwijf in Afghanistan.

Natuurlijk had hij dankzij die trut wel bijna in de cel gezeten. Tom kon zich de beschuldigingen, de weken van onderzoek, de reële dreiging van gevangenschap nog goed herinneren. Uiteindelijk had Defensie besloten hem niet aan te klagen, maar in plaats daarvan naar huis af te voeren. Nadat hij bijna twee jaar lang zijn leven had gewaagd, na twee jaar lang zandhappen en toezien hoe vrienden omkwamen, zijn gebeden gereduceerd tot één enkele wens – *laat me alsjeblieft met twee benen naar huis gaan* – was hij botweg de laan uit gestuurd. Oneervol ontslagen. Dat was zijn dank geweest.

Net als met Lainey.

Weer oneervol ontslag.

Hij was goed voor haar geweest en nu probeerde ze af te pakken wat rechtmatig van hem was – zijn kinderen, zijn huis, zijn leven. Was dat wat ze wilde? Verwachtte ze nou echt dat hij het na bijna vijf jaar samen zonder strijd zou opgeven? Wat nou, dat het huis eigenlijk van haar ouders was? Dat was een formaliteit. Het was nog steeds de huwelijkse woning. Zíjn huis. En Candy en Cody waren zíjn kinderen. Dacht Lainey echt dat ze zomaar van hem af zou komen, dat hij het zonder slag of stoot zou opgeven? Nou, als ze een gevecht wilde, dan kon ze het gevecht van haar leven krijgen.

De liftdeuren gingen plotseling open en er stapte een vrouw

uit. Ze was blond, van middelbare leeftijd en droeg ondanks de hitte een jasje. Ze had een sigaret in de ene hand en een aansteker in de andere, klaar om hem op te steken zodra ze buiten was.

'Neem me niet kwalijk, mevrouw,' zei Tom. Hij liep zó snel op de vrouw af, dat ze haar sigaret bijna liet vallen. 'Bent u advocate?'

De vrouw keek hem argwanend aan. 'Ja. Kan ik u helpen?'

'Ik ben op zoek naar Lainey Whitman.'

'Lainey...?'

'Whitman.'

'Ik geloof niet dat die naam me iets zegt. Bij welke firma werkt ze?'

'Ze werkt hier niet. Ze heeft hier een afspraak.'

De vrouw keek hem nu vragend aan. 'Het spijt me. Ik zou niet weten...'

'Kunt u me zeggen welk kantoor gespecialiseerd is in echtscheidingen?' vroeg Tom, toen de vrouw achteruit naar de deur liep.

'Volgens mij doet Alex Torres echtscheidingen, en Michaud, Brunton en Birnbaum heeft een afdeling Familierecht. Verder weet ik het niet.' Ze duwde de deur open, liep achteruit de straat op en ging op in het felle zonlicht.

Hete lucht werd in Toms gezicht geblazen. 'Alex Torres van Torres, Saldana & Mendoza, naar ik aanneem. Suite 103.' Daar kon hij beginnen, besloot hij. Met twee treden tegelijk rende hij de trap op. Een paar seconden later duwde hij de deur naar de eerste verdieping open.

De gang was breed en er lag blauw met zilvergrijs tapijt. Hij liep verder langs de kantoren van Lash, Carter & Kroft, Blake, Felder & Sons, en Lang, Cunningham, voordat hij bleef staan voor de gesloten, dubbele deuren van suite 103. Hij had beter een stropdas om kunnen doen, dacht hij, toen hij zijn shirt in zijn spijkerbroek stopte en met zijn hand even voelde of het pistool in zijn broeksband goed verstopt was. Toen pakte hij de koperen deurknop vast en trok de zware, houten rechterdeur open.

Hij wist niet zeker wat hij had verwacht, maar wat het ook was… dit niet. Waren advocaten niet rijk? Hoorden ze geen ruime kantoren met waanzinnige uitzichten te hebben? Hoorden ze geen prachtige meubels en goedgeklede secretaresses te hebben en een bloedmooie receptioniste die hem de kop koffie aanbood waar hij zo naar snakte? In plaats daarvan zag Tom een oudere latina achter een functioneel bureau dat voor een saaie beige muur stond, met aan de zijkant een rij gesloten deuren.

'Kan ik u helpen?' vroeg ze vriendelijk.

'Ik kom voor Alex Torres.' Vast zijn moeder, dacht Tom.

'Meneer Torres is er vandaag helaas niet. Hebt u een afspraak?'

'Nee.' Tom verroerde zich niet.

'O. Tja, wellicht kan ik iemand anders vragen om u te woord te staan.'

'Wellicht,' herhaalde Tom overdreven beleefd. Waar had dat mens zo leren praten? 'Ik ben op zoek naar Lainey Whitman.'

'Lane Whitman?'

'Lainey. Elaine,' corrigeerde Tom zichzelf. Het zou echt iets voor Lainey zijn om opeens heel formeel te doen.

'Er werkt hier niemand die zo heet.'

'Ze werkt hier ook niet,' zei Tom scherp. 'Ze is hier om met iemand te praten over een scheiding.'

'Weet u zeker dat u hier goed bent?'

'Ik heb haar een uur geleden het gebouw binnen zien gaan.'

De vrouw werd wat zenuwachtig. Ze gleed met haar hand over haar zwartgrijze haar dat in een hoge wrong op haar hoofd zat. 'U weet toch dat er veel advocatenkantoren in dit gebouw zitten?'

'Twaalf, om precies te zijn,' zei Tom. 'Vier per verdieping. Wilt u dat ik ze opnoem?'

De receptioniste pakte de telefoon. 'Gaat u even zitten, dan kijk ik of ik iemand kan vinden om u te helpen.'

Stomme trut, dacht Tom, en hij kwam even in de verleiding om haar door het hoofd te schieten, gewoon voor de lol. In plaats daarvan mompelde hij: 'Laat maar zitten.' Hij liep het kantoor uit. 'Waar hang je uit, Lainey?' Hij besloot om in de hal op haar te wachten, zodat hij niet nog meer verwaande oma's van advocaten zou tegenkomen. Waar ze ook was, ze zou toch wel bijna klaar zijn?

Maar er ging weer een halfuur voorbij en ze was nog steeds niet terug. Wat deed ze daarboven? Wat was ze die juridische eikels allemaal aan het vertellen? *Hij drinkt, duikt met iedereen in bed, heeft een opvliegend karakter en de kinderen zijn bang voor hem*, kon hij haar bijna horen zeggen.

'Doe mij maar een borrel,' zei hij hardop, en hij staarde naar de cafetaria aan de overkant. Hij vroeg zich af of ze alcohol serveerden en keek op zijn horloge. Het was net elf uur geweest. Een beetje vroeg om te drinken, zelfs voor hem. Kan het schelen, dacht hij. Zoals het liedje zei: het is altijd wel ergens vijf uur.

'Heb je bier?' vroeg hij een paar minuten later aan het jonge meisje achter de toonbank. Zonder zijn blik van het roze gebouw aan de overkant af te houden, liet hij zich op een kruk in de ouderwetse cafetaria ploffen.

'Alleen frisdrank,' zei het meisje. Op het naambordje op haar oranje uniform stond VICKI LYNN. Ze was misschien achttien, met halflange, bruine krullen en een slechte huid die ze probeerde te verbergen onder een dikke laag make-up. Ze glimlachte en Tom vroeg zich af of ze hem wilde versieren.

'Doe maar Coca-Cola,' zei hij.

'We hebben alleen Pepsi.'

'Dan wordt het Pepsi.'

'Light of gewoon?'

'Light is niet goed voor je. Dat doet iets in je hersenen,' zei Tom. Dat had Lainey hem een keer verteld.

Vicki Lynn staarde hem glazig aan.

'Gewoon,' zei Tom.

'Small, medium of large?'

'Neem je me in de zeik?'

Vicki Lynn knipperde een, twee, drie keer met haar ogen. 'Wilt u small, medium of large?' herhaalde ze, bij elke keuzemogelijkheid met haar ogen knipperend.

'Large.'
'Anders nog iets?'
'Ik dacht het niet.' Tom keek over zijn schouder naar de verlaten ruimte. Links en rechts stonden zitjes van vinyl – waarvan slechts eentje bezet – en op elke formicatafel stond een kleine jukebox. Aan de muren hingen oude rock-'n-rollherinneringen: bladmuziek en concertposters, oude foto's van The Beatles en Janis en de Grateful Dead. Twee posters van Elvis staarden elkaar aan weerszijden van de ruimte aan. Op de ene was hij jong en mooi, van top tot teen in zwart leer gekleed. Op de andere was hij ouder, dik, en droeg hij een wit broekpak dat was bedekt met nepdiamantjes en een bijpassende cape.
Op zijn tweeënveertigste al dood, dacht Tom. 'Lang leve de King,' zei hij, toen Vicki Lynn hem zijn drankje bracht.
Tom wilde net een slok nemen toen hij zag dat Lainey uit het roze gebouw kwam. Hij schoot overeind, stootte zijn cola om waardoor het zoete, bruine vocht over de toonbank stroomde en op de vloer druppelde. 'Shit,' zei hij, terwijl hij op de deur af stoof.
'Hé, wacht,' riep Vicki Lynn hem na. 'Ik krijg nog vier dollar van je.'
'Vier dollar voor Coca-Cola waar ik nog geen slok van heb gehad?'
'Pepsi,' corrigeerde Vicki Lynn hem.
'Vier dollar,' mopperde Tom kwaad, terwijl hij in zijn zak graaide naar wat kleingeld. 'Voor Pepsi, nota bene.'
'Je vroeg zelf om een large.'
'Shit,' zei hij, toen hij alleen een briefje van tien vond. Hij duwde het Vicki Lynn in de hand en zag dat Lainey met opgeheven hoofd en een veerkrachtige tred naar de parkeerplaats aan het eind van de straat liep. Waar was ze verdomme zo blij om? Hij tikte ongeduldig met zijn vingers op de balie en vroeg zich af of ze zijn auto zou herkennen, die twee rijen achter de hare stond. 'Zou je willen opschieten met mijn wisselgeld?'
Vicki Lynn liep naar de kassa alsof ze door stroop waadde.

'Zeg. Ik heb haast.' Hij kon haar wel in de voeten schieten, zoals ze vroeger in die oude westerns op tv deden. Daar zou ze wel van gaan dansen. Dan zou ze tenminste iets dóén, dacht hij, terwijl hij toekeek hoe ze de kassa opende en het wisselgeld zorgvuldig telde. 'Laat maar zitten,' riep hij geërgerd. Hij stoof de cafetaria uit, werkte zich door de hitte die aanvoelde als een stalen deur en rende naar de parkeerplaats. Lainey was waarschijnlijk de straat al bijna uit.

Echt iets voor Lainey, hoor, dacht hij. Hoe lang had hij wel niet zitten wachten? Goddomme iets van anderhalf uur, of zo? En net toen hij zich een paar minuutjes wilde ontspannen, even een colaatje – Pepsi, nota bene – wilde drinken, kwam ze opeens opdagen. Alsof ze wist dat hij er was. Alsof ze het allemaal zo getimed had.

Hij kwam aan bij het parkeerterrein en dreef van het zweet in zijn blauwgestreepte shirt. Laineys witte Civic stond als tweede voor de slagboom. Een vrouw in een rode Mercedes zat in haar tas te rommelen en gebaarde alsof ze haar kaartje kwijt was. Wat de reden voor het oponthoud ook was, Tom was er blij om, want het gaf hem een kans om naar zijn auto te sluipen en Lainey in zijn vizier te houden. Een paar minuten later stond hij zorgvuldig enkele auto's achter haar. Hij werd hier aardig goed in, dacht hij.

Zijn maag knorde. Het was bijna lunchtijd en hij had sinds vanochtend vroeg niet meer gegeten. Misschien kon hij Lainey overhalen mee uit eten te gaan naar een leuk, misschien zelfs duur restaurantje. Iets als de Purple Dolphin. Lainey was dol op vis, ook al hield hij daar zelf niet van. Waarschijnlijk hadden ze ook wel hamburgers. En volgens Kristin hadden ze de beste pina colada's van de stad. Dat moest hij Lainey maar niet zeggen. Ze was nooit echt een fan van Kristin geweest. 'Ze heeft iets wat ik gewoon niet vertrouw,' had ze gezegd.

Ze heeft iets, dat is een feit, dacht Tom, en hij zette Kristin uit zijn hoofd. Dit was niet het moment om aan andere vrouwen te denken, hield hij zichzelf voor. Hij moest zich op Lainey concentreren.

Misschien kon hij bij het volgende stoplicht naast haar gaan staan en voorstellen om te lunchen. Ze klaagde altijd dat hij haar nooit eens mee uit nam. Dit was zijn kans om haar het tegendeel te bewijzen, te bewijzen dat hij hartstikke romantisch en attent kon zijn.

Helaas werkten de stoplichten niet mee en werden ze bij elke kruising die ze naderden groen, bijna alsof ze het erom deden. Twintig minuten lang groen licht, dacht hij, en hij schudde ongelovig het hoofd. Wanneer maakte je dat mee? Hij moest haar tegenhouden voordat ze thuis was. Anders was het te laat. Hij kreeg haar van haar ouders nog niet eens aan de telefoon. Ze zouden hem heus niet uitnodigen om een boterhammetje mee te eten.

Ze reden in westelijke richting over Southwest Eighth Street toen Lainey plotseling midden op straat stopte en achteruit tussen twee auto's inparkeerde. 'Niet slecht,' merkte Tom op, en hij vroeg zich af wat ze nu weer ging doen. Hij reed naar de hoek van de straat, zette de auto tegen de stoeprand en keek hoe Lainey uitstapte, geld in een meter gooide en een winkel binnenging. Welke? Hij was te ver weg.

Hij liet zijn auto achter bij een bord voor 'verboden stil te staan', stak de straat over en keek in elke etalage die hij passeerde. Hij liep langs enkele restaurantjes, een stomerij en een schoenenwinkel. Ging Lainey nou weer schoenen kopen? Ze had maar... wat was het, dertig paar? Allemaal zonder hak. Ouwe-wijvenschoenen, noemde hij ze. En hij had er, hij wist niet hoe vaak, op aangedrongen dat ze eens iets spannends kocht, iets met stilettohakken en een uitdagend enkelbandje. Van die schoenen die Kristin droeg. Of Suzy, dacht hij, en hij voelde een nieuwe golf van boosheid over zich heen komen toen hij dat arrogante gezicht van haar man weer voor zich zag. 'Eikel,' zei hij. Hij trok de deur open en liep de schoenenwinkel met airco binnen.

'Kan ik u helpen?' vroeg een verkoopster onmiddellijk. Ze glimlachte en Tom vroeg zich af of ze met hem flirtte.

'Ik kijk alleen even,' zei hij. Hij had direct door dat Lainey er niet was, maar liep toch naar achteren voor het geval ze op haar knieën naar een stapel dozen zat te kijken.

Hij vond het jammer dat hij de verzachtende koelte van de winkel moest verruilen voor de verstikkende, tropische temperaturen op straat, maar hij kon het zich niet veroorloven nog meer tijd te verspillen. Aan de overkant was een leuk restaurant. Was Lainey daar soms naartoe gegaan, had ze daar een lunchafspraak? Met wie? Een andere man? Had ze al die tijd een ander gehad? Was dat de reden waarom ze zo plotseling een eind aan hun huwelijk wilde maken? Godverdomme, hij vermoordde haar nog liever dan dat een andere man in zijn huis ging wonen, vader van zijn kinderen ging spelen.

En toen zag hij het... Donatello's Kapsalon.

Daar ging Lainey elke zes weken naartoe om haar haar te laten doen. Ze zat altijd te snateren over de man die haar haar deed, noemde hem een genie, zei dat hij gouden handen had. Meer dan eens had hij de neiging gehad om te vragen: waarom ziet je haar er dan niet uit?

Hij liep naar het raam, tuurde tussen de krullende, zwarte letters van Donatello's naam door naar het interieur van de salon, verrast om te zien dat het heel druk was in het kleine pand. Allemaal vrouwen die een wonder willen, dacht hij, terwijl hij de deur opentrok.

'Kan ik u helpen?' vroeg een jonge brunette met stekeltjes van achter een hoge balie. Haar brede glimlach zei Tom dat ze zo met hem naar bed wilde.

'Is Lainey Whitman hier?' vroeg hij zacht, en zijn ogen schoten door de salon. Hij had geen tijd voor deze dame.

'Ze zit achterin, haar haar wordt gewassen.' Het meisje wees naar een plek achter een halfronde, zeegroene wand achter in de salon.

Tom volgde de halfronde muur tot midden in de salon. Daar zaten zo'n zes vrouwen in blauwe, plastic mantels gewikkeld in verstelbare stoelen voor bespiegelde wanden, waar ze werden verzorgd door mannen met scherpe voorwerpen en pistoolvormige föhns in hun handen.

'Ik weet niet meer wat ik met haar aan moet,' zei een vrouw

van middelbare leeftijd tegen haar kapper, een dikke jongeman met roze strepen in zijn korte, donkere haar. 'Ze eet alleen maar pindakaas en sushi. Dat kán toch niet gezond zijn?'

Vertellen vrouwen hun kapper echt alles, vroeg Tom zich af, terwijl hij verder liep. Had Lainey Donatello alles verteld? Wat had ze hem precies verteld?

Hij zag haar eerst niet. In plaats daarvan zag hij een rij zeegroene wasbakken en een verveelde jongeman die met zijn handen vol zeep en een glazige blik in zijn ogen naar de andere muur staarde en ondertussen de hoofdhuid masseerde van een vrouw die met gesloten ogen achterover in haar stoel lag; haar nek hing boven de wasbak alsof ze lag te wachten op de bijl van de beul. Het was Lainey, besefte Tom, toen hij de kegelvormige benen zag die onder de zeegroene mantel uit kwamen. Hij bleef een paar meter voor haar staan.

'Kan ik u helpen?' vroeg de jongeman, die zijn glazige blik op hem richtte en met een Spaans accent sprak.

'Lainey,' zei Tom, en het woord klonk als een commando.

Lainey schoot overeind. Haar lange, natte haar viel in haar gezicht en er droop schuim over de schouders van de plastic mantel. 'Wat doe jij hier?' Met een angstige blik keek ze wantrouwig van links naar rechts.

De blik paste bij haar, dacht Tom. 'We moeten praten.'

'Niet hier. Niet nu.'

'Jawel,' zei Tom. Hij zette zijn voeten iets uit elkaar en liet duidelijk weten dat hij niet van plan was weg te gaan. 'Hier. Nu.'

12

Will stond in de deuropening tussen de keuken en de woonkamer en zijn ogen schoten van Suzy naar zijn broer.

'Wat is er aan de hand?' vroeg Kristin, die tussen hen in stond.

Jeff haalde zijn schouders op en bleef bij de voordeur staan. 'Kennelijk heeft deze dame Will iets te zeggen.'

'Ik wil je mijn verontschuldigingen aanbieden,' begon Suzy.

'Je bent me niets verschuldigd,' zei Will snel.

'Ik vind van wel.'

'Spreek nooit een vrouw tegen die haar excuses aanbiedt,' droeg Jeff Will op. 'Dat maak je misschien één keer in je leven mee.'

'Wijsneus,' zei Kristin.

'Mijn signaal om weer aan het werk te gaan,' zei Jeff. 'Kom Krissie. Je mag me een lift geven.'

'Even mijn schoenen aantrekken.' Kristin verdween in de slaapkamer, maar bleef luisteren. Wat wilde Suzy tegen Will zeggen? En nog belangrijker, wat deed ze samen met Jeff? Ze rommelde onder in haar kast op zoek naar haar sandalen, liet haar voeten erin glijden zonder de gespen los te maken, griste haar tas van de ladekast en liep terug naar de woonkamer. Iedereen stond elkaar, nog op precies dezelfde plek, zenuwachtig, verwachtingsvol aan te staren, als deelnemers aan een duel. 'Zo, ik ben klaar.' Ze keek van Jeff naar Suzy en toen naar Will. 'Nou, doe het rustig aan. Neem de tijd. Ik ben pas over een paar uur terug.'

'Het spijt me. Ik wil je niet je eigen huis uit jagen.'

'Doe je niet. Echt niet. Ik heb nog van alles te doen.' Kristin liep naar de deur. 'Kom je?' vroeg ze aan Jeff, toen ze de galerij op stapte.

'Ik ben er al, schatje.'

'Jeff,' riep Suzy opeens.

Jeff draaide zich om.

'Dank je,' zei ze.

'Ik help een dame in nood graag.' Jeffs blik bleef even op haar rusten, staarde dwars door haar donkere brillenglazen. Je weet me te vinden, zeiden zijn ogen. Toen liep hij het huis uit en deed de deur achter zich dicht.

'Een dame in nood?' vroeg Will.

'Een uitdrukking,' zei Suzy na een ogenblik. 'Hoe gaat het met je?'

'Met mij? Prima.' Het gaat klote, zei hij in zichzelf. En ik snap er geen ene reet meer van. 'En met jou?'

'Gaat wel.'

'Gaat wel?'

Ze knikte. 'Het is heet vandaag.'

'Dit is Florida.'

'Dat zal wel.'

'Heb je zin in iets koels?' Will wilde dat ze haar zonnebril afdeed. Hij vond het vervelend om een gesprek met haar te voeren terwijl hij haar ogen niet kon zien. Wat deed ze hier? Was ze hier echt om haar excuses aan te bieden? Waarom was ze hier samen met Jeff? 'Water? Sap? Spa?'

'Niets. Dank je.'

'Zeker weten?'

'Doe maar wat water.'

Will liep met een bonkend hart naar het aanrecht. Wat wilde

ze van hem? Wat verwachtte ze? Wilde ze iets? Wat deed ze met Jeff?

Hij hield een glas onder de koude kraan, wachtte tot zijn handen niet meer trilden en draaide zich om. Suzy stond nog steeds op dezelfde plek, haar zonnebril stevig op haar neus en haar overmaatse canvas tas bungelend aan haar linkerhand, alsof ze elk moment kon vluchten. Will liep naar haar toe en bood haar het glas water aan.

'Dank je.'

'Ga zitten.' Hij gebaarde naar de bank.

'Dank je,' zei ze opnieuw. Ze ging op het randje van de bank zitten alsof ze bang was om het zich al te gemakkelijk te maken, en ze nam een slokje water. 'Lekker koud.'

'Zelfgemaakt,' zei hij als grapje. En toen: 'Je overvalt me een beetje. Ik had niet gedacht dat ik je ooit nog zou zien.'

'Ik wist niet zeker of je dat wel wilde,' gaf ze toe, en ze hief haar gezicht naar hem op. 'Wil je niet zitten?'

Will ging aan de andere kant van de bank zitten en wachtte tot ze verderging.

'Je hebt vast een heleboel vragen.'

'Nee,' zei hij. Wat deed je met Jeff?

'Je broer had verteld waar hij werkte,' vertelde ze, alsof hij de vraag hardop had gesteld. 'Ik ben bij hem langsgegaan om te vragen of hij jou iets wilde doorgeven.'

'Je hoeft niets uit te leggen.'

'Toe. Ik wil het graag.'

'Hoor eens, ik heb in feite net zoveel uit te leggen. Ik ben degene die onverwachts en onuitgenodigd voor je huis stond...'

'Ben je getrouwd?' onderbrak Suzy hem.

'Wat? Nee.'

'Dan treft mij alle blaam, lijkt me zo.'

'Waarvoor?'

'Ik had het je moeten zeggen.'

'Waarom?'

'Gewoon. Dat was ik je wel verschuldigd.'

'Je was me helemaal niets verschuldigd. Je was gewoon aardig.'

'Aardig? Hoe had je dat gedacht?'

'Door het spelletje mee te spelen met Kristin, door aan de weddenschap mee te doen.'

'Het klonk wel grappig.' Suzy glimlachte, maar haar mondhoeken gingen omlaag. 'Het was toch ook leuk, vond je niet?'

'O, ja,' beaamde Will.

'Wist je dat je vriend van plan was me te volgen?'

'Wat? Nee,' zei Will snel. 'En hij is mijn vriend niet.'

'Gelukkig.'

'Hij is een loser,' zei Will tegen haar. 'Een ongeleid projectiel. Hij heeft ons die hele avond gevolgd.'

'Jammer dat we hem niet méér hebben laten zien.'

Wills ogen schoten haar kant op, ook al kon hij niet langs de donkere brillenglazen zien. Wat bedoelde ze? Dat ze het jammer vond dat ze zich na één kus had teruggetrokken, dat ze meer wilde, dat ze daarom hier was? Niet omdat ze spijt had van het feit dat ze hem niet had verteld dat ze getrouwd was, maar omdat ze spijt had dat ze niet verder met hem was gegaan? Kon hij haar maar in de ogen kijken, dacht hij. Hij wilde dat hij vrouwen wat beter begreep. Als de geest uit de fles op magische wijze een wens van hem wilde vervullen, zou dat het zijn, en Will dacht aan de mop die Jeff in de kroeg had verteld. 'Waarom doe je je bril niet even af,' stelde hij uiteindelijk voor, en hij stak zijn hand uit.

Ze trok zich terug. 'Het is waarschijnlijk beter als ik die op hou.'

'Waarom?' Will zette de bril voorzichtig af. 'Jezus,' zei hij. Hij liet de bril in zijn schoot vallen, en liet zijn blik langs de vele blauwe plekken in Suzy's bleke gelaat glijden. Ze staken scherp af, met lichtpaars hier en dofgeel daar. 'Dat heeft hij gedaan,' zei hij.

'Nee. Ik ben gevallen.'

'Je bent niet gevallen.'

'Een ongelukje met de hond van de buren. Ben over de riem gestruikeld.'

'Heb je Jeff dat verteld?'

Ze liet haar hoofd zakken. 'Hij geloofde me ook niet.'

Wills vingers trilden toen hij zijn hand tegen haar wang legde. 'Hoe kan iemand dat doen?'

'Het gaat wel. Het gaat best.'

'Het is mijn schuld,' zei hij.

'Het heeft niets met jou te maken.'

'Als wij niet zomaar op de stoep hadden gestaan als een stel stomme pubers...'

'Dat had niets uitgemaakt.'

'Hoe bedoel je?'

'Niets.'

'Probeer je me te zeggen dat hij dit al vaker heeft gedaan?'

'Het was *míjn* schuld,' hield Suzy vol.

'Waarom?'

'Ik lok het uit.'

'Je lokt het uit?' herhaalde Will vol ongeloof.

'Ik had nooit naar The Wild Zone moeten gaan. Ik wist hoe riskant het was.'

'Wat bedoel je met "riskant"?'

'Cafés zijn verboden terrein als Dave er niet is.'

'Wat?'

'Normaal gesproken ga ik met Dave mee als hij buiten de stad een congres heeft,' legde ze uit, meer tegen zichzelf dan Will, alsof ze probeerde te begrijpen wat er was gebeurd. 'Maar deze keer zei hij dat hij het zo druk zou hebben met bijeenkomsten en lezingen – hij is arts – dat het geen zin had om de hele week in mijn eentje op een hotelkamer te zitten, en dat ik beter thuis kon blijven om wat dingen op orde te krijgen. Die medische congressen zijn meestal oersaai. Ik keek er echt naar uit om wat tijd voor mij alleen te hebben, een strandwandeling te maken, naar die schattige winkeltjes langs de oceaan te gaan. Ik had nooit naar The Wild Zone moeten gaan. En ik had er al helemaal niet moeten terugkomen. Ik weet niet waar ik mee bezig was. Ik denk dat ik dacht dat Dave het toch niet zou merken. Hij zou zaterdag pas thuiskomen. Maar hij is direct na zijn laatste bijeenkomst op vrijdag in de auto gestapt en is vanuit Tampa in één keer naar huis gereden om bij me te zijn. Alleen was ik er niet.'

'Je was bij mij,' zei Will met een misselijk gevoel in zijn maag. Nadat ze afscheid hadden genomen, was Will bijna naar huis gezweefd. Hij had op de bank liggen slapen, liggen dromen van lange, zachte, tedere kussen, terwijl zij tot een bloederige massa was geslagen.

'Ik kon me niet herinneren wanneer ik voor het laatst zoveel plezier had gehad.'

'Ik begrijp het niet. Waarom blijf je bij hem? Je hebt geen kinderen. Of wel?' vroeg Will schaapachtig. Hij besefte opeens hoe weinig hij eigenlijk van haar wist.

Ze glimlachte. De glimlach tekende de schram in de hoek bij haar bovenlip, die hij eerder nog niet had gezien, scherp af. 'Nee, ik heb geen kinderen. Maar ik heb ook geen keus.'

'Natuurlijk heb je een keus,' sprak Will haar tegen. 'Je kunt bij hem weggaan, je kunt hem aangeven bij de politie, je kunt...'

'Dat kan ik niet,' zei ze zacht.

'Waarom niet?'

'Dan vermoordt hij me,' zei ze nog zachter.

'Nee, hij is gewoon een bullebak, een...'

'Dan vermoordt hij me,' zei ze opnieuw. 'Toe. Ik kan niet lang blijven. Kunnen we het alsjeblieft over iets anders hebben?'

'Je wilt het over iets anders hebben?' vroeg Will hulpeloos, en er raasden allerlei gedachten door zijn hoofd.

'Wat vind je van Miami?' vroeg ze opgewekt, alsof het een doodnormale vraag was.

'Wat?'

'Alsjeblieft, Will. Kunnen we niet doen alsof we een normaal stel zijn? Jongen ontmoet meisje. Dat idee. Een paar minuutjes maar, tot ik weg moet?'

De tranen sprongen in haar ogen en Will voelde zijn eigen ogen vochtig worden. Hij wendde zijn gezicht af. Waarom moest alles altijd zo moeilijk zijn, dacht hij. Misschien hadden Kristin en Jeff toch het goeie idee. Hou alles zo simpel mogelijk. Geen verwachtingen, geen beschuldigingen. 'Ik vind Miami geweldig,' zei hij. 'Het is hier wel een beetje heet, maar goed...'

'Dit is Florida,' maakte ze zijn zin met een verlegen lachje af. 'Het is zeker heel anders dan New Jersey?'

'Eigenlijk kom ik uit Buffalo. Maar ik heb in New Jersey gestudeerd.'

'Ik ben in geen van beide ooit geweest.'

'Buffalo is wel leuk,' speelde hij mee. 'Ik bedoel, ik weet dat het erg in is om de grote stad af te kraken, maar ik heb het er altijd leuk gehad. Het is best een gave plek om op te groeien.'

'Je hebt een gelukkige jeugd gehad.' Het was eerder een constatering dan een vraag.

'Jij niet?'

'We verhuisden heel vaak, dus had ik nooit ergens een eigen plekje. Het was moeilijk om vriendschappen te sluiten. Ik was altijd de nieuweling. Net als ik me een beetje thuis begon te voelen, vertrokken we weer.' Ze bracht het glas water naar haar lippen en liet het toen zonder dat ze een slokje had genomen weer in haar schoot zakken. 'Wat wilde je vroeger worden?' vroeg ze opeens. 'Ga me niet vertellen dat je filosoof wilde worden.'

Hij lachte. 'Nee. Brandweerman. Alle jongetjes willen toch brandweerman worden?'

'Weet ik niet. Is dat zo?'

'Ik wel. Jeff ook,' voegde Will eraan toe, toen hij bedacht dat Jeff een keer tevergeefs had gezeurd om een brandweeruniform als Halloween-kostuum.

'En jij wilde Jeff zijn,' zei Suzy.

'Ik geloof het wel.' Nog steeds, dacht hij. 'En jij?'

'Ik heb nooit Jeff willen zijn.'

Will glimlachte. 'Wat wilde je wél zijn?'

'Toen ik klein was, wilde ik balletdanseres worden.'

'Uiteraard.'

'Toen ik iets ouder werd, veranderde ik van gedachten en wilde ik modeontwerpster worden.'

'Waardoor veranderde je van gedachten?'

Door mijn vaders vuist, dacht Suzy. 'Geen talent,' zei ze hardop.

'Als tiener wilde ik rockster worden,' biechtte Will op.

'Zanger of gitarist?'

'Drummer.'

Suzy lachte. 'Ga weg.'

'Echt waar. Ik was heel fanatiek, zoals bij alles in die tijd. Heel, héél intens. Ik wist mijn ouders zelfs over te halen om een ongelooflijk duur drumstel voor me te kopen, en daar ramde ik de hele dag op tot iedereen er gestoord van werd.'

'En toen?'

'Toen pakte iemand op een dag mijn trommelstok en stak die door mijn drums heen. Alles kapot.'

'Jeff?'

'Nee,' zei Will. 'Al dacht iedereen van wel. Maar het was Jeff niet.'

'Wie dan?'

Will haalde diep adem en blies de lucht langzaam uit. Dat schuurde pijnlijk langs zijn luchtpijp. 'Ik was het zelf,' gaf hij toe.

'Je hebt je eigen drumstel kapotgemaakt?'

'Ik kon er niet meer tegen. Geen greintje talent!' Hij moest lachen. 'En ik had genoeg van de lessen, van het oefenen, van het feit dat ik niet beter werd en deed alsof ik het leuk vond. Maar mijn ouders hadden al dat geld uitgegeven, weet je? Ik kon er niet zomaar de brui aan geven. Toen kwam ik op een middag uit school – mijn ouders waren niet thuis – en Jeff zat op mijn slaapkamer op mijn drumstel te trommelen. En het klonk super. Perfect. Moeiteloos. Zoals alles bij hem moeiteloos ging. Ik weet het niet... ik flipte. Ik joeg hem mijn kamer uit, gilde dat hij met zijn poten van mijn spullen af moest blijven, het klassieke gekrakeel van een klein broertje, en vóór ik het wist, ging ik het drumstel te lijf als een monster in een horrorfilm. Mijn ouders gaven Jeff natuurlijk meteen de schuld. En ik was te schijterig om ze de waarheid te zeggen.'

'Zei Jeff dan niets?'

'Waarom zou hij? Ze zouden hem toch niet geloven en dat wist hij.'

'Dus jij liet hem gewoon de schuld op zich nemen?'

Will liet zijn hoofd hangen. Hij voelde zich opeens weer dat jongetje van twaalf dat op zijn kamer zat te huilen. Waarom had hij haar dit verteld? Deze schaamte had hij nog nooit met iemand gedeeld. 'Hij kreeg nooit iets van ze, weet je. Niet zoals ik. Jeff noemde me vroeger "de Uitverkorene". En hij had gelijk. Ik was de oogappel van mijn ouders. Mijn moeders grote trots. Als ik iets wilde, dan regelde ze het. Een drumstel, een basketbal, privéscholen, geld voor Princeton.' Hij wreef over zijn voorhoofd. 'Jeff was net Assepoester, het kind dat niemand wilde. Hij moest smeken om de restjes. Maar daar was hij te trots voor. En hij was niet van plan om het langer dan nodig uit te houden.'

'Wat gebeurde er?'

'Hij vertrok naar Miami, stopte na een paar semesters met zijn studie, ging het leger in en werd daarna privétrainer. Hij heeft altijd contact gehouden met zijn zus, Ellie,' legde Will uit, in antwoord op Suzy's vragende gezicht. 'Zo wist ik waar hij was.'

'Ben je daarom hier gekomen? Om het goed te maken?'

'Ik weet niet goed waarom ik hier ben.'

'Heb je het er met Jeff over gehad?'

'Wat valt er nog te zeggen?'

'Dat het je spijt,' zei Suzy.

'Ik keek vroeger zo naar hem op, weet je dat?' ging Will verder, alsof er een klep naar zijn geheugen was opengegaan en hij hem niet meer dicht kon doen. 'Hij was als een god voor me. Hij was alles wat ik wilde zijn. Alles wat ik niet was. Aantrekkelijk, charismatisch, sportief, getalenteerd. Hij moest de meiden van zich af slaan. Hij hoefde maar íéts te doen of de meisjes vlogen op hem af. Ik ook. Dan riep hij dat ik op moest donderen, noemde me een sukkel en een loser, en ik genoot van de woede. Eindelijk had ik zijn aandacht. Zoals hij me haatte, zo hield ik van hem. Alleen haatte ik hem ook, haatte ik hem om alles wat hij was en ik nooit zou worden, haatte ik hem omdat hij niet van mij hield. Shit,' zei Will, en hij voelde onverwachte tranen in zijn ogen schieten.

Suzy pakte zijn hand. 'Ik denk dat je het hem moet zeggen.'

Hij huiverde onder haar aanraking. 'Ik denk dat je bij je man weg moet.'

Ze glimlachte. Opnieuw gingen haar mondhoeken omlaag in plaats van omhoog.

Lach dan, sufferd, leek ze te zeggen, toen de eerste maten van Beethovens 'Negende Symfonie' diep in haar handtas klonken.

'O god, dat is Dave.' Ze griste haar mobiele telefoon uit haar tas. 'Die moet ik opnemen.'

'Wil je dat ik in de keuken wacht?'

Ze schudde haar hoofd en liet de telefoon zakken. 'Ik wil dat je me kust,' zei ze. 'Zoals die avond.'

Nog geen seconde later lag ze in zijn armen, gleden zijn lippen teder langs de hare, bang om te hard te drukken op haar gekneusde mond.

'Maak je geen zorgen,' fluisterde ze. 'Ik breek niet.'

Will kuste haar nog een keer, harder, intenser. Opnieuw zweefden de eerste maten van Beethovens 'Negende Symfonie' tussen hen omhoog.

Tegen haar zin maakte Suzy zich los uit Wills armen, ook al bleef hij haar stevig vasthouden. Ze glimlachte die droeve glimlach en klapte de telefoon open. 'Hallo,' zei ze.

'Waar zit je?' hoorde Will Dave eisen. 'Waarom duurde het zo lang voor je opnam?'

'Ik loop net de supermarkt binnen,' loog Suzy. 'Het duurde even voordat ik mijn telefoon had gevonden.'

'Weet je zeker dat je daar bent?'

Suzy's blik schoot naar het raam, alsof Dave daar zou kunnen staan. Will sprong op, liep naar de deur, deed hem open, deed een paar stappen de galerij op en keerde hoofdschuddend terug om haar ervan te verzekeren dat hij er niet was.

'Natuurlijk weet ik dat zeker. Ik wilde vanavond kip met cumberlandsaus maken, en we hebben geen rodebessengelei meer, dus...'

'Ik kom vandaag misschien wat later thuis,' onderbrak hij haar.
'Is er iets?'
'Zorg dat het eten om zeven uur klaarstaat.'
De verbinding werd verbroken.
Suzy stopte de telefoon weer in haar tas. Een paar seconden zat ze heel stil met gebogen hoofd en haar adem leek wel bevroren in haar longen. Toen ze weer opkeek, had ze een heldere, enigszins opstandige blik. Ze keek naar Will. 'Ik heb tot zeven uur,' zei ze.

13

‘Alsjeblieft, Tom,’ zei Lainey, met haar handen voor haar borst alsof ze hem op afstand probeerde te houden. ‘Ga nou geen stennis schoppen.’

‘Wie schopt hier stennis?’ vroeg Tom, en hij keek achter in de salon alsof er iemand anders was die een scène maakte. Hij loerde naar de jongeman wiens handen nog steeds onder het schuim zaten. Zijn zwarte ogen waren zó groot dat ze zijn voorhoofd dreigden over te nemen. ‘Jij bent zeker Donatello. Ik ben Tom, Laineys man.’ Hij stak zijn hand uit.

De jongeman schudde behoedzaam zijn hand, maar zei niets.

‘Dit is Carlos,’ legde Lainey uit. ‘Hij wast haar. Hij spreekt niet goed Engels.’

‘In dat geval: *vamanos*, Carlos,’ zei Tom geringschattend.

Carlos keek naar Lainey. ‘Het is goed,’ zei ze tegen hem, en ze knikte.

‘Wat...? Heb ik zijn toestemming nodig om met mijn vrouw te praten?’

‘Wat wil je, Tom?’ vroeg Lainey, terwijl Carlos achter de golvende muur naar de voorkant van de salon liep. Haar stem klonk laag en laatdunkend.

Haar donkere ogen straalden wat minder angst uit, besefte

Tom, en hij balde teleurgesteld zijn vuisten. Wat dacht ze wel niet? Hij zag hoe het natte haar als een badmuts tegen haar schedel zat, waardoor haar brede neus werd geaccentueerd. Ze was niet echt een schoonheid te noemen, vond hij, en hij keek toe hoe ze het haar uit haar gezicht veegde en het natte schuim met de palm van haar hand van haar wang veegde, alsof ze zich bewust was van zijn stilzwijgende beoordeling. Wat gaf haar het recht, het léf om zo uit de hoogte te doen, te denken dat ze zoveel beter was dan hij? 'Je weet wat ik wil,' zei hij.

'Nee, dat weet ik niet. Dat heb ik nooit echt geweten.'

'Waar slaat dat op?'

'Op het feit dat ik niet weet wat jij wilt, en geen zin heb nog langer mijn best te doen om erachter te komen.'

'Je hebt geen zin om wáár achter te komen?'

'Wat jij wilt,' snauwde Lainey, kennelijk harder dan ze had bedoeld, want haar stem echode tegen de muren door de hele kapperszaak. Ze liet haar kin zakken en staarde naar de smalle, walnotenhouten vloerdelen. 'Hoor eens, laten we hier mee ophouden. Ik heb er genoeg van om nog langer rondjes te draaien.'

'Heb je genoeg van ons huwelijk?'

'Ik heb genoeg van jouw houding.'

'En welke houding is dat?' wilde Tom weten.

'Je doet alsof ons huis een hotel is waar je langs kunt komen als je daar zin in hebt als je niks beters te doen hebt. Je hebt geen respect voor mijn tijd en emoties. Het interesseert je geen zier wat ík wil.'

'Wat een gelul.'

'Het is geen gelul.'

'Ik zeg je dat het gelul is,' zei Tom kwaad.

'Best. Noem het wat je wilt, maar ik heb er schoon genoeg van.'

'En... dus? Ga je zomaar weg?'

'Ik ben niet zomaar weggegaan.'

'Ik kom thuis, jij bent er niet, de kinderen zijn er niet... Hoe wilde je het dan noemen?'

'Daar gaat het niet om.'
'Waar gaat het godverdomme dan wel om?'
'Alsjeblieft, Tom, niet zo hard.' Lainey keek bezorgd naar de andere kant van de zaak. 'Niet iedereen hoeft onze zaken te horen.'
'Alleen de advocaten,' zei hij.
'Wat?'
'Ik weet dat je bij een advocaat bent geweest, Lainey.'
'Hoe weet je dat?'
Tom zag dat de angst in haar blik terug was. Onwillekeurig moest hij glimlachen.
'Heb je me gevolgd?' vroeg ze.
'Je denkt toch niet dat ik zonder slag of stoot mijn kinderen van me laat afpakken?'
'Niemand probeert jou je kinderen af te pakken. Als alles weer wat rustiger is, als je een eigen flatje hebt gevonden...'
'Een eigen flatje? Waar heb je het verdomme over? Ik heb een huis. Ik ben niet van plan om te verhuizen.'
'... en er een regeling is getroffen,' ging ze verder alsof hij niets had gezegd, 'dan kun je de kinderen zien.'
'Ik zeg je net dat ik nergens naartoe ga.'
'Je hebt geen keus, Tom. Je hebt schriftelijk afstand gedaan van je rechten toen mijn ouders onze hypotheek overnamen.'
Tom schudde het hoofd. 'Ik wist niet wat ik tekende.'
'Dan moet je misschien zelf een advocaat raadplegen.'
'O, dan moet ik misschien zelf een advocaat raadplegen,' aapte hij haar na. 'En waar moet ik het geld vandaan halen? Vertel me dat eens, trut, aangezien je kennelijk overal een antwoord op hebt.'
'Oké, Tom. Zo is het genoeg. Ik vind dat je moet gaan.'
'O, vind jij dat?'
'Het is duidelijk dat we hier niet tot een overeenkomst komen.'
'En jij vindt dat je een overeenkomst verdient?' wilde hij weten, en hij vatte met opzet haar woorden verkeerd op. 'Jij denkt toch niet dat ik je geld ga geven voor het feit dat je me mijn eigen huis uit gooit?'

'Ik vraag niet om partneralimentatie,' zei Lainey, en er klonk een trilling in haar woorden.

'Tjongejonge, wat gul van je,' zei Tom hatelijk.

'Alleen kinderalimentatie.'

'Kinderalimentatie?' Waar had ze het over? Hij verdiende amper genoeg om zelf van rond te komen. 'En waar moet ik dat van betalen?'

'Je inkomen. De rechter zal wel besluiten wat eerlijk is.'

'Niets aan dit alles is eerlijk, en dat weet je. Het kan me niet schelen wat een of andere rechter vindt, je krijgt goddomme geen rooie cent van me.'

'Het is niet voor mij, Tom. Het is voor je kinderen, van wie je beweert te houden.'

'Wilde je soms zeggen dat dat niet zo is?'

'Ik wil zeggen dat zij bepaalde dingen nodig hebben...'

'Ik zal je zeggen wat ze nodig hebben. Ze hebben hun vader nodig,' riep hij.

'Misschien had je daar wat eerder aan moeten denken.'

Een man stak zijn hoofd om de halfronde muur. Zijn zwarte haar was hoog opgekamd en hij droeg een wit T-shirt dat in een zwartleren broek was gestopt. 'Gaat alles goed hier?'

'En wie moet jij voorstellen?'

'Ik ben Donatello. Dit is mijn salon,' zei de man keurig. En vervolgens een stuk minder beleefd: 'En wie moet jíj voorstellen?'

'Ik ben de man van deze dame. Een beetje privacy zou niet verkeerd zijn.'

'In dat geval kun je misschien iets zachter praten.'

'Sorry hoor, Donny,' zei Tom. 'We zullen proberen wat zachter te doen.'

'Volgens mij wil je vrouw niet langer met je praten,' zei Donatello, en hij keek vragend naar Lainey.

Die knikte.

'Ik ben bang dat ik je moet vragen het pand te verlaten,' zei Donatello.

'En ik ben bang dat ik je een trap voor je dikke reet moet geven.'

Hierop draaide Donatello zich in zijn zwartleren broek om en liep naar voren.

'Vuile flikker,' mompelde Tom. Hij wendde zich weer tot Lainey en zag een nieuwe vastberadenheid die haar blik hard maakte.

'Ik wil dat je weggaat,' zei ze.

'En ik wil dat je thuiskomt.'

'Dat gaat niet gebeuren.'

'Hoor eens, het spijt me. Nou goed?' zei Tom, en hij verafschuwde de klagerige toon in zijn stem. 'Het was niet mijn bedoeling een scène te schoppen. Je hebt alleen geen idee hoe frustrerend dit allemaal voor me is.'

'Geloof me, ik weet precies hoe frustrerend dit is.'

'Je begrijpt er verdomme ook niks van,' snauwde Tom.

'Best,' zei Lainey.

'Best,' herhaalde hij. 'Je denkt dat je alles weet, hè? Je denkt dat jij de touwtjes in handen hebt. Dat je me kunt commanderen. Dat je kunt zeggen: "Spring." En dat ik dan vraag hoe hoog.'

'Ik denk dat we al heel lang niet gelukkig zijn.'

'Wie is er niet gelukkig? Ik ben gelukkig.'

'Tja, en dat is het enige wat telt, hè?'

'Wilde je beweren dat jij niet gelukkig bent geweest?'

Lainey keek hem aan alsof hij opeens een tweede hoofd had. 'Waar heb jij de afgelopen jaren gezeten, Tom?'

'Waar heb je het verdomme over?'

'Ik heb je zo vaak gezegd dat ik niet gelukkig was. Het is alsof ik tegen een blok beton praat.'

'Praten is het enige wat je doet, verdomme,' zei Tom. 'En klagen. Er is nooit eens iets goed. Wat ik ook doe, het is nooit goed genoeg.'

'Omdat je nooit iets doet!' was Laineys weerwoord.

'En jij bent zo godvergeten volmaakt?'

'Dat heb ik nooit gezegd.'

'Nou, jij bent verre van volmaakt, schatje. Dat kan ik je wel vertellen. Kijk maar eens in de spiegel om te zien hoe verre van volmaakt jij bent.' Hij pakte haar bij de elleboog, draaide haar rond en duwde haar gezicht naar de wand van spiegels tegenover de wasbakken. 'Dacht je dat jij zo'n lot uit de loterij was? Denk je dat de mannen voor je in de rij staan als je mij gedumpt hebt? Je weet het zelf misschien nog niet, maar je ziet er niet uit. Dat babyvet ben je nog steeds niet kwijt, en Cody is verdomme twee! En daar moet ik voor naar huis willen? Ik moet bij jou willen zijn, met je uitgaan, je vol trots aan mijn vrienden voorstellen? Val een paar kilo af, doe wat aan die neus en die tieten van je, misschien heb ik dan wat meer zin om thuis te zijn.'

De tranen sprongen in Laineys ogen. Haar wangen werden rood, alsof hij haar had geslagen. 'Ik heb geloof ik altijd geweten dat je niet van me hield,' zei ze zacht.

'Reken maar,' zei Tom.

'Maar ik heb, geloof ik, nooit eerder beseft dat je me daadwerkelijk haat.'

'Nou en of, schatje.'

Lainey haalde diep adem en haar schouders zakten omlaag toen ze zich met moeite afwendde van haar spiegelbeeld. 'Wat doe je hier dan, Tom?'

'Ik wil dat jij en de kinderen naar huis komen,' zei hij, alsof dat volkomen logisch was.

'Het spijt me. Dat doen we niet.'

'Dus ik heb helemaal niets te zeggen.'

'Ik vind dat je wel genoeg hebt gezegd.'

'O, maar ik begin pas.'

'Wat mij betreft ben je anders helemaal klaar,' kondigde Donatello aan. Hij stond weer achter in de salon, maar bleef op gepaste afstand van Tom.

'Rot op, eikel.'

'Ik heb de politie gebeld. Die zullen hier zo zijn.'

Tom kreunde. 'Shit. Dat meen je niet.'

'Ik stel voor dat je weggaat voordat ze er zijn.'

Tom wendde zich tot Lainey. 'Ik waarschuw je, trut. Je trapt me niet mijn eigen huis uit. En je pakt mijn kinderen niet af.'

Lainey zei niets.

'Dit is nog niet afgelopen,' zei hij. Toen draaide hij zich om, duwde Donatello tegen de halfronde muur en vluchtte de salon uit.

Ze lagen al meer dan een uur in elkaars armen. Ze praatten, giechelden, kusten elkaar zacht, streelden elkaar aarzelend als zenuwachtige tieners die niet te snel willen, toen ze buiten op de galerij snelle voetstappen hoorden. De voetstappen kwamen abrupt tot stilstand bij hun voordeur, direct gevolgd door luid gebons.

'O, nee,' fluisterde Suzy, die zich losmaakte uit Wills armen en vol afschuw naar de deur keek.

'Doe open,' eiste een mannenstem, gevolgd door meer gebons.

'Tom?' zei Will, en hij sprong overeind.

'Doe die deur verdomme open!' Gebons. 'Will, ben jij dat? Godsamme, doe die deur open!'

Shit, dacht Will, en hij gebaarde dat Suzy zich in de slaapkamer moest verstoppen. 'Ik werk hem zo snel mogelijk weg,' zei hij zacht, terwijl hij haar nog even snel vastpakte en kuste voordat ze wegliep.

'Kun je me een tijdje kussen?' had ze gevraagd, en dat had hij maar al te graag gedaan. Jezus, hij zou haar de hele dag kunnen kussen, dacht hij, nu hij haar om de hoek zag verdwijnen. Wat deed Tom hier in vredesnaam?

'Kom jij altijd zo binnenwalsen?' vroeg hij, toen hij de deur opendeed.

Tom wapperde wild met zijn armen. 'Waar is Jeff?'

'Op de sportschool.'

'Shit, natuurlijk is hij op de sportschool. Waar zou hij anders zijn? Shit,' zei hij opnieuw.

'Is er iets aan de hand?' vroeg Will tegen zijn zin.

'Is Kristin thuis?' Tom keek naar de slaapkamer.

'Die moest wat boodschapjes doen,' zei Will snel, klaar om zichzelf tussen Tom en de slaapkamer te werpen, mocht Tom ook maar één stap die kant op doen.

'Dus je bent alleen thuis. Dat probeer je me te zeggen.'

'Ik probeer je helemaal niets te zeggen.'

'O, man. Niet jij ook,' zei Tom luid kreunend. 'Dat gezeik heb ik vandaag al genoeg gehad van Lainey.'

'Ik weet niet waar je het over hebt.'

'Lainey is vanmorgen bij een advocaat geweest.'

'Rot voor je,' zei Will, ook al interesseerde het hem geen bal. Hij wilde Tom de flat uit hebben zodat hij Suzy weer kon zoenen.

Tom liet zich op de leren stoel tegenover de bank vallen en strekte zijn lange benen alsof hij niet van plan was weg te gaan. Hij wees naar het glas op de grond. 'Wat was je aan het drinken?'

'Water.'

'Heb je niks sterkers?'

'Is het daar niet een beetje vroeg voor?'

'Je bent mijn moeder niet.'

'Volgens mij staat er bier in de koelkast.'

'Klinkt goed,' zei Tom, zonder zich te verroeren.

Will liep naar de keuken en dacht aan Suzy in de slaapkamer. Hoe lang zou ze wachten? Hoe lang zou het duren voordat ze zo bang werd dat ze weer terug zou gaan naar dokter Dave? Hij trok de koelkast open, vond een flesje Miller Light, maakte het open en nam het mee naar de woonkamer.

'Wat? Geen glas?'

'Pak het zelf maar.'

Tom bracht het flesje naar zijn lippen. 'Zo lukt het ook wel.' Hij gooide zijn hoofd in zijn nek en nam een grote slok. 'Dat is beter. Wat een ochtend.'

'Zeg, ik heb nog het een en ander te doen.'

'Wie houdt je tegen?'

Wil liet zich op de bank zakken en zei niets. Drink je bier en rot op, zei de blik in zijn ogen.

'Weet je wat dat rotwijf tegen me zei?' vroeg Tom. 'Ze zei dat ik kinderalimentatie moet betalen. Zij krijgt de kinderen en ik mag ze onderhouden.'

'Het zijn jouw kinderen,' zei Will.

'Ik zit nog liever de rest van mijn leven in een cel dan dat ik haar één godvergeten cent betaal.'

Moet je doen, zei Will in stilte. 'Moet jij niet werken?' vroeg hij hardop.

'Ik ga die kutbaan opzeggen. Als Lainey denkt dat ze de helft van mijn salaris krijgt, dan kan ze het schudden.'

'Gooi je daarmee niet je eigen glazen in?' zei Will, al had hij direct spijt van zijn woorden.

'Wat?'

'Niets.'

'Waar heb je het over? Glazen ingooien... wat?'

'Je eigen glazen ingooien,' herhaalde Will. 'Iets wat mijn moeder vroeger zei.'

'Ja? Echt iets voor die heks. Zo noemden Jeff en ik haar, wist je dat? De boze heks van West-Buffalo.'

'Ze vond jou ook niet echt geweldig.'

Tom haalde zijn schouders op en nam nog een slok bier. 'Alsof mij dat iets kan schelen. Wanneer ga je trouwens naar huis? De heks zal haar brave jongetje wel missen.'

'Dat weet ik nog niet.'

'Je moet niet langer blijven dan je welkom bent, broertje. Je weet toch wat ze zeggen over logés?' Toen Will niet reageerde, ging Tom verder. 'Die zijn net als vis. Na drie dagen beginnen ze te stinken.'

Will hield zijn mond. Hij vroeg zich af wat Suzy deed, of ze meeluisterde. Hij dacht aan haar zachte huid, de frisse, fruitige geur van haar haar, de vage pepermuntsmaak op haar lippen.

'Je had haar moeten zien, man,' zei Tom, en hij lachte. 'Daar zat ze met haar hoofd in de wasbak, druipnat haar ...'

'Waar heb je het over?' vroeg Will ongeduldig.

'Lainey. Bij de kapper, vanmorgen,' antwoordde Tom geërgerd, alsof Will dat had moeten weten.

'Ik dacht dat ze bij een advocaat was geweest.'

'Eérst was ze bij de advocaat, daarná bij de kapper.' Tom begon zichtbaar nijdig te worden. 'Daar had ze me niet verwacht, dat kan ik je wel vertellen. Ze werd hartstikke zenuwachtig, waarschuwde me dat ik geen stennis mocht maken, alsof het mijn schuld is dat dit allemaal gebeurt, alsof zij niet degene is die er met mijn kinderen vandoor is gegaan. Dus kregen we ruzie en opeens stond daar Donny Osmond die me weg wilde hebben.'

'Donny Osmond?'

'Ja hoor, sukkel. Alsof Donny Osmond naar Laineys kapper gaat. Ben je achterlijk, of zo? Ik bedoelde bij wijze van spreken.'

Bij wijze van spreken, dacht Will, die zijn best deed om het verhaal te volgen. 'Oké, dus het ging niet goed.'

'Die vuile flikker belde de politie.'

'En dus kwam je logischerwijs hier,' zei Will.

'Ik heb eerst een tijdje rondgereden om tot rust te komen. Miami, man. Alsof het hartje Havana is. Ik zeg het je, de buitenlanders nemen hier de macht over. Ik geef toe, Cubaanse vrouwen dragen minirokjes in plaats van boerka's, en paella is een stuk lekkerder dan de rotzooi die ze in Afghanistan eten, maar het komt allemaal op hetzelfde neer. Binnen de kortste keren bestaat dit land uit een zee van bruine gezichten. Lainey vertelde een keer dat ze had gelezen dat blanken aan het eind van het volgende decennium een minderheid zullen vormen. Shit,' zei hij, en hij dronk zijn bier op. 'Ik had haar gewoon moeten neerschieten. Had gewoon een kogel tussen die kraaloogjes van haar moeten knallen. Haar hersenen over die lelijke, blauwe wasbak en verstelbare, leren stoelen overhoop moeten schieten.' Hij lachte en haalde zijn pistool onder zijn shirt vandaan.

'Wat krijgen we nou?' riep Will uit, en hij sprong overeind.

'Denk je dat die ouwe Donny met haar neukt?'

'Doe dat ding weg.'

'Ik had hem ook moeten neerknallen. Voor het geval dat.'

'Doe dat pistool weg, Tom.'

'Zie maar dat je me zover krijgt.'

'Doe dat pistool weg, Tom,' zei een stem een paar meter verderop.

Tom draaide zich om en Will hield zijn adem in.

Suzy liep naar het midden van de kamer. 'Doe dat pistool weg,' zei ze.

14

Tom deed een stap achteruit. 'Wat doe jij hier?' Hij keek van Will naar Suzy en toen weer terug naar Will, zijn stem een beschuldiging. 'Shit, man. Heb je gescoord?'

'Daar gaat je honderd dollar,' zei Suzy.

'Shit. Daarvoor alleen al zou ik je overhoop moeten schieten.'

'Doe niet zo moeilijk,' zei Will. 'Je geld is veilig.'

'Heb je niet gescoord?'

'Jawel,' zei Suzy.

'Nee,' zei Will.

Tom liet zijn pistool zakken, maar stopte het niet weg. 'Ga me niet vertellen dat ik iets verstoord heb.'

'Je timing is zoals altijd perfect.'

'Ik wilde net gaan,' zei Suzy.

'Nee,' zei Will snel. 'Blijf nog even. Tom is degene die gaat. Of niet, Tom?'

Tom ging onmiddellijk weer op de beige leren stoel zitten. 'Zo te zien ga ik helemaal nergens naartoe.'

'Ik moet er echt vandoor,' zei Suzy.

'Ze is getrouwd, weet je nog?' zei Tom.

Suzy liep naar de voordeur.

'Heeft je vent je gezicht zo toegetakeld?'

'Wat?' Suzy's hand schoot naar haar wang, hing boven de blauwe plek op haar kin. 'Nee, natuurlijk niet. Hij is arts. Hij zou nooit... Ik ben gestruikeld...'

'Ja, ja. Geloof jij die onzin, broertje?'

'Ga alsjeblieft niet weg,' fluisterde Will, toen Suzy haar hand op de deurknop legde.

'Niet smeken,' zei Tom. 'Dat is te treurig voor woorden.'

'Rot op.'

'Als we nou eens allemaal gingen?' Tom hief zijn pistool op en richtte het op Suzy.

'Godallemachtig, Tom...'

'Ik kan haar in haar voet schieten, als je wilt. Dat houdt haar wel tegen.

Will nam een stap in de richting van Tom en vroeg zich net af of hij sterk genoeg was... dapper genoeg was... stóm genoeg was om te proberen het pistool uit Toms handen te trekken, toen Suzy's stem hem tegenhield.

'Of je kunt mijn man neerschieten,' zei ze.

'Wat?' Will wendde zich razendsnel tot Suzy.

Suzy kreeg een paniekerige blik in haar ogen. 'Het spijt me,' verontschuldigde ze zich. 'Niet te geloven dat ik dat zei. Ik meende het niet. Je weet toch dat ik dat niet meende?'

'Dat weet ik,' zei Will.

'Volgens mij meende je het,' zei Tom.

'Het was een domme opmerking.'

'Dat weet ik nog zo net niet,' grinnikte Tom. 'Ik bedoel, als je dat echt wilt, dan kunnen we vast wel iets regelen...'

'Toe, vergeet dat ik het heb gezegd.' Suzy deed de deur open en liep de galerij op. Will liep achter haar aan.

Tom wuifde. 'Groeten aan de dokter.'

Suzy bleef staan. 'Zeg me alsjeblieft dat je weet dat ik het niet meende,' fluisterde ze tegen Will.

'Het is al goed. Ik begrijp het.'

'Dat weet ik.' Ze leunde naar voren om Will een zoen op zijn mond te geven en ze keek hem strak aan. Laat me niet gaan, smeekten ze. 'Kom me niet achterna,' zei ze. En even later rende ze over de galerij naar de trap.

'Dat heb je goed verknald, jongen,' zei Tom, toen Will de flat weer binnenkwam en de deur achter zich dichtdeed.

'Wat ben jij een eikel, zeg,' mompelde Will.

'Een eikel met een pistool,' waarschuwde Tom hem, en hij wuifde ermee heen en weer alsof het een vlag was. 'Een echt pistool. Met echte kogels.' Hij richtte het pistool op Wills borst.

'Wilde je me neerschieten?' Will beende met twee grote stappen naar het midden van de kamer. Zijn hart bonkte. Zijn hoofd tolde. 'Ga je gang. Schiet maar.'

Tom glimlachte toen hij het pistool weer achter zijn broeksband stak, ook al liet hij het duidelijk zichtbaar zitten. 'Misschien doe ik dat nog wel een keer,' zei hij.

Suzy hoorde voetstappen achter zich, toen ze bij de bezoekersparkeerplaats kwam. Ze keek snel over haar schouder, maar zag niemand. Een paar seconden later hoorde ze de voetstappen weer, tegelijk met die van haar, ze volgden haar pas, kwamen dichterbij. Was het Dave die haar naar de sportschool was gevolgd, die had gezien dat ze een kop koffie met Jeff had gedronken en die hen vervolgens hiernaartoe had gevolgd? Had hij zich afgevraagd waarom Jeff en Kristin zo snel naar buiten waren gekomen? En had hij sindsdien geduldig gewacht, met zijn ogen op de flat gericht, om te zien wat haar volgende stap zou zijn?

Had hij gezien dat Tom was gekomen en dat zij haastig was vertrokken? Hadden zijn handen zich tot moordlustige vuisten gebald toen hij toekeek hoe ze teder een kus tegen Wills mondhoek had geplaatst? Lagen die vuisten nu op haar te wachten?

Suzy stak haar hand in haar tas en griste haar autosleutel eruit. Ze hield hem voor zich, terwijl ze hijgend en met een blik die onrustig heen en weer schoot in de richting van haar auto liep. Ze zag Daves rode Corvette nergens, maar dat betekende nog niet dat hij er niet was. Verdomme, waarom had ze haar auto zo ver weg gezet?

Ze hoorde dat de voetstappen achter haar opeens versnelden. Haar schouders verstijfden en zetten zich automatische schrap voor Daves boze klappen op haar rug. Zou hij haar midden op de dag zo openlijk durven aanvallen? Of zou hij haar simpelweg bij de arm pakken en 'dag, lieverd,' mompelen, om haar vervolgens naar de auto te duwen en te wachten tot ze veilig thuis waren voordat hij haar tot een bloederige massa reduceerde?

Ze moest bijna lachen. Wanneer was haar huis ooit veilig geweest? Ze voelde een zachte bries achter zich, een lichte trilling in de lucht alsof die opzij werd geduwd, en toen een hand op haar schouder.

'Nee, alsjeblieft,' riep ze, en haar ogen sprongen vol tranen.

'Neem me niet kwalijk,' verontschuldigde de vrouw zich snel. 'Ik wilde u niet laten schrikken. Volgens mij hebt u dit laten vallen.'

'Wat?' Suzy moest een paar keer met haar ogen knipperen voordat ze Daves gelaatstrekken kon verdrijven uit het gezicht van de kleine, bejaarde vrouw die voor haar stond.

'Dit wilt u vast niet kwijt,' zei de vrouw, en ze duwde iets in Suzy's hand. 'Je hoort tegenwoordig zoveel over identiteitsfraude. Dit is toch van u, hè? Ik weet zeker dat ik het uit uw tas zag vallen.'

Suzy staarde naar het fotootje van zichzelf op haar rijbewijs. Dat was zeker uit haar tas gevallen toen ze haar sleutels pakte. 'Dat ben ik,' beaamde ze, ook al herkende ze de zelfverzekerde vrouw zonder blauwe plekken op de foto amper. 'Dank u wel.'

'Prettige dag nog,' zei de vrouw. Ze liep naar een zwarte Accord die een paar plaatsen verderop stond en stapte ongemakkelijk in.

'U ook,' zei Suzy zacht. Ze stopte het rijbewijs in haar tas. Haar blik gleed over de betonnen vloer van het parkeerterrein om te zien of ze niet nog meer was verloren.

'Wie ben je eigenlijk?' vroeg ze haar spiegelbeeld even later in de achteruitkijkspiegel. 'Weet je wel waar je mee bezig bent?' Ze startte de auto en keek om zich heen of ze Dave ergens zag, toen ze achteruit de smalle parkeerplaats uit reed. Ze zag hem niet.

Maar dat betekende niets, wist ze, toen ze de straat op reed. Ze zag Dave alleen als hij wilde dat ze hem zag. Als Dave haar volgde, zou ze het pas weten als het te laat was, in tegenstelling tot Tom.

Ze keek op haar horloge. Bijna twee uur. Waarom kwam Dave pas om zeven uur thuis? Was hij met een verrassing bezig? Iets om de steeds wredere aanvallen van de laatste tijd goed te maken, iets om haar te verzekeren van zijn liefde? Toen ze pas getrouwd waren, toen ze nog zo naïef was om te denken dat zijn excuses iets betekenden, toen hij nog steeds zijn best deed om zijn leedvermaak te verbergen, nam hij vaak cadeautjes voor haar mee. Antieke sieraden die ze in een etalage had bewonderd, een chocolade paasei, zo eentje met een vanilleroomvulling en het kleverige citroenroomhart waar ze zo dol op was, de nieuwste roman van Nora Roberts. 'Het spijt me zo,' zei hij dan, en dan beloofde hij dat hij het nooit meer zou doen. 'Ik wilde je geen pijn doen, dat weet je.'

Tegenwoordig zei hij nooit meer dat het hem speet. In plaats daarvan was zij degene die altijd haar excuses aanbood. Hoe was dat zo gekomen? Wanneer was dat gebeurd? Wanneer had ze geaccepteerd dat het haar schuld was? Sinds wanneer was zijn woede haar verantwoordelijkheid?

Hoe had ze dit kunnen laten gebeuren? Zij die alle antwoorden had, die openlijk minachtend en vernederend over haar moeder sprak omdat die op eenzelfde manier werd mishandeld. Ze had gezworen dat het haar nooit zou overkomen, had gedacht dat ze zo slim was, zo sterk, dat ze alles in de hand had... Ze was niets meer dan een slap aftreksel van haar moeder, met de blauwe plekken in haar gezicht als bewijs.

Ze had ergens gelezen dat mensen opzoeken wat vertrouwd is, dat ze vaste patronen willen, hoe gruwelijk en onverstandig ook. Dat ze die patronen herhalen, vaak in hun eigen nadeel, omdat ze zich daar onbewust prettig bij voelen. Ze weten wat ze kunnen verwachten.

Had haar onderbewuste altijd al geweten wat voor man Dave Bigelow was? Was ze ondanks het feit dat ze wist wie hij was, wát hij was, met hem getrouwd met het idee dat als zij maar goed genoeg was, aardig genoeg, vrouw genoeg, *niet zoals haar moeder*, dat ze hem kon veranderen, dat ze haar eigen treurige geschiedenis kon herschrijven en gelukkig zou zijn? Had ze zichzelf dat wijsgemaakt? Was zij daarom nu degene die zich uitputte in excuses?

Toevallig had ze er genoeg van.

Het stoplicht bij de volgende kruising sprong op oranje en ze drukte het gaspedaal in, racete over de kruising en botste bijna tegen een auto die links afsloeg. Ze hapte naar adem, zwenkte naar links en haalde haar voet van het gaspedaal.

Ik kan haar in haar voet schieten, als je wilt, hoorde ze Tom zeggen.

Of je kunt mijn man neerschieten, was haar snelle reactie geweest.

Had ze dat echt gezegd?

Had ze het gemeend?

Zou ze het echt willen?

'Wat heb ik toch?' vroeg ze hardop, en ze besefte opeens dat ze al tien minuten rondreed zonder enig idee waar ze naartoe ging. Zoals de afgelopen tien jaar van mijn leven, dacht ze, en ze nam de afslag naar het oosten in de richting van Biscayne Bay.

Al snel reed ze door een deel van Miami dat Brickell heette. Brickell stond bekend om de futuristische flatgebouwen en glazen wolkenkrabbers die South Beach zijn bijzondere aangezicht gaven. Gebouwd in de jaren tachtig, en volgens de geruchten gefinancierd met witgewassen cocaïnegeld. Er klopte een Latijns-Amerikaans hart in het ritme van een loflied voor alles wat elders overdaad werd genoemd. Hier was overdaad de norm.

Alles was overmaats, van restaurants als het Bongos Cuban Cafe, waar met gemak 2.500 mensen konden zitten en waar ze barkrukken hadden in de vorm van gigantische bongotrommen, tot aan Duo, een Amerikaanse bistro met een wijnkaart van meer dan zeshonderd flessen. En dan had je nog de nachtclubs. Meer dan tien, die allemaal vochten om de titel van grootste, luidste of hipste.

Suzy reed langs het pakhuis waar Bricks Nightclub and Sunset Lounge zat, de nieuwste aanwinst voor het nachtleven van Brickell. Toen ze net in Miami waren komen wonen, was ze er één keer met Dave geweest, daarna nooit meer. Promotors juichten over het 'kinetisch kleurverlichtingssysteem' waaronder clubgangers konden dansen op een mengeling van house, Latijns-Amerikaans en hiphop, maar Dave zei dat hij liever naar de clubs aan de andere kant van de rivier ging, een stukje naar het noorden. Daar had je Metropolis Downtown, vijfduizend vierkante meter jonge, dronken lijpo's die hartstikke stoned waren en heen en weer wiegden op oorverdovend elektronisch gejank te midden van een reeks rondcirkelende, gekleurde lichtstralen en stroboscooplampen, en Nocturnal, tweeduizend vierkante meter, verdeeld over drie niveaus en een terras dat zo'n twaalf miljoen had gekost. Dan was er ook nog Space, een spelonkachtig doolhof van verschillende niveaus vol trommelvliessplijtende energie, waar dansers genoten van partydrugs en waar bekende dj's goud van vinyl maakten. Ze waren er een paar keer geweest, ook al kwam de sfeer er pas in de kleine uurtjes van de ochtend op gang. Maar Dave had haar ervan beschuldigd dat ze te lang naar een voorbijlopende ober had gestaard en had haar bij de nek mee naar buiten gesleept als een stoute puppy. Hun vertrek was gepaard gegaan met een bescheiden applaus. Buitensporigheid moest per slot van rekening aangemoedigd worden. Niemand was hen achternagerend om te kijken of alles wel goed met haar was.

Zou iemand het merken als ik gewoon van de aardbol verdwijn, had ze zich door de jaren heen afgevraagd. Zou het iemand iets kunnen schelen?

Will, dacht ze, en ze zag zijn lieve gezicht voor zich in de voorruit. Will zou het merken. Will zou het iets kunnen schelen. Ze legde haar hand tegen haar mond en dacht aan de zachtheid van zijn kus, de tederheid van zijn aanraking.

En dat was precies het probleem, besefte ze, terwijl ze de auto langs de stoep voor de Pawn Shop Lounge parkeerde en naar het originele bord WIJ KOPEN GOUD keek tegen de op het oog vervallen gevel van de nachtclub. Will was zo lief, zo teder. Zijn zachte, geduldige kus zei haar dat hij niet tot opzettelijke wreedheden in staat was, dat hij nooit een mens zou kunnen vermoorden.

Tom was een heel ander verhaal. Wreedheid paste hem als een tweede huid. Die stroomde moeiteloos door zijn aderen, samen met een al even grote dosis woede en verongelijktheid. Hij stond te springen om te vechten en hij had een pistool.

Maar hoewel Suzy wist dat Tom er geen moeite mee zou hebben om iemand van het leven te beroven, besefte ze ook dat hij, om Wills woorden te gebruiken, een ongeleid projectiel was en dat ze er niet op kon vertrouwen dat hij zou doen wat nodig was zonder het te verpesten of er meer dan afgesproken voor terug te eisen.

Ze was niet van plan om de ene psychopaat te verruilen voor een andere.

En dus bleef Jeff over.

Stoer, cynisch en niet zo slim als hij zelf wel dacht. Jeff was precies de man die Suzy zocht. Een bijna pijnlijk hoge dunk van zijn eigen seksualiteit en een vat vol gekrenkte trots. Wilde zich wanhopig graag bewijzen – tegenover mannen, vrouwen, maar voornamelijk zichzelf – vol gespeelde bravoure die amper het bange jongetje in hem kon verbergen. En bange jongetjes waren gemakkelijk te manipuleren.

Zou ze het kunnen, vroeg Suzy zich af, terwijl ze keek naar een donkerharig stel dat gearmd langsliep. De man was zeker een kop groter dan de vrouw en misschien wel twintig jaar jonger. Suzy zag dat ze op de hoek bleven staan, dat de rechterarm van de jongeman omlaag gleed rond de billen van de vrouw gekleed in een felgekleurde jurk. Ze zag hoe de vrouw haar hoofd achterovergooide en lachte toen de man haar blote hals kuste.

Wie gebruikt wie? Ze kreunde lang en luid. Ja, ze zou het kunnen, besloot ze ter plekke. Ze deed het raampje open en ademde de warme, vochtige lucht in. Ze kon Jeff of Tom of Will gebruiken – jezus, desnoods alle drie – om haar te helpen van Dave af te komen. Ze trok op en reed in de richting van de I-95.

Er bleven maar twee vragen over: wanneer en hoe?

'Oké, Nora. Zet je ene been voor het andere, niet te ver uit elkaar, zo ja. Hou je rug recht. Goed. En nu door de knieën. Tien keer per kant.'

'Ik haat kniebuigingen.'

'Dat weet ik,' zei Jeff, en hij keek op de klok aan de muur tegenover de spiegels. Het was bijna vier uur. Was Suzy nog bij Will? Was er iets tussen hen gebeurd?

'Ze werken toch niet,' kreunde Nora.

Nog vijf minuten, dan is ze weg, dacht Jeff, en hij deed zijn best geduld op te brengen. Nora was een van zijn minst leuke klanten, een peervormige feeks die altijd iets te klagen had: het was te warm, de muziek was te ordinair, de oefeningen waren te zwaar.

'Geloof me, kniebuigingen zijn de beste oefeningen voor je billen,' zei hij. Hij stelde zich Suzy bij de balie voor en dacht aan de manier waarop ze in de bakkerij naar hem had gekeken.

Denk je dat ik hier voor jou ben, had ze gevraagd.

Nou en of. Hij wist genoeg van vrouwen om te weten wanneer ze hem wilden. Suzy wilde hem absoluut. Wat ze ook zei, hoe hard ze ook protesteerde, het ging haar niet om Will.

Nora Stuart rolde met haar dik aangezette, bruine ogen naar het plafond en krulde haar lippen tot ze rimpels in haar kin trokken. Haar onnatuurlijk zwarte haar hing slap over haar ronde schouders, waardoor ze er geen spatje jonger uitzag dan de drieënveertig jaar die ze was. 'Als kniebuigingen zo verdomd goed voor je zijn, waarom hangt mijn reet dan nog steeds zestig centimeter boven de grond.'

'Dat is dertig centimeter minder dan vroeger,' zei Jeff, in de hoop dat ze hierom kon lachen.

'Moet dat soms grappig zijn?' vroeg Nora in plaats daarvan, met haar handen op haar brede heupen. 'Larry, volgens mij ben ik zojuist beledigd.'

Jeff wist niet of ze het nu als grapje bedoelde of niet.

Larry stond aan de andere kant van de ruimte vier stalen schijven van tien kilo op een staaf van vijfenveertig kilo te schuiven. Hij keek hen aan en trok zijn iPod uit zijn oren. 'Sorry. Is er iets niet in orde?'

'Dat weet ik niet,' zei Nora, en ze keek naar Jeff. 'Is er iets?'

'Zullen we de kniebuigingen vandaag maar laten voor wat ze zijn?' stelde Jeff voor.

'Goed idee. Kniebuigingen doen geen reet voor je reet.' Nora lachte om haar eigen grapje.

Ze stond nog steeds te grinniken toen Jeff een mat op de grond gooide en haar de opdracht gaf op haar rug te gaan liggen.

'Wat? Dat was het? Nu al coolingdownoefeningen?' vroeg Nora. 'Zijn we al klaar?'

'Het is vier uur.'

'Ja, en? We zijn tien over drie pas begonnen.'

'Omdat je tien minuten te laat was.'

'Dat heb ik toch gezegd? Daar was niets aan te doen.'

'Dat begrijp ik, maar mijn volgende klant staat klaar.' Jeff knikte naar Jonathan Kessler die met zijn warming-up op de loopband bezig was.

'Ik betaal goed geld voor deze sessies.'

'Dat besef ik.'

'Volgens mij niet.'

'Is er een probleem?' vroeg Larry opnieuw, hun kant op slenterend.

'Ik wil iets veranderen,' zei Nora tegen hem. 'Vanaf volgende week wil ik graag dat jij mijn trainer bent.'

Larry keek van Nora naar Jeff en toen weer naar Nora. 'Is er iets gebeurd?'

'Het klikt gewoon niet,' zei Nora.

Larry knikte alsof hij het begreep, en hij glimlachte. 'Maak maar een afspraak met Melissa. Zij beheert mijn agenda. We kunnen vast wel iets regelen.' Toen hij weer naar Jeff keek, was de glimlach verdwenen. 'Wij spreken elkaar straks nog wel,' zei hij.

15

'Wil je erover praten?' vroeg Kristin. Ze hing over de bar en toonde haar indrukwekkende boezem. Een weelderige boezem en een luisterend oor – normaal gesproken een succesvolle combinatie die garant stond voor een vette fooi. Maar de man van middelbare leeftijd die op de kruk op de hoek van de bar zat met een glas single malt in zijn handen, leek vreemd genoeg niet geïnteresseerd.

'Wat?' vroeg hij zonder opkijken. Hij was bleek en kalend en zat te zweten in zijn lichtblauwe overhemd. Hij zat er al meer dan een uur en liet zijn hoofd moedeloos in zijn nerveuze handen zakken.

'Ik dacht dat je misschien nog wel een borrel wilde,' zei Kristin.

'Goed idee.' Hij gaf haar zijn glas zonder zijn hoofd op te tillen.

'Nog voorkeur?'

'Maakt niet uit,' zei de man.

Kristin pakte een fles Canadian Club van de glazen plank en schonk de man nog een glas in, iets meer dan eigenlijk vereist. De arme man, dacht ze. Zo te zien kan hij het wel gebruiken. Ze vulde een schaaltje pinda's en schoof het zijn kant op. 'Alles goed?'

De man keek van het schaaltje pinda's naar de nep-Rolex om zijn pols. 'Hoe laat is het?'

Kristin keek op haar horloge, een oude Bulova die ze al meer dan tien jaar droeg. 'Vijf over zes.'
'Dat zegt die van mij ook.'
'Is iemand te laat?'
'Iemand komt niet opdagen,' zei hij, en hij keek haar aan.
Kristin keek de man meelevend aan. 'Hoe laat had je met haar afgesproken?'
'Halfzes.'
'Dan is ze nog niet zo laat. Misschien staat ze in de file. Misschien kan ze geen parkeerplaats vinden.'
'Misschien komt ze gewoon niet,' zei de man.
'Heb je haar al gebeld?'
'Ik heb drie berichten ingesproken.'
De deur ging open en een beeldschone vrouw met lang, rood haar kwam binnen. Ze was ongeveer dertig, lang en slank, en droeg een zwartsatijnen korte broek en dijhoge, zwartleren laarzen. 'Is ze dat soms?' fluisterde Kristin, en ze deed haar best om niet te verbaasd te klinken.
'God, dat hoop ik,' zei de man. Hij trok zijn buik in en wilde opstaan, toen de deur opnieuw openging en een man met krullen, slanke heupen en een zelfvoldane grijns op zijn gezicht binnengeslenterd kwam, zijn arm om het middel van de roodharige vrouw sloeg en haar vol op de mond kuste. Ze lachten terwijl ze dicht tegen elkaar aan naar een tafeltje achterin liepen. 'Kennelijk niet,' zei de man, die zich weer op de kruk liet zakken en zijn buik over de rand van zijn grijze broek liet hangen.
'Weet je niet hoe ze eruitziet?'
'We kennen elkaar via internet,' vertelde de man. 'Ze heet Janet. We e-mailen al maanden. Dit zou ons eerste afspraakje zijn.'
'Misschien komt ze nog.'
'Nee. Die komt niet meer. Wat ben ik een sukkel.'
'Welnee, je bent geen sukkel,' zei Kristin. Echt wel, dacht ze. 'Hoe heet je?'
'Mike.' Hij probeerde te glimlachen. 'Ze noemt me Mikey.'

Kristin keek naar de ingang, hoopte dat de deur open zou gaan en dat Janet binnen zou komen op zoek naar haar Mikey. Maar de deur bleef resoluut dicht. 'Rot voor je,' zei ze na een tijdje.

Mike haalde zijn schouders op alsof hij wilde zeggen: wat doe je eraan, hè?

Een halfuur later werd het druk in de bar en Janet was er nog steeds niet. Kristin schonk Mike nog een glas whisky in. Ik trakteer, wilde ze net zeggen, toen de deur openging en een stijlvol geklede vrouw van middelbare leeftijd met zilvergrijs haar en een hoorngerande bril naar de bar liep. 'Heb je voor mij een gin-tonic?'

'Je heet niet toevallig Janet, hè?' vroeg Kristin hoopvol.

'Nee,' zei de vrouw. 'Ik heet Brenda. Hoezo? Zie ik eruit als een Janet?'

'Gewoon een spelletje dat ik soms speel,' zei Kristin, en ze probeerde Mike met haar ogen te wenken. 'Die gin-tonic komt eraan.'

'Ik ga daar zitten.' Brenda wees naar een tafeltje in de buurt.

'En?' vroeg Kristin aan Mike, zodra Brenda was verdwenen.

'En wat?'

'Wat vind je van Brenda?' vroeg Kristin, terwijl ze Beefeater in een glas schonk.

'Hoe bedoel je?'

Kristin rolde met haar ogen. Waren mannen echt zo dom? 'Jij bent alleen, zij is alleen. Ze ziet er leuk uit.' Ze schonk de bijbehorende hoeveelheid tonic bij de gin. 'Je zou haar dit kunnen brengen...'

De man keek Brenda's kant op zonder zijn hoofd op te tillen. 'Niet geïnteresseerd.'

'Waarom niet?'

'Mijn type niet.'

'Waarom niet?' vroeg Kristin opnieuw.

'Te oud voor mij.'

'Te oud? Waar heb je het over? Hoe oud ben jij?'

'Zesenveertig.'

'En? Zij kan niet ouder dan veertig zijn.'

'Te oud voor mij,' herhaalde hij. 'Vijfendertig is mijn grens. En trouwens, ze is niet echt moeders mooiste.' Hij pakte zijn glas whisky.

Neem je me nou in de zeik, dacht Kristin in stilte. Heb je de laatste tijd wel eens in de spiegel gekeken? Wat hebben mannen toch? Waren die van nature geprogrammeerd om alleen te zien wat ze wilden zien? 'Dat is dan twaalf dollar,' zei ze nijdig.

Mike schoof een briefje van twintig over de balie. 'Geef me maar zes terug,' zei hij.

Ja, hoor, dacht Kristin, en ze telde zes briefjes van een dollar uit. En dan te bedenken dat ik medelijden met die gluiperd had. Ze gaf Brenda's gin-tonic aan een voorbijkomende serveerster. 'Tafel drie.'

'Zo,' zei Mike, en hij hief zijn glas. 'Hoe laat ben je klaar met werken?'

'We sluiten om twee uur.'

'Dat is wat laat voor mij. Kun je niet eerder weg?'

'Wat?'

'Ik vroeg of je niet eerder weg kunt.'

'Waarom zou ik dat willen?' Probeert hij me nou te versieren, dacht Kristin met een moedeloos gevoel vanbinnen. Dat krijg je er nou van als je aardig bent.

'Ik dacht dat we misschien ergens wat konden gaan eten.'

'Sorry, maar dat gaat niet.'

'Een ander keertje misschien?'

'Ik denk niet dat mijn vriend daar zo blij mee zou zijn.'

Mike dronk zijn whisky in twee snelle slokken op en hees zich overeind. 'Ja, nou ja. Je kunt het me toch niet kwalijk nemen dat ik een poging waag.'

'Ik zou niet durven,' zei Kristin. 'Hou je haaks.'

Ze keek hoe Mike slingerend naar de uitgang liep en hoopte dat hij zo verstandig was om een taxi naar huis te nemen. Ze wierp een blik op Brenda die kleine slokjes gin-tonic nam en melancholiek naar de lege stoel aan de andere kant van de tafel staarde. Nee, dacht Kristin. Mikes verstand zat in zijn broek. Waarom waren mannen slim genoeg om de wereld te regeren, maar te stom om te weten wat goed voor ze was?

'Dat heb je goed gedaan,' onderbrak een mannenstem haar overpeinzingen.

Kristin was met een schok weer bij de tijd.

'Ze zullen wel vaker proberen om je te versieren,' ging de man verder. Hij was tegen de veertig, stijf maar aantrekkelijk in zijn pak van seersuckerstof en zijn donkerblauwe stropdas.

Kristin had hem niet zien binnenkomen en vroeg zich af hoe lang hij daar al zat. Ze negeerde de opmerking, aangezien die op zich al een versierpoging was. 'Wat kan ik voor je inschenken?'

'Wodka met ijs.'

'Wodka met ijs, komt eraan.'

'Je hebt geen antwoord gegeven op mijn vraag.'

'Ik heb geen vraag gehoord.'

Hij schoot in de lach. 'Je hebt gelijk. Het was een gokje.'

Ze gaf hem zijn drankje. 'Dan heb je goed gegokt. Twaalf dollar,' zei ze. 'Tenzij je een rekening wilt beginnen.'

Hij gaf haar een briefje van vijftig. 'Hou maar,' zei hij.

Zonder verbazing of buitensporige dankbaarheid te tonen, stopte Kristin het wisselgeld in haar zak voordat hij besefte dat het een vergissing was of van gedachten veranderde.

'Dat soort lieden denken dus echt dat ze kans maken bij iemand als jij?' vroeg de man.

'Je kunt het een man toch niet kwalijk nemen dat hij een poging waagt,' aapte Kristin Mike na.

De man moest lachen. 'Je zult er ook wel eens genoeg van krijgen.'

'Ach, er zijn ergere dingen.'

'Vast.'

'Hé, Kristin,' riep een man aan de andere kant van de bar. 'Kunnen we hier een paar biertjes krijgen?'

'Ik kom eraan. Neem me niet kwalijk,' zei Kristin tegen de man voor haar.

'Rustig aan. Ik zit hier goed.'

Het duurde bijna tien minuten voordat ze weer terug was. 'Luidruchtig stelletje,' zei ze, en haar lach kwam boven het toenemende lawaai aan de andere kant van de bar uit. 'Hoe staat het met jouw drankje?'

De man hield zijn glas op. 'Ik lust er nog wel eentje.'

'Nog een wodka met ijs.'

'Heet je Kristin?' vroeg hij.

'Ja.'

'Mooie naam.'

'Dank je.'

'Vertel eens, Kristin,' zei de man, en de naam rolde ontspannen van zijn tong. 'Wat wil je later worden als je groot bent?'

Kristin kreunde in stilte, ook al bleef haar glimlach vastberaden op haar gezicht. Ze had gedacht dat hij van een beter kaliber was. 'Misschien heb je het nog niet gezien, maar ik ben al groot.'

'O, ik heb het gezien. Je bent beeldschoon.'

'Dank je.'

'Te mooi om achter de bar te staan.'

'Ga je me nu je visitekaartje geven en zeggen dat je fotograaf of modellenscout bent?'

Hij lachte. 'Ik ben geen fotograaf en ook geen modellenscout.'

'Filmproducer? Talentenjager? Televisieregisseur?'

'Je kent ze allemaal al?'

'Stuk voor stuk.'

'Ontmoet je hier wel eens dokters?'

'Wat voor dokter?'

'Een radioloog. In het Miami General.' Hij stak zijn hand uit. Kristin zag de blauwe plekken op zijn knokkels. 'Dave Bigelow,' zei hij. 'Aangenaam kennis te maken.'

Jeff kwam net onder de douche vandaan toen de telefoon ging. Vast Will, dacht hij, terwijl hij een kleine, witte handdoek om zijn middel wikkelde en naar de telefoon in de slaapkamer rende. Will was niet thuis geweest toen hij zelf even na zes uur thuiskwam. Er had geen briefje gelegen. Waarschijnlijk met Suzy op stap, dacht Jeff. Wat was het een stomme actie van hem geweest om haar zo bij Will op de stoep af te leveren. Mijn stoep, nog wel, dacht hij nu. Hij griste de telefoon van het nachtkastje naast het bed en bracht de hoorn naar zijn oor. 'Hallo?'

'Jeff? Met Ellie. Hang alsjeblieft niet op.'

Jeff liet zijn kin op zijn borst vallen. 'Hoe gaat het, Ellie?' Hij kon zich voorstellen dat zijn zus van het ene been op het andere wipte, met haar boventand op haar dunne onderlip beet en haar lange, slanke vingers rond het koord van de telefoon wikkelde, terwijl er tranen in haar grijsgroene ogen stonden. Hij had alleen maar gevraagd hoe het met haar was, en ze huilde al.

Ellie slikte. 'Goed. En met jou?'

'Beter dan ooit.'

'Hoe is het met Kirsten?'

'Kristin,' corrigeerde Jeff haar.

'Sorry. Natuurlijk, Kristin. Ik moet haar een dezer dagen maar eens ontmoeten.'

Jeff zei niets. Zijn natte haar droop over zijn voorhoofd en wangen. Hij wierp een blik in de spiegel boven de ladekast en zag dat het tijd was voor nieuwe highlights.

'Volgens Will is ze fantastisch,' zei Ellie.

'Dan moet ze wel fantastisch zijn,' zei Jeff spottend.

'Jeff...'

'Hoe is het met Bob en de kinderen?'

'Goed. Taylor wordt in augustus twee. Dat je haar nog nooit gezien hebt...' ging ze verder toen hij niet reageerde.

'Moet je horen, Ellie, je belt eigenlijk heel ongelegen...'

'Je moet thuiskomen, Jeff,' zei Ellie smekend.

'Dat kan ik niet.'

'Ma ligt op sterven,' zei Ellie. 'Sinds gisteravond gaat het een stuk slechter met haar. De arts denkt dat ze misschien nog een week, hooguit twee heeft.'

'Wat wil je dat ik zeg, Ellie? Dat ik het erg vind? Dat kan ik niet.'

'Ik wil dat je zegt dat je naar huis komt, dat je haar nog een keer komt opzoeken voordat ze doodgaat.'

'Dat kan ik ook niet zeggen.'

'Waarom niet? Zou het dan zo erg zijn om te horen wat ze te zeggen heeft?'

'Ja,' zei Jeff. 'Zo erg zou dat zijn.'

'Ze weet dat ze fouten heeft gemaakt. Ze wil haar excuses aanbieden.'

'Nee. Ze wil vergeven worden,' zei Jeff. 'Dat is niet hetzelfde.'

'Toe, Jeff. Ze huilt alleen maar. Ze heeft zoveel spijt van alles.'

'Het is heel gemakkelijk om spijt te hebben als je er niets meer aan kunt doen,' zei Jeff.

'Het hoeft niet te laat te zijn,' hield Ellie vol. 'Niet voor jou.'

'Het was lang geleden al te laat.' Jeff liet de hoorn richting de haak op het nachtkastje zakken.

'Jeff, alsjeblieft...' hoorde hij zijn zus nog zeggen voordat hij de verbinding verbrak.

Hij staarde naar zijn spiegelbeeld. 'Veel te laat.'

'Prettig kennis te maken, dokter Dave Bigelow,' zei Kristin, en ze schudde de hand van de man.

'Noem me maar dokter Bigelow,' grapte hij, en Kristin glimlachte.

'En wat doet een radioloog in het Miami General zo al?' vroeg ze.

'Hij beoordeelt röntgenfoto's, stelt diagnoses, heelt de zieken, geneest de getroffenen, verricht regelmatig wonderen.'

'Zoiets als wat ik hier doe.'

'Min of meer,' zei Dave, en hij lachte. 'Werk je hier al lang?'

'Vanaf het begin. Een jaar, geloof ik. Ben je voor het eerst in The Wild Zone?'

'Ja. Ik ben hier een paar maanden geleden komen wonen. Ik ben de omgeving aan het verkennen.'

'Waar kom je vandaan?' vroeg Kristin.

'Oorspronkelijk uit Phoenix. Maar hiervoor woonde ik in Fort Myers.'

'Echt waar? Ik heb pas iemand ontmoet uit Fort Myers. Suzy, nog iets. Ken je haar?' Ze lachte.

'Misschien. Ik heb wel een Suzy gekend. En Fort Myers is niet zo groot. Weet je haar achternaam?'

Kristin schudde haar hoofd. 'Ik geloof niet dat ze die heeft genoemd.'

'Hoe ziet ze eruit?'

Kristin zag in haar gedachten hoe de deur van de flat openging en Jeff de jonge vrouw binnenliet. 'Knap, donker haar, lichte huid,' noemde ze op. 'Heel slank.'

'Komt me niet bekend voor. Komt ze hier vaak?'

'Nee. Ze is een paar keer geweest.' Ze vroeg zich af of er eerder op de dag iets was gebeurd tussen Suzy en Will. Toen zij thuis was gekomen om zich klaar te maken voor haar werk, waren ze allebei al weg.

'Zijn jullie wel eens samen naar de bioscoop geweest?' vroeg Dave.

'Wat?'

'De Suzy die ik in Fort Myers kende was dol op films.'

Kristin knikte. 'Ik ook. Niet dat ik vaak naar de film ga, vanwege de tijden die ik werk.'

'Ik hoorde dat er hier in de buurt een bioscoop is die de hele nacht open is.'

'O, ja. Het Rialto. Geweldig. Echt zo'n ouderwets filmhuis. Eén scherm, echte gordijnen, niet zo'n gigantisch theater, lekkere popcorn. Ga er maar eens naartoe.'

'Nodig je me nu uit?'

Kristin glimlachte. 'Dat kan ik helaas niet doen.'

'Tegen de huisregels?'

'Tegen *míjn* regels.'

'Je hebt dus echt een vriend? Dat zeg je niet zomaar om mannen af te wimpelen?'

'Ik heb een vriend,' zei Kristin.

'Toevallig heb ik een vriend die fotograaf is.' Dave knipoogde.

Kristin schoot in de lach.

'Erewoord. Hij heet Peter Layton. Volgens mij is hij aardig bekend.'

Kristin schudde haar hoofd. 'Zegt me niets.'

'Hij doet veel modewerk en tijdschriften. Je zou eens met hem moeten praten.'

'Vast.'

'Ik kan wel iets voor je regelen, als je wilt.'

'Nee, dank je.'

'Hé, Kristin,' riep de man aan de andere kant van de bar weer. 'We voelen ons een beetje verwaarloosd.'

'Ik kom eraan,' riep ze terug.

'Ik neem je niet in de zeik, hoor,' zei Dave, en hij leunde naar voren om zijn hand op de hare te leggen. 'Ik ben dokter, weet je nog? Dokters liegen niet.'

Ongewild voelde Kristin een schokje van zijn vingers naar de hare gaan. Ze deed geen moeite om haar hand weg te trekken. 'Is die vriend echt fotograaf?'

'Ik zweer het je.'

'Niet doen. Dat zou je moeder niet leuk vinden.'

'Jou zou ze anders wel leuk vinden. Ze zou zeggen: Dave, dat meisje is één brok energie. Laat haar niet ontsnappen.'

'Ik heb een vriend,' herhaalde Kristin.

Dave glimlachte. 'Hier heb je mijn kaartje. Bel maar als je van gedachten verandert.'

16

'Ik zeg het je, man! Hij heeft niet gescoord.' Tom nam een lange trek van zijn sigaret en lachte lang en luid in de mobiele telefoon.

'Dat meen je niet,' was Jeffs directe reactie. 'Hoe kan hij nou niet gescoord hebben? Ik heb haar verdomme zo ongeveer met een strik eromheen op een presenteerblaadje aangereikt. Ik heb ze alleen niet samen ingestopt.'

'Hij heeft niet gescoord.'

Het bleef even stil. 'Hoe weet je dat?'

Tom herhaalde de details van zijn dag, inclusief zijn ontmoeting met Lainey bij Donatello en zijn daaropvolgende bezoek aan Jeffs flat. 'Ik was net op tijd, geloof ik,' pochte hij.

'Goed van je, Tommy. Je hebt de zaak gered.'

'Om nog maar te zwijgen van die honderd dollar.'

'Die ben je misschien alsnog kwijt,' zei Jeff. 'Want volgens mij doet grote broer weer mee in de race.'

Tom dwong zichzelf te lachen. Echt iets voor Jeff om over zichzelf te beginnen, Toms moment terug te brengen tot niet meer dan een anekdote, en tegelijkertijd Toms kans bij Suzy weg te wuiven. Nee, niet weg te wuiven. Uit te sluiten. Volkomen uit te sluiten. Alsof de mogelijkheid dat híj bij Suzy zou kunnen scoren te belachelijk voor woorden was. Of, nog erger – alsof het niet eens bij Jeff opgekomen was. Grote broer was per slot van rekening weer terug in de race. De rest hoefde geen moeite meer te doen. 'Waarom duurde het zo lang voor je opnam?' vroeg Tom, om zijn ergernis te verbergen.

'Ik was bang dat het mijn zus weer was,' zei Jeff. 'Ze wil dat ik naar huis ga, om mijn moeder te zien voordat ze doodgaat.'

'Ga je?'

'Weet ik niet,' zei Jeff na een stilte.

'Laat je geen schuldgevoel aanpraten, man,' zei Tom. 'Je hebt niks om je schuldig over te voelen.'

'Dat weet ik.'

'Ze heeft je in de steek gelaten. Je gedumpt bij die heks.'

'Kennelijk wil ze haar excuses aanbieden.'

'Gelul. Dat doet ze alleen maar voor d'r eigen geweten.'

'Dat weet ik.'

'Die gaat regelrecht naar de hel. Vrouwen,' snoof Tom laatdunkend. Hij nam een trek van zijn sigaret, blies de rook uit en keek hoe die als een boze wolk boven zijn hoofd kringelde. 'Wacht even. Even een raampje opendoen.'

'Welk raampje? Waar zit je?'

'In mijn auto.' Tom nam een laatste trekje van zijn sigaret, opende het raampje en gooide de brandende peuk op straat.

'Ik hoor helemaal geen verkeer.'

'Dat is er ook niet.'

'Waar ben je dan?

Tom moest bijna lachen om de wantrouwige toon in Jeffs stem. 'Gewoon.'

'Zeg me alsjeblieft dat je Lainey niet meer volgt.'

'Ik volg Lainey niet meer,' echode Tom gehoorzaam.

'Goed zo.'

'Is ook niet nodig,' zei Tom.

'Wat bedoel je daarmee?'

Tom haalde zijn schouders op. 'Ik bedoel dat ik al weet waar ze is. Zij en de kinderen logeren bij haar ouders,' ging hij ongevraagd verder. 'Stomme trut is een uur geleden thuisgekomen. Is sindsdien niet meer weg geweest. Ze zullen nu wel bijna klaar zijn met eten.'

Er viel weer een stilte. 'Je staat voor hun huis,' zei Jeff.

Tom kon bijna voor zich zien hoe Jeff afkeurend met zijn hoofd schudde. 'Nee.' Hij moest lachen. 'Ik sta drie huizen verderop.'

'Shit,' riep Jeff uit. 'Dat meen je niet.'

'Wat maakt 't uit? Ze weten toch niet dat ik er ben.'

'Weet je dat wel zeker?' Jeffs vraag maakte duidelijk dat hij er niet zo zeker van was.

'Tuurlijk. Wedden?'

'Je moet daar weg, man.'

'Ik bescherm mijn belangen.'

Jeff slaakte een luide zucht. 'Oké, moet je horen. Doe wat je moet doen. Ik ga over een uurtje naar The Wild Zone. Als je zin hebt, zie ik je daar wel.'

Tom keek door de voorruit naar de met klimplanten begroeide bungalow waar Laineys ouders woonden. Het leek wel of alle lichten aan waren, ook al was het nog best licht buiten. Hij snoof minachtend. Lainey zat altijd te zeuren dat ze zuiniger met energie moesten zijn; ze volgde hem van kamer naar kamer om lichten uit te doen die hij had aan gelaten, om stekkers van apparaten die niet gebruikt werden uit het stopcontact te trekken en om verschillende experts te citeren over het broeikaseffect. Wat een hypocriet, dacht hij. Hij pakte nog een sigaret uit het borstzakje van zijn blauwgeruite shirt en stak hem op.

De voordeur van de bungalow ging plotseling open en een man – klein, gespierd, met een hoofd vol zwart haar dat grijs werd bij de slapen – kwam naar buiten. Hij stond enkele seconden roerloos in de deuropening en kwam pas in beweging toen hij bij zijn knieën werd vastgepakt door zijn jonge kleinzoon. 'Cody,' fluisterde Tom.

'Wat?' vroeg Jeff in zijn oor.

'Opa, kom,' kraaide Cody. 'Het is jouw beurt om te verstoppen.'

'Tom,' zei Jeff, 'ben je er nog? Wat gebeurt er?'

'Sam, wat doen jullie daar buiten?' riep een vrouwenstem vanuit het huis. Haar stem zweefde moeiteloos over straat.

'Toe, opa. Spelen.'

'Tom?' vroeg Jeff. 'Tom? Zeg iets.'

'Denk maar niet dat ik mijn kinderen laat afpakken door dat kutwijf,' zei Tom, terwijl Laineys vader samen met Cody weer naar binnen ging en de deur achter zich dichtdeed.

'Tom, luister eens. Ga nou geen domme dingen doen.'

'Ik zie je over een uur,' zei Tom, en hij hing op.

'Ik heb Jeff gesproken,' zei Ellie.

Will liet zich achteroverzakken op het parkbankje waar hij al een uur zat, om bij te komen van de schokkende gebeurtenissen van de namiddag. Het ene moment lag Suzy in zijn armen, en even later zwaaide Tom met een pistool in zijn gezicht. Wat was er verdomme gebeurd? Had hij Tom werkelijk uitgedaagd om hem neer te schieten? Will strekte zijn benen voor zich uit, bracht zijn mobiele telefoon naar zijn rechteroor en merkte dat zijn handen nog steeds trilden.

'Wanneer?'

'Een halfuurtje geleden.'

'En?' Will hoorde kleine kinderen op de achtergrond ruziën. Hij stelde zich Ellie voor in haar kleine keuken, haar lichtbruine haar golvend langs haar kin, een klein beetje blush op haar wangen, haar twee kinderen rennend om haar heen.

'Hij zegt dat hij niet komt.'

'En daar ben je verbaasd over?'

'Nee, niet verbaasd. Teleurgesteld.'

'Je kunt het hem toch ook niet kwalijk nemen?' vroeg Will.

'Ik neem het hem ook niet kwalijk. Taylor, je mag Max niet slaan.'

Will grinnikte, en stelde zich voor hoe zijn kleine, tweejarige wildebras van een nichtje haar veel rustiger, vijf jaar oude broer te lijf ging.

'Ik denk alleen dat het voor zijn eigen geestelijk welzijn goed is dat hij ma nog een keer ziet voor ze overlijdt.'

'Ik zou me maar niet al te druk maken om Jeffs psyche.'
'Hij moet met zijn emoties in het reine komen,' zei Ellie.
'Volgens mij weet Jeff precies hoe hij zich voelt,' verklaarde Will. 'Hij heeft een bloedhekel aan zijn moeder.'
'Volwassen hebben geen bloedhekel aan elkaar,' zei Ellie.
Will haalde zijn schouders op. Ellie had psychologie als hoofdvak tijdens haar studie gehad. Het had geen zin om tegen haar in te gaan. Zeker niet als ze gelijk had.
'Je moet met hem praten,' drong Ellie aan.
'Dat heb ik al gedaan,' zei Will. 'Hij wil er niets over horen.'
'Je moet hem ervan overtuigen.'
'Hou erover op, Ellie. Hij komt niet.'
'En als je nou met Kirsten praat?'
'Kristin,' corrigeerde Will haar.
'Best,' zei Ellie ongeduldig. 'Misschien kan zij hem overhalen.'
'Geloof me,' zei Will. 'Ze weet wel beter.'
'Het is ook in haar belang,' hield Ellie vol.
'Hoe bedoel je?' Will vroeg het vóór hij tijd had zich te bedenken. Het laatste wat hij wilde was het gesprek nog langer rekken.
'Zolang hij niet in het reine komt met moeder,' verklaarde Ellie nadrukkelijk, 'zal hij altijd problemen met vrouwen blijven houden. Dan blijft hij haar voor zich zien en blijven oude wonden open...'
'Volgens mij heb jij te veel naar Oprah gekeken,' zei Will, en hij herkende Toms hatelijkheid in zijn eigen stem. Onmiddellijk verzachtte hij zijn toon. 'Moet je horen, ik moet nu echt ophangen.'
'Hoezo? Wat ga je doen?' vroeg Ellie.
'Ik ga zo uit,' loog Will, en hij tuurde door het park. Aan de overkant duwde een vader zijn kind op de schommel en gooide een man een frisbee naar een grote, zwarte labrador.
'Heb je een afspraakje?'
Will hoorde de hoopvolle toon. 'Ellie,' begon hij, 'je bent mijn halfzus maar. Zou je die bezorgdheid een beetje kunnen indammen?'
Ze schoot in de lach. 'Vergeet het maar. Waar ga je naartoe?'

Hij slaakte een zucht. 'Gewoon. Waarschijnlijk naar The Wild Zone.'

'Dat is toch de kroeg waar Kirsten werkt?'

'Kristin,' zei Will.

'Je drinkt toch niet te veel, hè?' vroeg Ellie, en ze negeerde zijn verbetering.

Will lachte en zei niets.

'Je moeder belde vanmorgen,' zei Ellie onverwachts. 'Ze maakt zich zorgen om je, zegt dat ze al bijna een week niets van je heeft gehoord. Misschien moet je haar even bellen, laten weten dat je nog leeft en dat Jeff je niets gruwelijks heeft aangedaan.'

'Dat zal ik doen.'

'En wil je nog een keer met hem praten?' vroeg ze direct daarna. 'Hem duidelijk maken dat hij niet veel tijd heeft?'

'Ik zal het proberen,' zei Will, die begreep dat het geen zin had om iets anders te zeggen.

'Lief van je,' zei Ellie, voordat ze ophing.

'Ma?' vroeg Tom, en hij dacht: sukkel, natuurlijk is het ma. Wie anders?

'Alan,' riep ze blij uit. 'Hoe is het met je, lieverd? Jongens,' schalde ze, 'het is Alan.'

'Nee, ma. Tom.'

'Tom?'

'Je zoon, Tom. Het zwarte schaap. De middelste,' voegde hij er verbitterd aan toe.

'Tom,' herhaalde zijn moeder, alsof ze een onbekend woord probeerde te begrijpen. 'Het is Tom,' zei ze, tegen degenen die in de kamer zaten. En toen weer tegen hem: 'Is er iets aan de hand? Zit je in moeilijkheden?'

'Moet ik in moeilijkheden zitten om naar huis te bellen?'

'Nou?' vroeg zijn moeder opnieuw.

'Nee.'

Zijn moeders opluchting was hoorbaar, hoewel ze niets zei. Waarschijnlijk stond ze in de deuropening tussen de eetkamer en de keuken en zochten haar treurige, bruine ogen hulp bij de mensen rond de eettafel, een bezorgde trek rond haar mond alsof ze op een zuur snoepje sabbelde.

'Stoor ik?' vroeg Tom.

'We wilden net gaan eten. Vic en Sara zijn er met de kinderen.'

Tom probeerde zich zijn anderhalf jaar oudere broer voor te stellen, maar omdat hij hem de afgelopen tien jaar misschien vijf keer had gezien, kostte dat moeite. Vroeger hadden mensen hem en zijn broers bijna niet uit elkaar kunnen houden, zó hadden ze op elkaar geleken qua uiterlijk en postuur. Maar met de jaren was Tom langer geworden, Alan breder en Vic knapper. Tegen de tijd dat ze bijna twintig waren, wist iedereen wie wie was, vooral omdat ze bijna nooit samen waren. 'Hoe is het met ze?'

'Prima. Lorne en Lisa groeien als kool.'

'Carole, hang op,' hoorde Tom zijn vader zeggen. 'Je eten wordt koud.'

'Wat voor ellende heeft hij zich nu weer op de hals gehaald?' mompelde Sara, Vics vrouw, op de achtergrond, ook al was haar stem zó luid dat Tom haar woord voor woord kon verstaan.

'Is er een reden waarom je belt?' vroeg zijn moeder omzichtig.

'Heb ik die nodig, dan?' vroeg Tom op zijn beurt. Hij stak een nieuwe sigaret op met de peuk van de vorige, en gooide de peuk uit het raam op de steeds groter wordende hoop.

'Je bent toch niet ziek, hè?'

'Verdorie, Carole,' zei Toms vader. 'Er is niets met hem aan de hand.'

'Laat mij maar even,' zei Vic.

'Ik wil Vic niet spreken,' protesteerde Tom.

'Tom, jongen, hoe is het met je?' vroeg zijn broer, met een stem vol zelfvertrouwen en succes.

'Prima, Vic. En met jou?'

'Fantastisch. Met Sara gaat het uitstekend, de kinderen doen het geweldig, ik ben dol op mijn werk...'

'Je bent de hele dag alleen maar met getalletjes bezig, hoe kun je daar nu dol op zijn?'

'... ik ben nog gezond,' ging Vic verder, alsof Tom niets had gezegd.

'Hoe oud ben je nou, tachtig, of zo? Je lijkt wel een ouwe kerel met je: ik ben nog gezond.'

'Als je niet gezond bent, heb je niets, Tom. Geloof me.'

'Waarom zou ik? Je bent goddomme boekhouder. Wie vertrouwt er nou een boekhouder?'

'Nog altijd eigenwijs, hoor ik.'

'Je begrijpt er geen zak van.'

'Dan moet je het me maar uitleggen,' zei Vic. 'Wat is er, Tom? Heb je geld nodig? Bel je daarom?'

'Wat doe je?' fluisterde Sara scherp. 'We gaan je broer niet nog meer geld lenen. Hij heeft het ons de vorige keer niet eens terugbetaald.'

'Heb je je broer geld geleend?' vroeg Toms vader ongelovig.

'Het was niet veel,' zei Vic geringschattend. 'Een paar duizend maar...'

'Nou, als je het aanbiedt,' zei Tom.

'Vic, alsjeblieft,' zei Sara, die nu hoorbaar dichter bij de telefoon stond.

'Een paar duizend klinkt goed.'

'Dat gaat niet,' zei Vic zacht.

'Precies,' zei Sara.

'Je bood het zelf aan.'

'Een paar honderd, misschien. Meer niet.'

'Wat doe je nou?' vroeg Sara fel. 'Hij krijgt geen cent meer, hoor je me?'

'Mama, wat is er? Waarom schreeuw je tegen papa?' vroeg een kind op de achtergrond.

'Wat is er aan de hand, Tom? Is er iets wat je ons niet vertelt?'

'Lainey en ik zijn uit elkaar,' gaf Tom na een ogenblik toe.

'Dat meen je niet! Lainey is bij hem weg,' riep Vic tegen de anderen.

'Wat?' Zijn moeder.

'Wat een verrassing.' Zijn vader.

'Ze heeft het nog lang uitgehouden.' Sara.

'Ze dreigt de kinderen af te pakken,' zei Tom.

'Zo te horen heb je een advocaat nodig.'

'Voor een advocaat heb je geld nodig!' blafte Tom. 'En met een paar honderd dollar kom ik er niet.'

'Het spijt me, Tom. Echt waar. Ik zou je helpen als ik kon.'

'Hij krijgt geen cent meer van ons,' zei Sara.

'Zeg tegen dat stomme kutwijf van je dat ze d'r bek moet houden,' riep Tom.

'Hé,' waarschuwde Vic hem, 'nou moet je uitkijken.'

'Wat héb jij? Ik dacht dat je ballen had, godsamme zeg. Laat jij je door die trut koeioneren?'

'Zo is het genoeg, Tom.'

'Genoeg? Ik begin net, als het om die sufkut gaat.'

'Nee, Tom. Geloof me. Je bent klaar.'

De verbinding werd verbroken.

'Shit!' schreeuwde Tom, en hij hield het woord aan tot hij geen lucht meer had. Hij sloeg met zijn handen op het stuur, waardoor hij onbedoeld toeterde. Het geluid knalde als dynamiet door de verstikkend warme lucht. 'Godverdegodverdegodver!' Hij liet zijn hoofd zakken en voelde tranen van frustratie in zijn ogen prikken. Die arrogante klootzak van een broer met zijn fantastische vrouw en geweldige kinderen en een baan waar hij dol op was. En zijn goede godvergeten gezondheid. 'Als je niet gezond bent, heb je niets, Tom. Geloof me!' deed Tom zijn broer na. Hij hief zijn hoofd op en uitte een kakellachje dat door de auto tot op straat echode. 'Geloof me!' riep hij. 'Alsof ik jou godverdomme geloof, ongelooflijk stuk verdriet!'

Dat was het moment waarop hij de politie-auto in de achteruitkijkspiegel zag. Een politieagent liep behoedzaam naar hem toe, met zijn hand boven de holster toen hij dichterbij kwam.

'Is alles in orde?' vroeg de agent.

'Alles is prima,' zei Tom, zonder hem aan te kijken.

'Mag ik uw rijbewijs en kentekenbewijs even zien?' Een commando in de vorm van een vraag.

'Waarom? Ik doe niets. Ik rij niet eens.'

'Rijbewijs en kentekenbewijs,' herhaalde de agent, naar de agent in de auto gebarend alsof hij problemen verwachtte.

Tom viste zijn rijbewijs uit de zak van zijn spijkerbroek en leunde opzij om het kentekenbewijs uit het dashboardkastje te halen. De agent, een jonge latino met een litteken over de gehele lengte van zijn bovenlip, bekeek ze even, voordat hij ze aan zijn oudere partner gaf. 'We hebben melding gehad van een verdachte auto in de buurt,' legde hij uit.

Tom wierp een blik op de bungalow van zijn schoonvader. De klootzak had hem dus gezien en de politie gebeld. Vuile hufter. 'Ik sta hier nog niet zo lang.'

'Lang genoeg om een half pakje sigaretten te roken.' De agent keek naar het bergje peuken bij zijn zwartleren laarzen.

'Wat? Dus ik mag al niet eens meer roken in dit land?'

'Wilt u even uitstappen?' zei de agent.

'Nee,' zei Tom, 'ik heb niks gedaan.'

'Stap even uit, Tom,' zei de agent, die de naam op het rijbewijs had gelezen. 'Je wilt toch niet dat we je meenemen naar het bureau.'

'Waarvoor, eikel?' snauwde Tom, en hij zag dat het donkere gelaat van de agent van schrik oplichtte.

En op hetzelfde moment keek hij recht in de loop van een wapen.

17

'Hé, lekker ding,' zei Jeff. Hij ging aan de bar zitten en glimlachte naar Kristin. 'Is Tom er al?'

'Niet gezien. Heb jij nog iets van Will gehoord?'

Jeff schudde zijn hoofd. 'Die durft zijn gezicht hier waarschijnlijk niet te laten zien.'

'Hoezo?'

Jeff leunde naar voren en fluisterde: 'Omdat er niets is gebeurd tussen hem en Suzy Granaatappel, daarom.' Hij lachte. 'Niet te geloven, toch? Slag twee!'

'Hoe weet je dat er niets is gebeurd?'

'Omdat Tom ze stoorde.'

'Hij heeft ze betrapt?'

'Er was niets waarop hij ze kon betrappen. Niet te geloven, toch?' zei hij, en hij liet zijn blik door de ruimte glijden. 'Het is ook niet druk,' merkte hij op.

'Het is maandagavond,' zei Kristin. 'Al was het daarstraks wel wat drukker.' Ze legde haar hand even tegen het visitekaartje in de zak van haar strakke, zwarte rokje, en vroeg zich af of ze het Jeff moest laten zien. DOKTER DAVE BIGELOW, RADIOLOOG, MIAMI GENERAL. Hoe zou Jeff reageren? Zou hij zijn schouders ophalen, of zou het hem raken? En wilde ze dat – dat het hem raakte?

Hij wist best dat andere mannen haar aantrekkelijk vonden. Hij genoot van haar verhalen over de mannen die haar wilden versieren, de mannen die ze bijna elke avond afwees, wier hoopvolle visitekaartjes ze snel in de prullenbak gooide.

Maar dit kaartje had ze niet weggegooid.

Waarom niet?

Was ze soms van plan hem te bellen?

Hoe zou Jeff dat vinden?

'Wat wil je drinken?' vroeg ze.

'Doe mij maar een Miller.' Jeff moest lachen. 'Niet te geloven dat hij weer mis heeft gegrepen.'

Hij zat nog steeds te grinniken toen Will tien minuten later binnenkwam. 'Zo zo. Onze mislukte held laat zich eindelijk zien,' zei Jeff, en hij hief zijn glas. 'Geef die man iets te drinken, Krissie. Zo te zien kan hij wel wat vocht gebruiken.'

'Een Miller,' zei Will tegen Krissie.

'Goed zo, jongen. Zo, vertel. Details, details.'

'Je weet allang wat er is gebeurd,' zei Will chagrijnig. 'Tom kon vast niet wachten om het je te vertellen.'

'Ik weet wat níét is gebeurd. Alweer,' zei Jeff. 'Maar ik weet niet waarom.'

'We zijn niet allemaal zoals jij, Jeff,' zei Will tegen zijn broer. 'Sommige mensen doen het graag rustig aan.'

'Rustig is best. Stom is wat anders.'

'Alles goed?' vroeg Kristin, en ze gaf Will zijn bier.

'Prima. Echt. Het was een heerlijke middag.'

'Een heerlijke middag?' herhaalde Jeff ongelovig. 'Waar heb je het over? Wie zegt er nou: "Het was een heerlijke middag"?'

'Mensen zoals ik,' zei Will. 'Verklaar me voor gek, maar is er iets mis als je iemand eerst wilt leren kennen?'

'Je bent gek.'

'Ik vind het lief.'

'Suzy heeft het heel moeilijk op het moment,' legde Will uit. 'Het zou niet eerlijk zijn om daar misbruik van te maken...'

'Wat heeft eerlijkheid ermee te maken?' wilde Jeff weten.

'Wat héb jij toch? Jezus, geen wonder dat Amy je heeft gedumpt.'

Will bracht het glas naar zijn lippen en dronk het in één keer halfleeg.

'Jeff,' zei Kristin, 'niet gemeen doen.'

'Het geeft niet,' zei Will. 'Dat heb ik zelf ook al ik weet niet hoeveel keer tegen mezelf gezegd.'

'Je moet je kansen grijpen, broertje. De hoofdprijs komt niet vaak voorbij.'

'Dat zullen we dan wel zien.'

'Dat zal dan wel,' beaamde Jeff, en hij keek naar de ingang. 'Heb je Tom gezien?'

'Niet sinds vanmiddag.' Will hoefde Tom nooit meer te zien. 'Heeft die psychopaat verteld dat hij een pistool op me heeft gericht?'

'Wat?' riep Kristin, en ze hapte naar adem. 'Jeff, je moet echt iets aan hem doen.'

'En wat mag dat dan wel zijn?' snauwde Jeff.

Kristin haalde haar schouders op en hief verslagen haar handen in de lucht.

'Ellie belde nog.' Will begon voorzichtig over het onderwerp. 'Ze vertelde dat ze je heeft gevraagd om naar huis te komen...'

'Hou erover op,' waarschuwde Jeff.

'Ik bedoel er niets mee. Ik wilde alleen...'

'Niet doen,' zei Jeff opnieuw.

Will dronk de rest van zijn bier op en gebaarde naar Kristin dat hij er nog een wilde. 'Sorry,' zei hij tegen Jeff. 'Ik moet me er niet mee bemoeien.'

'Ik had die opmerking over Amy niet moeten maken.'

Will knikte, al dacht hij dat Jeff wel gelijk had als het om Amy ging. Als hij niet zo lief voor haar was geweest, niet zo verdomd respectvol, als hij wat meer een vent was geweest, zijn kans had gegrepen, daadkrachtiger was geweest, *meer zoals Jeff*, dan had ze hem misschien niet voor een ander gedumpt.

'Zeg, doe eens rustig aan met dat biertje,' waarschuwde Kristin hem.

'The Star-Spangled Banner' klonk gedempt. Jeff stak zijn hand in zijn kontzak, pakte zijn mobiele telefoon en keek op het schermpje. Hij herkende het nummer niet en duwde de telefoon zonder op te nemen weer terug. Een paar seconden later ging hij opnieuw.

'Ik zou maar opnemen,' zei Kristin. 'Anders springen we de rest van de avond in de houding.'

Grinnikend nam Jeff op. 'Hallo? Tom? Waar zit jij nou? Ik had bijna niet opgenomen, man. Ik herkende het nummer niet. Wat? Dat meen je niet.'

'Wat is er aan de hand?' vroeg Will, die onwillekeurig toch nieuwsgierig was.

'Ja, is goed. Rustig aan. We komen zo snel mogelijk.'

'Waar ga je naartoe?' vroeg Kristin.

Jeff dronk de rest van zijn bier op. 'Drink op, broertje. We gaan naar de gevangenis.'

'Waarom hebben jullie er verdomme zo lang over gedaan?' Tom sprong overeind en gooide de metalen klapstoel waar hij op had gezeten bijna om toen Jeff de kleine ruimte zonder ramen in beende, met Will op zijn hielen. Tom smeet het natuurtijdschrift waarin hij had zitten bladeren op de houten tafel voor zich. 'Shit, man. Wat doet híj hier?'

'Wat dacht je van: wat doe jíj hier?' vroeg Jeff. Hij had een bloedhekel aan politiebureaus. Hij hoefde er maar binnen te zijn of hij voelde zich al schuldig.

'De vader van dat kutwijf had de politie gebeld vanwege "een verdachte auto in de buurt". Toen hebben ze me hiernaartoe gesleept.'

Jeff keek naar de deur. 'Ik zei toch dat je daar weg moest?'

'Wat nou? Ik mag mijn auto niet eens meer langs de openbare weg parkeren? Wat is dit voor godvergeten fascistenstaat? Een man mag verdomme niet eens meer in zijn auto een peuk zitten roken...'

'Misschien moet je je een beetje gedeisd houden,' drong Will aan, en hij legde zijn vingers tegen zijn lippen.

'Misschien moet jij je eens als een vent gedragen,' was Toms weerwoord.

'Genoeg, genoeg,' zei Jeff, die een grijns moest verbergen. 'Will heeft gelijk. Je wilt niet de hele nacht in een cel zitten.'

'Waar kunnen ze me op vasthouden? Ik heb niks gedaan, verdomme. Ze kunnen me niet arresteren.'

'Dat hebben ze al gedaan,' zei Will.

'Wat weet jij daar goddomme nou van? Ik ben helemaal niet gearresteerd, eikel.'

'Wat doen we hier dan?'

'Ik weet niet wat jíj hier doet, ík heb je in elk geval niet uitgenodigd. Waarom heb je hem in vredesnaam meegenomen?' vroeg Tom Jeff.

'Wees blij,' zei Jeff. 'De politie laat je alleen gaan als iemand anders je thuisbrengt. Ze vinden je emotioneel te onevenwichtig om achter het stuur te zitten. Hún woorden, niet de mijne,' verklaarde Jeff. 'Eerlijk gezegd ben ik het met ze eens.'

'Emotioneel... wát? Waar hebben ze het verdomme over? Klotefascisten,' mompelde Tom.'

'Luister nou,' zei Jeff. 'Je mag blij zijn dat je er met een waarschuwing vanaf komt.'

Een agent in uniform stak zijn hoofd om een hoekje. 'Hoe gaat het hier? Is hij al wat afgekoeld?'

'Je hebt het recht niet om me hier vast te houden,' brulde Tom.

'Nee, dus,' concludeerde de agent droogjes.

'Het komt wel goed,' zei Jeff. 'Geef ons nog een paar minuten. Wat héb jij, toch?' vroeg Jeff, zodra de agent uit het zicht was. 'Wil je soms dat ze je arresteren?'

'Waarvoor?'

'Voor de onaangename eikel die je ben,' zei Will, niet heel zachtjes.

'Wat zei je?'

'Voor stalken,' improviseerde Jeff.

'Stalken? Ik was niemand aan het stalken.'

'Je hebt Lainey de hele dag gevolgd. Je hebt haar bij de kapper lastiggevallen. Je hebt meer dan een uur voor het huis van haar ouders gestaan...'

'Ik stond een stuk verderop.'

'Dat wordt nog steeds gezien als stalken. Op deze manier geef je Lainey precies wat ze nodig heeft.'

'Dat rotwijf krijgt helemaal niks van me.'

'Dan moet je je koest houden. Wees slim, toon berouw. Hou op met deze shit, Tom, straks ben je alles kwijt.'

'Ik bén alles al kwijt,' kreunde Tom. Hij leunde achterover in de metalen klapstoel en liet zijn gezicht in zijn handen zakken.

Even dacht Will dat Tom ging huilen, en hij kreeg medelijden met hem.

Een paar tellen later tilde Tom zijn hoofd met een glimlach op. 'Berouwvol genoeg voor je?' vroeg hij met een knipoog.

'Stukken beter,' zei Jeff, en hij lachte.

'Jezus,' zei Will.

'Goed. Zullen we gaan?'

'Hij gaat niet in mijn auto rijden,' zei Tom, en hij wees beschuldigend naar Will.

'Best. Dan neem ik jouw auto,' zei Jeff. 'Will, jij neemt de mijne.'

'Ik vind het prima.'

'Oké, wat ga je de politie zeggen?' vroeg Jeff aan Tom.

'Dat het me spijt en dat ik beloof voortaan braaf te zijn,' antwoordde hij.

'En je blijft uit de buurt van je vrouw?' vroeg de agent die hem naar het bureau had gebracht enkele ogenblikken later.

'Ik hoef haar van mijn leven niet meer te zien.'

'Mooi zo,' zei de agent, 'want ik heb begrepen dat ze morgenochtend een verzoek voor een contactverbod tegen je gaat indienen.'

'Wat krijgen we...'

'Tom,' waarschuwde Jeff.

'Haar ouders ook. En als dat eenmaal is toegewezen, hebben wij geen keus meer. Dan moeten we je arresteren zodra je bij ze in de buurt komt.'

'Smerige klootzakken...'

'Moet je horen,' zei de agent, 'ik begrijp je frustratie. Echt waar. Mijn ex heeft zoiets ook bij mij geflikt. Maar je kunt het alleen maar erger maken. Geloof me.'

'Geloof me,' herhaalde Tom. 'Waarom zegt iedereen dat?'

'Zullen we gaan?' vroeg Jeff.

Tom pakte het tijdschrift waar hij in had zitten bladeren voordat Jeff binnen was gekomen. 'Is het goed als ik deze meeneem?' vroeg hij. 'Er staat een artikeltje in dat ik...'

'Ga je gang.'

'Bedankt.'

'Hou je gedeisd,' riep de agent hem na, toen ze langs de hoge balie van de receptie naar de uitgang liepen. Een agente glimlachte naar Jeff toen ze het gebouw verlieten.

Zodra ze op de parkeerplaats stonden, smeet Tom het tijdschrift in de dichtstbijzijnde prullenbak.

'Waarom doe je dat nou?' vroeg Will.

'Het is een tijdschrift over natuur, sukkel,' hoonde Tom. 'Nu we het er toch over hebben, wist je dat gordeldieren heel Florida onveilig maken?'

Jeff schoot in de lach. 'Stap in, mafkees, voordat ik je zelf laat arresteren.' Hij gooide zijn autosleutels naar Will. 'Weet je hoe je thuis moet komen?'

'Geen idee,' zei Will.

'Hij weet helemaal niks,' zei Tom, en hij liet zich op de bijrijdersstoel van zijn eigen auto zakken.

'Rij maar achter mij aan.' Jeff ging achter het stuur van Toms Impala zitten en startte de motor. 'Shit. Weet je dat je tank bijna leeg is?'

'Het was niet mijn idee om hier helemaal naartoe te rijden.' Tom begon te lachen, en hij lachte nog steeds toen Jeff achteruit de smalle parkeerplaats verliet en de donkere straat op reed.

'Vind je het grappig?' vroeg Jeff, die bijna stikte in de ranzige, oude sigarettenlucht. Hij draaide het raampje open.

'Jij zou het ook grappig vinden als je wist wat ik weet.'

'En dat is?'

'Zet de auto maar eens aan de kant, dan zal ik het je laten zien.'

'Wat?'

'Dat zeg ik... Zet de auto aan de kant.'

Jeff bracht Toms Impala één straat van het politiebureau verwijderd tot stilstand. Onmiddellijk stopte Will achter hen.

'Wat is er?' vroeg hij, nadat hij snel aan was komen lopen.

'Kijk maar eens onder de stoel,' zei Tom tegen Jeff.

'Wat?'

'Kijk onder de stoel.'

Jeff liet zijn arm onder de stoel glijden tot hij iets hards en kouds voelde. Toen hij enkele seconden later zijn hand tevoorschijn haalde, zaten zijn vingers om de loop van een pistool.

'Shit,' riep Will uit, met het gevoel dat hij misselijk werd.

'Wat een giller!' riep Tom. 'Die stomme agenten rijden mijn auto helemaal hiernaartoe en doorzoeken hem niet eens. Hadden er zeker geen bevel toe. Niet te geloven, toch? Stomme fascisten.'

'Jíj bent niet te geloven!' zei Will, en zijn benen begonnen te trillen van angst en opluchting. 'Straks eindigen we allemaal in de cel dankzij jou, klootzak.'

'Ga in mijn auto zitten, Will,' zei Jeff. 'We zien je thuis wel.' Hij liet het pistool in zijn schoot vallen.

'Geef hier,' zei Tom, en hij wilde het pakken.

Jeff sloeg Toms hand weg. 'Eerlijk gevonden,' zei hij.

Kristin stond hen op te wachten bij de voordeur van de flat.

'Wat doe jij thuis?' vroeg Jeff, toen de drie mannen naar binnen liepen. Hij keek op zijn horloge. Het was nog geen elf uur.

Kristin volgde de beweging van Jeffs arm. 'Het was niet druk. Joe zei dat ik wel wat eerder weg mocht. Is dat een pistool?' vroeg ze in dezelfde adem.

Jeff gaf het aan haar. 'Berg maar veilig op,' zei hij zonder verdere uitleg.

'Hé,' protesteerde Tom. 'Dat is van mij.

'Pas als je weer wat zelfbeheersing hebt.'

Tom liet zich in de beige leren stoel vallen waar hij eerder op de dag ook in had gezeten. 'Geeft niks. Hou maar. Ik heb er wel meer.'

Will beende naar de keuken, schonk een glas water in en dronk het in één keer leeg.

'Gaat iemand me nog vertellen wat er is gebeurd?' vroeg Kristin, en haar blik gleed van het pistool in haar hand naar Jeff.

'Laat mij maar,' zei Tom. In het kort vertelde hij haar wat er de afgelopen twaalf uur was gebeurd. 'Wist je dat er dus echt vliegende eekhoorns bestaan, ook al vliegen ze niet echt, maar zweven ze, met behulp van de huidflappen aan hun lijf?' Hij glimlachte.

'Waar heeft hij het over?' vroeg Kristin aan Will, die de kamer weer was binnengekomen.

Will haalde zijn schouders op en liet zich slapjes op de bank zakken.

'Het is echt zo,' zei Tom. 'Daar heb ik over gelezen in *Wildlife Digest*. Wil iemand een biertje?'

'De bar is gesloten,' zei Kristin. 'Hoor eens, Tom, je hebt een drukke dag gehad. Ik vind dat jij thuis maar eens lekker een nachtje moet slapen.'

Tom kwam onwillig overeind. 'Ga je me echt mijn pistool niet teruggeven?' Hij stak zijn hand uit naar Kristin.

'Geen schijn van kans,' zei Jeff, en hij ging tussen hen in staan.

'Ach,' zei Tom klagerig. 'En ik had nou net zo'n zin om vanavond iemand te vermoorden.'

'Blijf uit de buurt van Lainey,' waarschuwde Jeff hem.

'Zullen we in plaats daarvan dan de brave dokter vermoorden?'

'Wat?' vroegen Jeff en Will tegelijkertijd.

'Wat?' vroeg Kristin een halve tel later.

'De man van Granaatappel. Kennelijk is die een of andere belangrijke dokter in het Miami General.'

'Hij heet toch niet toevallig Dave Bigelow, hè?' vroeg Kristin, waarop de drie mannen allemaal haar kant op keken. Ze hield haar adem in, terwijl ze haar hand in de zak van haar korte, zwarte rokje stak, Daves kaartje tevoorschijn haalde en het uitstak.

'Hoe kom je daaraan?' vroeg Jeff. Hij pakte het kaartje van haar aan en las het snel.

'Hij was vanavond in de kroeg,' legde Kristin uit, en ze voelde hoe haar hartslag versnelde. 'Probeerde me te versieren.'

'Arrogante klootzak,' zei Jeff, en hij verfrommelde Daves visitekaartje in zijn vuist. 'Die vent is toch niet te geloven?'

'Maar hoe weet hij dat...' begon Kristin.

'Hij had het over The Wild Zone toen hij bij de auto stond. Suzy heeft hem er zeker over verteld,' zei Jeff.

'Waarschijnlijk heeft hij het uit haar geslagen,' voegde Will eraan toe.

'Stuk tuig,' zei Tom. 'We zouden nu naar hem toe moeten om die klootzak af te maken. Zoals Suzy ons heeft gevraagd.'

'Wat?' vroegen Jeff en Kristin tegelijk.

'Dat meende ze niet,' zei Will snel.

'Ik dacht het toch wel,' zei Tom. 'Volgens mij was ze bloedserieus. Kom op. Wedden dat we het kunnen? Degene die het eerste schot lost, mag de dame in nood hebben. Wat zeg je ervan?'

'Ik zeg: ga naar huis, Tom,' zei Jeff.

'Het is perfect: we rijden ernaartoe, schieten de klootzak dood, Suzy is dankbaar en neukt ons alle drie. Jou ook, als je wilt,' zei hij gul tegen Kristin.

'Ga naar huis, Tom,' zei Kristin.

'Denk er op zijn minst over na.'

Jeff bracht Tom naar de deur. Waar haalt die vent het lef vandaan, dacht hij. Wat probeerde de arrogante klootzak te bewijzen? Dat hij superieur was? Dat je niet met hem kon sollen zonder gevolgen? Nou, als de brave dokter gevolgen wilde, dan kon hij ze krijgen. Hij sloeg een arm om Toms schouder. 'Ik zal erover nadenken,' zei hij.

18

Jeff lag te slapen en droomde over Afghanistan toen de telefoon ging. In eerste instantie dacht hij dat het gerinkel een voorbijsuizende kogel was, en hij kreunde en dook omlaag in zijn bed, trok het kussen over zijn hoofd. Een bom ontplofte in de buurt en hij hoorde Toms stem die het bevel tot aanvallen gaf. Van achter gesloten ogen keek hij hoe hij zijn geweer pakte en op de vijand afstormde, ook al had hij geen idee waar ze waren. Ze konden overal zijn, er waren hier zoveel godvergeten grotten; het land was zo dor, zo rotsachtig, zo verdomd anders, dat het net zo goed de maan kon zijn. De kogels bleven langssuizen en overal om hem heen ontploften bommen, soldaten schreeuwden het uit. Sommigen van pijn, anderen van pure adrenaline. De hel brak los en plotseling kwam er iemand recht op hem af, en Jeff vuurde zijn wapen zo snel hij kon, maar de man bleef maar doorlopen, ook al was de voorkant van zijn witte jas nu doordrenkt met bloed. De man bleef komen en Jeff bleef schieten, tot de man naar achteren wankelde en op de grond neerviel, zijn armen en benen uitgespreid. Jeff liep op hem af, gaf een trap tegen de stethoscoop die om zijn nek zat, negeerde de ogen die hem aanstaarden, in stilte smekend om genade en schoot dokter Dave Bigelow recht door het hart.

'Jeff,' riep iemand vlak bij hem.

Jeff bracht zijn geweer omhoog, draaide zich razendsnel om en vuurde nog een serie kogels af die tegen de vroege ochtendlucht ketsten. Hij tuurde door de duisternis. Er was niemand.

'Jeff,' zei de stem opnieuw.

Hij voelde een scherpe pijn in zijn zij. Een bajonet, dacht hij, en hij greep ernaar en draaide hard.

'Hé,' riep de stem. 'Dat doet pijn. Wat doe je? Laat me los.'

Jeff liet los.

Kristin wreef over haar zere vingers toen Jeff zijn ogen opendeed. 'Neem je niet op?'

Verdwaasd stak Jeff zijn hand uit naar de telefoon naast zijn bed. Langzaam drong tot hem door wat er aan de hand was. Hij was niet in Afghanistan; hij was thuis in zijn flat. Hij had niet door onbekend, verraderlijk terrein gelopen; hij lag in zijn eigen, warme bed. Niemand beschoot hem; hij had niemand neergeschoten. Het was het aanhoudende gerinkel van die rottelefoon. Hoe laat is het, vroeg hij zich af, terwijl hij op de klok op het nachtkastje keek en de hoorn van de haak nam. Halfzeven 's morgens, verdomme. Wie belt er nu om halfzeven 's morgens? Dat kon alleen maar slecht nieuws zijn.

Ellie, dacht hij, terwijl hij de hoorn naar zijn oor bracht. Om te zeggen dat hun moeder was overleden.

'Hallo,' zei hij behoedzaam. Onverwachts werd hij overspoeld door verdriet, en tranen prikten in zijn ogen. Hij had naar haar toe moeten gaan, dacht hij. Hij had afscheid van haar moeten nemen. Ze was per slot van rekening zijn moeder. Hoe dan ook. 'Hallo,' zei hij opnieuw, en de ijzige stilte die volgde was messcherp.

Kristin duwde zich op haar ellebogen en staarde hem door halfdichte ogen aan. 'Wie is het?'

'Hallo?' zei Jeff opnieuw.

'Gewoon ophangen,' adviseerde Kristin, en ze liet zich op haar rug vallen, liet haar oogleden zakken en probeerde weer in slaap te vallen. 'Vast een kind dat een geintje uithaalt.'

'Wat?' hoorde ze Jeff vragen, en ze wilde net haar advies herhalen, toen ze doorhad dat hij het niet tegen haar had, 'O. Ja, is goed,' zei hij. 'Ja, dat lukt wel. Prima. Oké.' Hij hing op en schoof zijn benen uit bed.

'Wat is er?' vroeg ze.

'Ik moet weg.'

'Wat bedoel je, je moet weg? Het is halfzeven.' Ze keek toe hoe hij naar de slaapkamerdeur liep en die opentrok. 'Wie was dat?'

'Larry. Hij heeft een kater. Vroeg of ik zijn cliënt van zeven uur wil overnemen.'

'Ik wist niet dat Larry dronk,' zei Kristin.

'Kennelijk niet vaak. Maar goed, ik heb gezegd dat ik het wel doe.' Jeff liep van de kleine gang naar de badkamer en deed de deur achter zich dicht.

Even later hoorde Kristin de douche. Even overwoog ze op te staan, een glas sinaasappelsap voor Jeff in te schenken en misschien zelfs een ontbijtje voor hem klaar te maken, maar Jeff had haast. En trouwens, wie had er op dit tijdstip nou honger? Een paar minuten later hoorde ze hem bij de wasbak tandenpoetsen, gevolgd door het zachte gebrom van het scheerapparaat. En weer een paar minuten later was hij weer terug en vulde de heerlijke geur van zijn net geboende lijf de slaapkamer. Ze hoorde hoe hij op zijn tenen rond het bed liep en deed haar ogen een klein beetje open zodat ze net kon zien dat hij de spijkerbroek waar hij al dagen in liep aantrok, toen snel weer uitdeed, in een verkreukelde hoop op de grond liet liggen en de kastdeur opendeed om een schone te pakken. Hij trok hem aan, sjorde een schoon zwart T-shirt over zijn hoofd, stopte zijn mobiele telefoon in zijn achterzak en ging toen op zijn hurken naast haar zitten. Kristin dacht dat hij haar een zoen wilde geven en ze bewoog haar lichaam subtiel zijn kant op, maar zijn blik was op het nachtkastje naast het bed gericht. Ze zag hoe hij de la opentrok en zijn vingers erin verdwenen. 'Wat doe je?' mompelde ze slaperig, denkend aan Toms pistool dat ze achter in de la had verstopt. Zocht hij dat soms?

'Niets, het is al goed,' fluisterde hij, en zijn adem rook naar tandpasta en mondwater. Hij duwde de la dicht en kwam overeind. 'Sorry dat ik je heb wakker gemaakt.'

'Dat heb je niet gedaan.'

'Ga maar weer slapen.'

'Bel je straks?'

'Doe ik.' Jeff liep naar de gang. 'Fijne dag.'

'Jij ook.' Kristin keek hoe Jeff om de hoek verdween, ging toen rechtop zitten en vocht tegen de aandrang om de inhoud van de la te controleren. Wilde ze echt weten of Toms pistool er nog lag? Hoe minder ze wist, des te beter was het voor iedereen, besloot ze. Ze hoorde dat Jeff in de woonkamer met zijn broer aan het praten was.

'Wie belt er zo verdomd vroeg?' vroeg Will, nog schor van de slaap. Kristin stelde zich voor hoe hij in zijn blote borst op de bank zat met zijn haar aantrekkelijk in de war, de deken rond zijn middel getrokken.

'Mijn baas heeft een kater,' legde Jeff uit, 'en vroeg of ik wat eerder kon beginnen.'

'Wat aardig van je.'

'Zo ben ik. De aardigheid zelve.'

'Tot straks.'

De deur van de flat ging open en dicht.

Kristin keek naar de telefoon en vroeg zich af wie er werkelijk om halfzeven 's morgens had gebeld. Ze wist zeker dat het Larry niet was geweest. Jeffs baas was een gezondheidsfanaat die nooit een druppel alcohol dronk. En wanneer had Jeff haar ooit een 'fijne dag' toegewenst? Ze negeerde het waarschuwende stemmetje in haar achterhoofd om zich er niet mee te bemoeien, pakte de telefoon en keek wie er had gebeld.

Een paar seconden hield ze de telefoon tegen haar blote borsten geklemd voordat ze hem weglegde. Ze deed haar best om haar hartslag tot rust te brengen, ging weer liggen, kroop als een balletje in elkaar en probeerde weer in slaap te vallen.

Jeff haastte zich over de galerij en liep de drie trappen af naar de parkeergarage, waar zijn wijnrode Hyundai naast Kristins Volvo stond. Wat zou mijn broer zeggen als hij wist waar ik werkelijk naartoe ging, dacht hij, en hij vroeg zich meteen af sinds wanneer het hem iets uitmaakte wat zijn broer vond. En waarom had hij tegen Kristin gelogen? Een van de plezierige dingen aan hun relatie was dat hij nooit het gevoel had dat hij tegen haar moest liegen. Wat was er nu anders? En had hij omwille van haar zijn mond gehouden, of omwille van zichzelf? Hij deed het portier open en ging achter het stuur zitten. 'Hé, dit was niet mijn idee,' zei hij tegen zichzelf in de achteruitkijkspiegel. Toch voelde hij het onaangename en onverwachte gevoel van wroeging. Komt van de honger, hield hij zich voor. Een kop koffie, een paar eieren met spek, dan is het zo over.

Hij pakte zijn mobiele telefoon en belde de sportschool. Die ging pas om zeven uur open en het was vijf voor, dus met een beetje geluk kreeg hij het antwoordapparaat. Maar in plaats daarvan nam Melissa op.

'Elite Fitness,' zei ze op irritant vrolijke toon.

'Met Jeff,' zei hij. 'Zeg, ik voel me niet goed. Heb de hele nacht liggen kotsen,' voegde hij eraan toe om er een mooi verhaal van te maken.

'Hè, getver.'

'Ik hoop dat ik alleen iets verkeerds heb gegeten en dat ik me over een paar uur beter voel.'

'Ik hoop dat je gelijk hebt. Je dag zit propvol.'

'Wil je kijken of je ze kunt verplaatsen, en tegen Larry zeggen dat ik mijn best doe om er rond lunchtijd weer te zijn?' Dan had hij meer dan genoeg tijd, dacht Jeff.

'Veel thee drinken.'

'Hè?'

'Veel thee drinken,' herhaalde Melissa. 'En geroosterd brood met jam. Geen boter.'

'Bedankt voor de tip.'

'Beterschap,' zei Melissa, voordat ze ophing.

Jeff stopte de telefoon in zijn zak, verliet de parkeergarage en reed de straat op. Enkele minuten later reed hij richting Federal Highway en Northeast Fifty-fourth. Hij was vroeg, maar goed. Dan kon hij nog even ontbijten, zijn zenuwen tot rust brengen en zich voorbereiden op wat ging komen. Waarom was hij trouwens zo verdomd nerveus? 'Niks om je zenuwachtig over te maken,' verzekerde hij zichzelf hardop. 'Jij bent degene die de touwtjes in handen heeft.' Maar hij wist dat het niet waar was. 'Shit,' zei hij hoofdschuddend. Hij werd al net zo'n slechte leugenaar als Tom.

De geur van verse koffie wekte Kristin een uurtje later. Ze had over Suzy gedroomd, bedacht ze toen ze haar ogen opendeed en snel weer dichtdeed in een poging het vluchtige beeld van de trieste, jonge vrouw vast te houden. Kristin hees zich uit bed, trok haar roze, zijden ochtendjas aan en trippelde op blote voeten naar de keuken.

'Wat ben jij een schat,' zei ze tegen Will, die in een blauw shirt en een bruine broek een stukje geroosterd brood aan de keukentafel zat te eten. 'Dit is precies wat ik nodig heb, hoe wist je dat?' Ze schonk een beker koffie in en snoof het rijke aroma op.

'Ik kan roerei voor je maken, als je wilt,' bood hij aan.

'Meen je dat? Heerlijk,' zei Kristin lachend. 'Ik kan me niet herinneren wanneer iemand voor het laatst roerei voor me heeft gemaakt.'

'Nou, toevallig is dat mijn specialiteit.'

Ze wisselden van plaats. Kristin ging aan tafel zitten en Will liep naar het smalle aanrecht. Hij glimlachte toen hun schouders elkaar in het voorbijgaan even raakten.

'Kijk maar niet naar me.' Ze sloeg haar hand voor haar gezicht. 'Ik zie er niet uit.'

'Je bent beeldschoon.'

'Ik heb niet lekker geslapen en ik heb geen make-up op.' Ze nam een slok koffie, en het grootste deel van haar gezicht bleef verborgen achter haar grote beker.

'Je bent mooier zonder,' zei Will. 'Waarom kon je niet slapen?'

'Ik weet het niet. Ik bleef maar piekeren over wat Tom zei over Suzy's man vermoorden. Dat meende hij toch niet, hè?' Opnieuw dacht ze aan het pistool achter in de la van het nachtkastje, en ze vroeg zich af of het er nog lag.

'Welnee,' zei Will, ook al wist hij het eigenlijk niet zeker. Toms gedrag werd met de dag grilliger. Het was vast en zeker een kwestie van tijd vóór al die stoere praat uitgroeide tot iets veel dreigenders. 'Dat telefoontje van vanmorgen hielp zeker ook niet,' zei Will, en hij probeerde gedachten aan Tom uit zijn hoofd te bannen. 'Aardig van Jeff om zo vroeg te gaan werken.' Hij liep naar de koelkast en pakte de eieren. 'Twee of drie?' vroeg hij.

'Twee.'

Will pakte twee joekels van bruine eieren uit de doos. 'Wil je ze met melk of water?'

'Kies jij het maar,' zei Kristin.

'Water. Dan worden ze wat luchtiger.'

'Luchtig klinkt goed.' Ze keek hoe Will de twee eieren in een kom brak en water, zout en peper toevoegde. 'Dit deed je vast heel vaak voor Amy, of niet?'

'Soms,' antwoordde Will. Haar naam beet in zijn huid als de steek van een wesp.

'En ze heeft je laten gaan? Wat was er mis met dat mens?'

'Misschien had ze liever wentelteefjes.'

Kristin glimlachte en nam nog een slok koffie. 'Hoe meer ik over dat meisje hoor, hoe minder leuk ik haar vind.'

'Wat heb je allemaal gehoord?'

'Alleen wat je Jeff hebt verteld.'

'Wat hij prompt aan jou heeft verteld.' Het was meer een constatering dan een vraag.

'Is dat een probleem?'

'Vertelt hij jou altijd alles?'

'Jeff is niet bepaald de discretie zelve.'

'Hij vertelt mij nooit iets,' zei Will.

'Mannen als Jeff praten niet met andere mannen,' zei Kristin wijs. 'Niet over persoonlijke dingen. Dan praten ze met vrouwen.' Ze liet haar beker op tafel zakken, tilde haar rechtervoet op en zette haar hak op de zitting van de stoel, waardoor de binnenkant van haar dijbeen zichtbaar werd. Ze legde haar kin op haar knie.

Will keek snel de andere kant op, richtte zijn aandacht op het fornuis en haalde een pan uit het kastje eronder. Daarna liep hij weer naar de koelkast en vond de boter achteraan op de tweede plank. Hij lepelde wat in de pan en luisterde naar het gesis. 'Wat heeft Jeff nog meer over mij verteld?' vroeg hij, en hij deed zijn best om nonchalant te klinken.

'Hoe bedoel je?'

'Is hij blij dat ik er ben? Wil hij dat ik wegga?'

'Hij is blij dat je er bent, Will,' zei Kristin, en ze liet haar been weer zakken.

'Heeft hij dat gezegd?'

'Dat hoeft niet.'

'Hoe weet je het dan?'

'Omdat ik Jeff ken. Geloof me. Hij is blij dat je er bent.'

Geloof me. Waarom zegt iedereen dat? Will hoorde Toms honende opmerking nog toen hij de inhoud van de kom in de pan deed en keek hoe de eieren snel begonnen te bubbelen en te stollen. *Wist je dat gordeldieren heel Florida onveilig maken?*

'Ik vind het maar een enge vent,' zei Will.

'Jeff?' vroeg Kristin duidelijk verrast.

'Tom,' corrigeerde Will haar. Hij zette het vuur laag en roerde met een rubberen spatel door de eieren. 'Sorry. Ik zat aan gisteravond te denken.'

Kristin keek hoe Will bleef roeren en vervolgens een bord uit een kastje haalde. 'Weet je wie *ík* eng vind?'

'Nou?'

'Dokter Bigelow.'

'Suzy's man,' zei Will, enigszins overbodig. 'Ja, dat is best een enge vent.' Hij schepte het roerei op het bord en zette het voor Kristin neer.

'Mmm. Dat ziet er lekker uit. Neem jij niet?'

'Ik neem wel een hapje van jou.'

'Vergeet het maar,' grapte Kristin. Ze trok het bord naar zich toe en bracht een vork vol roerei naar haar mond. 'Dit is het lekkerste roerei ooit.'

'Fijn dat je het lekker vindt.'

'Iemand zou die klootzak af moeten schieten,' zei Kristin, en ze slikte weer een mondvol door.

'Wat?'

'Sorry, ik zit hardop te denken. Ik bedoel, die vent is duidelijk een psychopaat. Hij heeft jullie een paar dagen geleden bedreigd, hij probeerde mij laatst te versieren.' Ze prikte haar vork weer vol. 'Ik mag blij zijn dat hij me wilde versieren en niet in elkaar wilde meppen. Dat bewaart hij voor Suzy. Die vent verdient de kogel,' voegde ze eraan toe. 'En dan te bedenken dat ik hem nog wel charmant vond.'

'Je vond hem charmant?'

'Hij bood aan om me voor te stellen aan een beroemde fotograaf die toevallig een vriend van hem is. De oudste versiertruc die er is, maar ik viel er bijna voor.'

'Je vond hem charmant?' vroeg Will opnieuw.

'Nou ja, hij is geen barbaar. Ik bedoel, Suzy is toch ook niet zomaar met hem getrouwd. Of wel?'

'Dat zal wel.'

'Eerst de charme, dan de vuisten. Arme Suzy.'

Will liet zijn hoofd zakken en probeerde niet te denken aan de blauwe plekken in Suzy's prachtige gezicht.

'Ik begrijp echt niet dat zo'n man,' ging Kristin onverstoorbaar verder, 'een arts nog wel, iemand die een eed heeft afgelegd... dat zo iemand het voor zichzelf kan rechtvaardigen om een vrouw te slaan, zeker niet iemand die er zo kwetsbaar uitziet als Suzy. Ze is graatmager, nota bene. Wat levert het voor kick op om haar te slaan? Wacht maar af, er komt een dag dat hij haar doodslaat. En dan is het deels onze schuld omdat we wisten wat hij deed, maar niet ingrepen.'

'Wat moeten we dan doen? De politie bellen?'

'Ja hoor, alsof dat iets oplevert. Die willen bewijs, dat hebben we niet, en dan zeggen ze dat we ons met onze eigen zaken moeten bemoeien. Misschien zullen ze Suzy wat vragen stellen. Maar die is zoals de meeste mishandelde vrouwen, ontkent alles en dan lijken wij de sukkels. En vervolgens wordt zij nog erger in elkaar gemept.' Kristin nam de laatste hap ei en duwde haar bord opzij. 'Nee, we kunnen niets doen. Daarom voel ik me ook zo verdomd...'

'Machteloos?'

'Precies.'

Will knikte en begreep het gevoel. Zo voelde hij zich meestal.

'Ach, nou heb ik niets voor jou overgehouden,' zei Kristin, en ze keek naar het lege bord.

'Geeft niks. Ik kan altijd meer maken.'

'Beloofd?' Kristin duwde zich overeind, leunde naar voren en gaf Will een zoen op zijn wang. 'Je bent echt een schat.' En even later was ze weg, verdwenen in een roze, zijden wolk.

Het onopgemaakte bed lonkte toen Kristin de slaapkamer binnenkwam, en even wilde ze het liefst terug kruipen, de dekens over haar hoofd trekken en nog een paar uur heerlijk slapen. Maar daar was het te laat voor, besloot ze, terwijl ze naar het raam liep, de gordijnen opentrok en bijna over Jeffs spijkerbroek struikelde die midden in de kamer lag. Ze glimlachte. Wat grappig dat Jeff nog een schone spijkerbroek had aangetrokken terwijl hij zogenaamd haast had, dacht ze. Ze bukte zich om hem op te pakken en wilde hem in de wasmand gooien, toen ze iets in de kontzak voelde. 'Het wordt steeds interessanter,' mompelde ze, terwijl ze met het voorwerp in haar hand terugliep naar de keuken. 'Jeff heeft zijn portemonnee vergeten,' kondigde ze aan, en ze wuifde ermee naar Will.

De deurbel ging.

'Daar zul je hem hebben.' Kristin rende naar de deur. 'Iets vergeten?' vroeg ze, toen ze de deur opentrok. Onmiddellijk deed ze een stap naar achteren.

Lainey Whitman beende langs haar heen naar de woonkamer. Ze droeg een wit T-shirt met een blauwe spijkerbroek en had een dreigende blik op haar gezicht. 'Kristin,' zei ze, en haar blik gleed snel naar Will. 'En jij bent zeker het beroemde broertje?'

'Lainey, dit is Will. Will, dit is Lainey, Toms vrouw,' zei Kristin, die zich afvroeg wat voor verrassingen de dag nog meer in petto had.

'Leuk je te ontmoeten.' Will vond Lainey helemaal niet zo onaantrekkelijk als Tom haar had beschreven. Een beetje apart, misschien, en haar gelaatstrekken waren misschien iets te indrukwekkend voor haar gezicht, maar ze was best knap.

'Is Jeff thuis?' vroeg Lainey. 'Ik moet met hem praten over Tom.'

'Hij is aan het werk.'

Lainey keek opeens alsof ze elk moment in tranen kon uitbarsten. Ze stond roerloos in de woonkamer en zei niets.

'Als ik hem deze nou eens ga brengen?' bood Will aan, en hij pakte Jeffs portemonnee uit Kristins hand. 'Dan hebben jullie gelegenheid om te praten.'

'Nee, dat hoeft niet,' begon Kristin.

'Ik spreek je straks wel,' zei Will, en hij negeerde de smekende blik in haar ogen. Het laatste wat hij wilde was over Tom praten.

'Leuk je te ontmoeten, Will,' zei Lainey.

'Jij ook.' Dankbaar stak hij Jeffs portemonnee in zijn zak. Mijn broer heeft me gered zonder het te weten, dacht hij, toen hij de deur achter zich dichttrok. Daar zou hij hem voor moeten bedanken.

19

‘Wil je een kop koffie?’ vroeg Kristin. Ze trok haar ochtendjas met de zijden ceintuur strak om zich heen. ‘Will heeft een grote pot gezet. Volgens mij is er nog wat.’

‘Will heeft koffiegezet?’

‘En roerei gemaakt.’

‘Tom maakt nooit iets,’ zei Lainey. ‘Behalve een puinhoop,’ voegde ze er enigszins overbodig aan toe.

‘Wil je een kop?’ vroeg Kristin opnieuw.

Lainey schudde het hoofd. ‘Nee, dank je.’

‘Ga zitten.’ Kristin gebaarde naar de bank waar Wills deken keurig opgevouwen in een hoekje lag. Ze hoopte dat Lainey het aanbod, net als de koffie, zou afslaan en zich zou verontschuldigen voor de onrust op de vroege ochtend, maar Lainey leek dankbaar voor het aanbod, liet zich in de zachte kussens zakken en haalde een paar keer diep adem. ‘Gaat het?’ vroeg Kristin, terwijl ze naast haar ging zitten.

‘Niet echt. Heb je Toms laatste stunt gehoord?’

Kristin knikte en trok de zoom van haar badjas over haar knieën.

‘We wilden de politie helemaal niet bellen. Echt niet,’ zei Lainey. ‘Maar wat konden we anders?’ Ze hief haar handen in de lucht, palmen omhoog. Ze kneep haar vingers dicht alsof ze antwoorden wilde pakken. Kristin zag dat ze haar trouwring nog om had. 'Hij had me de hele dag al gevolgd, eerst naar de advocaat, toen naar de kapsalon, waar hij een afschuwelijke scène heeft geschopt, tegen me heeft geschreeuwd waar iedereen bij was. Zulke vreselijke dingen, je zou het gewoon niet geloven. En vervolgens stond hij bij het huis van mijn ouders toen we aan het eten waren, en hij zat daar maar naar het huis te staren. Meer dan een uur! Mijn moeder was zo overstuur dat ze geen hap door haar keel kreeg. En mijn vader was zo boos dat hij hem buiten wilde aanspreken, maar ik smeekte hem dat niet te doen, en toen heeft hij de politie gebeld, en die hebben Tom toen mee naar het bureau genomen. Maar ze konden hem niet vasthouden – hij had niets gedaan wat niet mocht. Daarom moeten we vanmorgen een contactverbod aanvragen. Niet dat het iets gaat helpen, volgens mij. Hij wordt waarschijnlijk alleen nóg bozer. Maar wat moet ik anders? Ik heb geprobeerd met hem te praten, maar dat heeft geen zin. Hij luistert niet. Dat heeft hij nooit gedaan. Ik wil niet dat hij me dag en nacht volgt, mijn ouders overstuur maakt en de kinderen terroriseert. En ik ben zelf ook bang, Kristin. Stel dat hij gekke dingen gaat doen. Stel dat hij probeert de kinderen te ontvoeren.'

'Ik denk niet dat hij zoiets zou doen.'

'Dat dacht ik vroeger ook. Ik dacht dat hij mij en de kinderen nooit iets zou aandoen, hoe kwaad hij ook was. Nu weet ik het niet meer zo zeker.'

'Hij is overstuur. Je hebt hem overvallen door weg te gaan.'

'Hoe kan het hem nou verbazen? Ik heb hem maandenlang gewaarschuwd dat dit ging gebeuren.'

'Hij dacht niet dat je het echt zou doen.'

'Wat kon ik anders?' wilde Lainey weten. 'Hij liet me toch geen keus meer?'

'Nee,' zei Kristin snel. 'Geloof me, Lainey, ik begrijp het. Eerlijk gezegd verbaast het me dat je het zo lang hebt uitgehouden.'

'Hij is mijn man, de vader van mijn kinderen. Ik heb geprobeerd geduld en begrip op te brengen.' Ze begon zenuwachtig aan haar trouwring te frunniken.

'Dat weet ik.'

'Hij is niet meer dezelfde sinds hij terug is uit Afghanistan. Hij slaapt slecht, eet nauwelijks, heeft elke nacht nachtmerries. God weet wat hij daar heeft gezien, heeft gedaan...' Haar stem stierf weg.

'Hij heeft hulp nodig,' zei Kristin.

'Natuurlijk heeft hij hulp nodig,' was Laineys weerwoord. 'Maar hij weigert om ook maar over therapie na te denken. Als Jeff geen therapie nodig heeft, heeft hij het ook niet nodig, vindt hij. Dat doet hij echt niet.'

'Dan heb je alles gedaan wat je kon,' zei Kristin. 'Je moet voor jezelf en de kinderen zorgen.'

'Ik heb hem gezegd dat dit ging gebeuren. Ik heb het hem ik weet niet hoe vaak gezegd,' zei Lainey. 'Ik heb hem gezegd dat ik niet van plan was te blijven als hij niet stopte met drinken, niet stopte met hele nachten wegblijven.'

'Je hebt hem vaak genoeg gewaarschuwd,' zei Kristin instemmend.

'Ik was niet meer dan een voetveeg voor hem, iemand die voor hem kookte, zijn bed warm hield. Ik heb geprobeerd met hem te praten, maar dat heeft geen zin. Hij luistert niet. Waarom zou hij? Hij weet alles al.'

'Niemand neemt het je kwalijk dat je bent weggegaan.'

'Ik heb gedaan wat ik kon om hem gelukkig te maken. Ik heb nooit gezeurd dat hij een betere baan moest zoeken, ik heb nooit geklaagd over geld, hij mocht van mij met Jeff uitgaan wanneer hij wilde. Ik wilde alleen dat hij op een fatsoenlijk tijdstip thuiskwam. Maar soms kwam hij pas om drie uur, vier uur 's morgens thuis. En misschien kan het jou niet schelen hoe laat Jeff thuiskomt...'

Kristin wilde haar onderbreken, maar Lainey was nog niet uitgesproken.

'... maar wij hebben twee kinderen, twee kinderen die niet

midden in de nacht wakker horen te worden omdat hun vader te dronken is om zachtjes te doen.'

'Het kan niet gemakkelijk voor je zijn geweest,' zei Kristin.

'Gemakkelijk?' herhaalde Lainey. 'Onmogelijk, zul je bedoelen.'

'Je hebt je best gedaan. Je hoeft je nergens schuldig over te voelen.'

'Wie zegt dat ik me schuldig voel?' snauwde Lainey. 'Ik voel me helemaal niet schuldig. Ik ben boos. Gefrustreerd. Bang. Die man is gestoord. Hij heeft gisteren zulke nare dingen gezegd. Dat kun je je niet voorstellen.'

Kristin knikte en dacht aan de scheldkanonnade die haar moeder op haar had afgevuurd toen die meer dan tien jaar geleden Ron boven op haar had aangetroffen; de woorden waren zo dodelijk geweest als een kogel en voelden aan alsof ze gisteren waren gezegd. Lainey had gelijk: ze kon het zich niet voorstellen, want ze hóéfde het zich niet voor te stellen.

'En nu maakt hij zich opeens druk om de kinderen? Wat een gelul! Hij heeft nooit naar ze omgekeken,' zei Lainey. 'Vanaf de allereerste dag niet. Ik kan me niet meer herinneren hoe vaak hij wel niet heeft gezegd dat hij ze nooit heeft gewild, dat ik ze heb gebruikt om hem tot een huwelijk te strikken, dat ik expres zwanger ben geworden, ook al was hij degene die weigerde een condoom te gebruiken. Maar dat was Tom. Het was nooit zijn schuld. Niets was zijn verantwoordelijkheid. Het was allemaal mijn schuld. Jemig, als het kon, zou hij me nog de schuld geven van Afghanistan.' Ze veegde de tranen die over haar wangen rolden weg. 'Hij heeft zelfs een keer gezegd dat hij dacht dat de kinderen niet van hem waren. En nu ziet hij zich opeens als vader van het jaar? Nu schreeuwt hij opeens dat ik zijn kinderen niet mag afpakken, dat hij nog liever zijn baan opzegt eer hij me een cent alimentatie betaalt, dat we allemaal kunnen omkomen van de honger wat hem betreft? Klinkt dat als een man die van zijn kinderen houdt?'

'Hij is boos en overstuur. Als hij eenmaal kalmeert...'

'Hij kalmeert niet. Hij wordt niet redelijk,' zei Lainey, en ze slaakte een geweldige zucht. 'Het is gewoon Tom.'

'Wat wil je dat we doen?' vroeg Kristin na een lange stilte.

'Ik wil dat Jeff met hem gaat praten. Hij is de enige naar wie Tom luistert, de enige die kans maakt om tot hem door te dringen.'

'Volgens mij heeft hij dat al geprobeerd.'

'Dan moet hij het opnieuw proberen. Nog beter zijn best doen.'

Kristin knikte.

'Mijn vader wil dat hij voor het einde van de week het huis uit is,' zei Lainey, 'anders geeft hij hem aan.'

'Dat is misschien niet zo'n goed idee,' waarschuwde Kristin. 'Misschien moet je hem iets meer tijd geven om aan alle ontwikkelingen te wennen.'

Lainey schudde heftig het hoofd. 'Volgens mijn advocaat wordt Tom alleen maar stelliger als we de boel rekken, bovendien versterkt het zijn juridische positie. Iets met het scheppen van een precedent, of zo. Ik heb het niet helemaal begrepen...' Ze legde haar handen in haar schoot, knikte een keer en daarna nog eens alsof ze zichzelf probeerde te overtuigen. 'Nee, Tom moet weg. Jeff moet hem overhalen een flatje te zoeken.'

'Kan Tom dat betalen?' vroeg Kristin voorzichtig. 'Heeft hij genoeg geld om de huur en borg te betalen?'

'Hij heeft genoeg geld om elke avond aan de boemel te gaan, of niet?' Lainey barstte in tranen uit en begroef haar gezicht in haar handen.

Kristin schoof wat dichterbij en sloeg haar arm om Lainey heen. Ze verwachtte dat Lainey haar zou afwijzen of van zich af zou schudden, maar in plaats daarvan greep Lainey haar om haar middel vast en duwde ze haar gezicht wild snikkend tegen Kristins borst.

'Het geeft niets. Het komt wel goed,' zei Kristin zacht. 'Ik zal wel met Jeff praten.'

'Is Jeff er ook?' vroeg Will aan de aantrekkelijke, jonge receptioniste achter de balie van Elite Fitness. Hij was buiten adem van de steile trap en glimlachte onbehaaglijk toen hij om zich heen keek of hij zijn broer zag. Misschien moet ik me aanmelden voor een paar sessies, mijn conditie wat opbouwen, dacht hij, terwijl hij naar een paar mensen keek die gewichten aan het heffen waren en naar een trainer in een mouwloos, grijs T-shirt die twee vrouwen opdracht gaf een serie opdrukoefeningen te doen. Waar was Jeff?

'Die is er vanmorgen helaas niet,' zei Melissa.

'Hoe bedoel je, hij is er niet?'

Melissa staarde hem nietszeggend aan.

'Maar hij moet er zijn,' drong Will aan. 'Zijn baas belde vanmorgen om hem te vragen vroeg te komen. Hij was zo snel weg dat hij zijn portemonnee is vergeten.' Will hield de portemonnee omhoog alsof dat het bewijs was dat ze het mis had.

'Ik weet niet wat ik je verder kan zeggen,' zei Melissa, en ze keek naar de man in het mouwloze, grijze T-shirt. 'Jeff heeft zich vanmorgen ziek gemeld. Geloof me, Larry was er niet blij mee.'

'Jeff heeft zich ziek gemeld?'

'Ik heb hem zelf aan de lijn gehad.'

'Maar dat slaat nergens op.'

'Misschien moet je niet zo hard praten,' waarschuwde Melissa. 'Je wilt Jeff vast niet in moeilijkheden brengen.'

'Is er iets aan de hand?' riep Larry, tussen de twee vrouwen die nu op hun rug fietsbewegingen aan het maken waren.

'Wat? Nee, hoor. Niets aan de hand,' zei Will, die zijn broers afwezigheid nog steeds probeerde te begrijpen. 'Ik had gehoopt dat Jeff er was.'

'Wij allemaal. Als het goed is, komt hij vanmiddag weer'.

Will gaf de portemonnee aan de receptioniste. 'In dat geval, kun jij hem deze misschien geven als hij komt...'

'Natuurlijk.'

Wat was er aan de hand, vroeg Will zich af, en de geur van versgebakken brood viel hem niet eens op toen hij de trap afliep en naar buiten ging. Waar was Jeff en waarom had hij gelogen?

Drie dingen wist hij zeker: iemand had om halfzeven die ochtend gebeld; Jeff was kort daarop verdwenen; hij was niet naar zijn werk gegaan.

Waar was hij dan?

Er was maar één logische verklaring, concludeerde Will, terwijl hij snel over straat liep: Tom.

Tom had natuurlijk gebeld met dezelfde gestoorde praat als gisteravond, en Jeff was snel naar hem toe gegaan om hem te kalmeren. Hij had Kristin en Will niet gezegd waar hij naartoe ging, omdat hij hen niet ongerust wilde maken. Of misschien had Tom hem gevraagd om niets te zeggen, omdat hij Will er niet bij wilde hebben. Hij wilde alleen Jeff.

Net zoals Lainey een paar uur later langs was gekomen. Ook zij wilde alleen Jeff.

Iedereen wilde altijd Jeff.

Plotseling kwam het beeld van een mooie, jonge vrouw met diepblauwe ogen en wegtrekkende kneuzingen in haar gezicht in hem op. Hij glimlachte, probeerde haar aandacht te trekken, maar ze keek langs hem heen. Enkele seconden later zag Will Jeff uit de schaduwen van zijn gedachten komen om zijn gespierde armen om haar heen te slaan. En weer een moment later zag hij hoe ze zich gewillig overgaf aan de omhelzing van zijn broer.

Will schudde het hoofd en probeerde de beelden uit te bannen.

Was het mogelijk dat Jeff, in een stomme, onbezonnen poging om Suzy voor zich te winnen, op dit moment samen met Tom op weg was om dokter Bigelow te vermoorden?

Nee, dat kon niet, hield Will zich direct voor. Zijn broer was geen moordenaar, hoeveel mannen hij in Afghanistan ook had gedood. Jeff zou zich nooit door Tom en zijn belachelijke ideeën voor diens karretje laten spannen. Will keek op zijn horloge. Tien over negen. Over een klein uurtje gingen de winkels open en moest Tom naar zijn werk. Will besloot op zijn gemak naar South Beach te slenteren en bij Tom in de Gap langs te gaan om erachter te komen wat er aan de hand was.

Hij trok zijn schouders naar achteren, haalde diep adem en begon te lopen.

Twintig over negen had Jeff zijn eieren met spek op en zat hij aan zijn vijfde kop koffie. Wat deed hij hier in vredesnaam?

Hij keek naar de ingang van het eenvoudige café. Er was de afgelopen twintig minuten niemand door de glazen deur van Fredo naar binnen gekomen. Hij zat al bijna anderhalf uur in dit overmaatse zithoekje achterin. Hij had de krant van begin tot eind gelezen. Hij had de specials op de zes borden aan de muur zó vaak gelezen dat hij ze uit zijn hoofd kende. Zijn handen trilden van alle cafeïne in zijn lijf. Het kostte hem moeite om niet op te springen en het pand uit te rennen.

Voor de tiende keer in tien minuten nam hij de gebeurtenissen van die ochtend door. De telefoon had hem wakker gemaakt uit een onaangename droom waarvan hij zich de details niet meer kon herinneren. Hij had wazig opgenomen en was pas helder geworden toen hij de bekende stem had gehoord. Nu vroeg hij zich af of het echt was gebeurd of dat hij het zich allemaal had ingebeeld. Had het bij de droom gehoord?

Maar Kristin had de telefoon ook gehoord. Sterker nog, het was Kristin die hem had wakker gemaakt, bedacht hij, en het was Kristin die slaperig zijn leugens had geslikt. Hoewel ze wakker genoeg was geweest om vragen te stellen bij het suffe verhaal dat Larry een kater had. Jezus, hij moest voorzichtiger zijn. Nee, verbeterde hij zichzelf direct. Hij zou haar de waarheid moeten vertellen.

Wát die ook was.

Daarom was hij toch hier? Om daarachter te komen?

Opnieuw wierp hij een blik op de ingang. Misschien had hij de naam niet goed gehoord. Misschien was het niet Fredo. Misschien was het een ander café met een naam die erop leek, of misschien had hij in zijn halfbewusteloze toestand het adres niet goed verstaan. Misschien was er ook een Fredo aan Federal, en zat hij in de verkeerde.

Wat deed hij hier in vredesnaam?

Jeff keek op zijn horloge en zag dat het nog geen vijf minuten later was dan de laatste keer dat hij had gekeken. Ach, zo laat was het nog niet. Het was nog niet eens halftien. Had hij hier maar niet zo belachelijk vroeg moeten komen. Hij kon op zijn minst nog een kwartiertje wachten. Het was niet makkelijk te vinden. En spitsuur in Miami was een ramp.

Hij pakte zijn mobieltje uit zijn zak, controleerde zijn voicemail, zag dat hij geen berichten had en wilde de mobiele telefoon weer in zijn zak duwen, maar zijn hand bleef halverwege hangen. Alsof deze een eigen wil had, verdween hij eerst in zijn linker achterzak, daarna zijn rechter, de linker en weer de rechter. 'Shit,' zei hij, en hij sloot zijn ogen toen hij besefte dat hij zijn portemonnee kwijt was. Hij hees zich overeind, zocht nog een derde keer in zijn zakken en achter zich op de zitting van rood vinyl voordat hij op knieën de witte tegelvloer af zocht.

'Alles goed, lekker stuk?' vroeg de serveerster, toen Jeff weer moeizaam overeind kwam. Ze was ongeveer vijftig en had een hoog, asblond kapsel waardoor ze bijna net zo lang leek als Jeff.

'Ik kan mijn portemonnee niet vinden,' vertelde hij haar schaapachtig, en hij toverde zijn meest charmante glimlach rond zijn mond.

De serveerster, met het naambordje DOROTHY opgespeld, keek hem sceptisch aan. Dat smoesje had ze duidelijk eerder gehoord.

'Ik hou je niet voor de gek. Echt niet,' zei Jeff, en hij vroeg zich af of zijn portemonnee in de auto soms uit zijn zak was gevallen. 'Toe, is het goed als ik even in mijn auto ga kijken? Ik sta hier om de hoek.'

'Je gaat er toch niet stiekem vandoor, hè, lekker stuk?' Dorothy hield haar hoofd schuin. Haar haar volgde en dreigde om te vallen.

'Nee, dat zou ik nooit doen.' Hij stak zijn hand in zijn zak en legde de mobiele telefoon op tafel. 'Als ik deze nou hier laat? Dan weet je zeker dat ik terugkom.'

'Welnee. Die kun je net zo goed gestolen hebben.'

'Ik heb hem niet gestolen. Toe, alsjeblieft. Je kunt ook met me meelopen, als je wilt.'

Dorothy bleef even staan alsof ze het serieus overwoog. 'O, ga dan maar,' zei ze uiteindelijk. 'Maar als je over drie minuten niet terug bent, kan het me niet schelen hoe knap je bent, dan bel ik de politie.'

'Ik ben over twee minuten terug.'

'En laat de telefoon liggen,' beval ze hem.

Jeff rende naar buiten. Het zonlicht viel als een flitslicht in zijn ogen en verblindde hem, terwijl de hete, vochtige lucht als een stomp in zijn gezicht aanvoelde. Even was hij zijn richtinggevoel kwijt en waande hij zich weer in Afghanistan. Een gevoel van paniek zwol op in zijn borst, scheurde door zijn lijf als een kogel. 'Wat héb jij?' vroeg hij zichzelf, toen het zweet hem uitbrak en hij zichzelf dwong een paar keer diep adem te halen. Het kwam door al die koffie, besloot hij, terwijl hij gaandeweg weer tot rust kwam en zich probeerde te herinneren waar hij zijn auto had geparkeerd. Hij nam de eerste straat rechtsaf en versnelde zijn pas toen hij zijn auto zag staan.

Snel keek hij voorin, toen achterin, op de vloer, zelfs in het dashboardkastje, voor het geval hij zijn portemonnee daarin had gestopt en het was vergeten. 'Shit,' zei hij. Hij draaide zich om en zag zijn spiegelbeeld in de glimmende buitenkant van de auto. Hij kon zich voor de geest halen dat hij in de slaapkamer een schone spijkerbroek uit de kast had gepakt en de vuile op de grond had laten slingeren... mét zijn portemonnee in de achterzak! 'Shit!' zei hij opnieuw, en hij stelde zich voor hoe Kristin de spijkerbroek had opgeraapt. Had ze zijn portemonnee gevonden? Had ze de sportschool gebeld? Of nog erger, had ze geprobeerd hem de portemonnee zelf te brengen? 'Shit!'

'Wat ga je nu doen?' vroeg Dorothy even later. 'Dat ontbijt gaat zichzelf niet betalen.'

Jeff keek naar het helder verlichte restaurant dat nog steeds halfvol mensen zat die aan het eten, praten, lachen waren. 'Ik weet niet wat ik moet doen. Zo te zien komt mijn vriendin niet opdagen...'

'Een lang meisje, donker haar, een beetje mager?' vroeg Dorothy, en Jeffs blik volgde de hare naar de andere kant van het restaurant.

Ze kwam net uit het toilet en glimlachte aarzelend toen ze hem zag. Haar mondhoeken gingen omlaag in plaats van omhoog.
'Dag, Jeff,' zei Suzy.

20

'Het spijt me dat ik zo laat ben,' zei ze verontschuldigend, toen ze zaten. 'Het duurde eindeloos voordat Dave wegging, en toen kwam ik vast te zitten in het verkeer. Heb je lang zitten wachten?'

'Niet echt,' loog Jeff. 'Ik was een paar minuutjes te vroeg, heb wat ontbeten. Weet je zeker dat je niets wilt hebben? Jij betaalt er per slot van rekening voor.'

Ze glimlachte, en de glimlach trok aan de gele plek op haar kin. 'Alleen koffie.' Ze nam een slokje alsof ze het daarmee wilde bewijzen. 'Toen ik je niet zag, dacht ik dat je geen zin had om nog langer te wachten en dat je was vertrokken. Het is maar goed dat ik even naar het toilet moest, anders hadden we elkaar gemist.'

'Nou.'

'Ik ben blij dat je hebt gewacht.'

'Waarom?' vroeg Jeff.

'Wat?' vroeg Suzy op haar beurt.

'Wat doen we hier, mevrouw Bigelow?'

Suzy huiverde bij het horen van haar naam, alsof Jeff haar in haar wang had geknepen. 'Dat weet ik niet.'

Hij bestudeerde haar, terwijl ze haar koffiekop naar haar lippen bracht en weer een slok nam. Ze had een eenvoudige, witte bloes aan en droeg haar haar in een lage paardenstaart, vastgezet met een klem met nepdiamantjes. Haar nagels waren lichtroze gelakt, ook al waren er een aantal behoorlijk afgekloven. Haar make-up verborg de meeste blauwe plekken. Jeff wilde dolgraag over tafel leunen en haar hand vastpakken, haar gezicht strelen. Het deed letterlijk pijn om haar niet aan te raken. Waarom? Zo bijzonder was ze niet. Een lang meisje, donker haar, een 'beetje mager', om Dorothy's woorden te gebruiken. O, ze was beslist mooi, maar Jeff was gewend aan mooie vrouwen. Die wierpen zich om de haverklap aan zijn voeten.

Waarom was zij anders?

Was ze zo ondraaglijk aantrekkelijk omdat ze zich juist niet aan zijn voeten had geworpen en zelfs tot twee keer toe zijn broer had verkozen boven hem? Omdat hij geen idee had wat ze van hem vond en het de vraag was of ze überhaupt een mening over hem had? Omdat ze een mysterieuze feeks en een kwetsbare verschoppelinge tegelijk was?

'Draag je altijd zwart?' vroeg ze plotseling.

'Sorry?'

'Je draagt altijd zwarte kleren, als ik je zie.'

'Heb je daarom hier met me afgesproken? Om over mijn kleding te praten?'

'Het was maar een vraag.'

'Geen bijzondere reden,' zei hij met opzet scherp. 'Ik draag zwart omdat me dat goed staat. Waarom belde je me?'

'Wie zegt dat ik jóú belde?'

Jeff liet zich achteroverzakken en deed zijn best om niet ontgoocheld te kijken. De gedachte dat ze Will had willen spreken, was niet eens in hem opgekomen. 'Wilde je zeggen dat je mijn broer belde?'

Suzy zette het kopje op het schoteltje. 'Nee,' erkende ze na een ogenblik. 'Ik wilde jou spreken.'

'En als Will had opgenomen?'

'Dat weet ik niet.'

'Zou hij hier dan zitten in plaats van ik?'

‘Nee.’

‘Waarom belde je?’ vroeg Jeff opnieuw.

‘Omdat ik je wilde zien.’

Jeff knikte, alsof vragen niet meer nodig waren, nu dit was vastgesteld.

Suzy haalde diep adem en blies de lucht langzaam uit. ‘Om misvattingen uit de wereld te helpen,’ voegde ze er even later aan toe.

‘Misvattingen?’ Jeff leunde naar voren, zette zijn ellebogen op tafel en strengelde zijn handen in elkaar. Dat klonk niet goed.

‘Gisteren, bij jou thuis. Toen heb ik het een en ander gezegd.’

‘Zoals?’

‘Dingen die ik niet had moeten zeggen.’

‘Ik kan me niet herinneren dat je betreurenswaardige dingen hebt gezegd.’

‘Jij was er niet,’ zei Suzy. ‘Het was later.’

‘Heb je iets tegen Will gezegd?’

‘En tegen je vriend uit de kroeg, ik weet zijn naam niet meer.’

‘Tom?’

Ze knikte. ‘Hij kwam langs. Was nogal overstuur. Zwaaide met een pistool. Het leek me beter om weg te gaan. Maar hij dreigde me in mijn voet te schieten, dus bleef ik.’ Ze schraapte haar keel, keek naar het plafond en toen weer naar Jeff. ‘En toen stelde ik voor dat hij in plaats daarvan mijn man maar moest neerschieten.’

Jeff knikte, zonder te laten merken dat hij dit allemaal al van Tom had gehoord. ‘Interessant voorstel.’

‘Dat is het nou juist. Ik meende het niet en ik had het nooit moeten zeggen.’

‘Maak je maar geen zorgen. Ik denk niet dat ze je serieus hebben genomen.’

‘Dat weet ik niet zeker. De blik op Toms gezicht toen ik het zei…’

‘Intens, gretig, lichtelijk gestoord?’ zei Jeff.

‘Ja. Precies.’

'Zo kijkt Tom altijd,' zei Jeff met een lachje.

Suzy leek niet overtuigd. 'Ik weet het niet, hoor. Hij was behoorlijk geestdriftig.'

'Heb je hem iets aangeboden?'

'Hoe bedoel je?'

'Geld? Seks? Een cadeaubon voor McDonald's?'

'Het is geen grapje, Jeff. Ik maak me echt zorgen.'

'Tom vermoordt je man heus niet omdat jij voorstelt dat het een leuk idee zou zijn,' zei Jeff. Als *ík* het zou voorstellen daarentegen, dacht Jeff.

'Ik weet het niet. Ik kreeg echt de indruk dat het hem wel leuk leek.'

'Het is misschien ook best leuk.'

'Zeg dat niet.'

'Wilde je beweren dat je het erg zou vinden als de brave dokter iets overkwam?'

Suzy keek de andere kant op en mompelde iets onverstaanbaars.

'Wat zeg je?' vroeg Jeff.

'Nee,' gaf ze toe, en er sprongen tranen in haar ogen. 'Eerlijk gezegd, zou ik er blij mee zijn. O god, wat afschuwelijk,' zei ze, en ze hapte naar adem. 'Ik kan niet geloven dat ik dat heb gezegd.'

'Dat je wat hebt gezegd? Ik heb niets gehoord.'

'Hoe kun je me zelfs maar aankijken? Ik ben vreselijk. Ik ben een vreselijk, vreselijk mens.'

'Je bent niet vreselijk.'

'Ik zeg je zo ongeveer dat ik zou willen dat mijn man dood was!'

'En dat is volkomen begrijpelijk gezien het feit dat hij je als boksbal gebruikt.'

'Ik heb zulke akelige gedachten,' ging Suzy ongevraagd verder. 'Dat hij ligt te slapen en dat ik dan naar de keuken ga en zo'n groot, lang mes pak en hem recht in zijn hart steek. Of dat ik zijn matras in brand steek. Of met mijn auto over hem heen rij. Soms stel ik me voor hoe fantastisch het zou zijn als iemand inbrak en hem doodschoot. Als ik in een grootmoedige bui ben, hoop ik alleen dat hij een hartaanval krijgt en dood neervalt. Ik heb zijn rouwdienst al helemaal uitgewerkt.'

Onwillekeurig moest Jeff glimlachen.

Suzy's ogen kregen een wazige blik alsof ze in de toekomst keek. 'Ik zou iedereen uit het ziekenhuis uitnodigen, al die artsen die hem zo bewonderen en die hem behandelen alsof hij een god is, en dan zou ik ze in de kapel eens zeggen dat hun god eigenlijk de duivel was. Ik zou ze eens de waarheid zeggen over hun dierbare dokter Bigelow, dat hij me martelt en slaat en verkracht...'

'Hij heeft je verkracht?' zei Jeff bijna onhoorbaar.

'En dan zou ik hem laten cremeren,' ging Suzy verder, alsof hij niets had gezegd, 'en zijn as in het dichtstbijzijnde godvergeten moeras dumpen.'

Jeff leunde over tafel en nam haar hand in de zijne. 'Die klootzak verdient het om te sterven,' zei hij.

Suzy knikte. 'Mensen krijgen zelden wat ze verdienen.' Ze trok haar hand terug en veegde haar tranen weg. 'Maar goed, ik moet jou hier niet mee lastigvallen. Het is mijn probleem, niet het jouwe.'

'Ik sta niet toe dat hij je ooit nog pijn doet,' zei Jeff.

Suzy glimlachte. 'Hoe kun je hem tegenhouden?' Ze zweeg en keek hem diep in de ogen. 'Wil je weten waarom ik je echt heb gebeld?'

Jeff knikte.

'Omdat ik steeds aan je moet denken. Omdat ik je gezicht voor me zie, wát ik ook doe. Omdat ik je niet meer uit mijn gedachten krijg sinds die eerste avond in The Wild Zone. Ik wist meteen dat je foute boel betekende. Want we weten allebei dat je gelijk had toen je zei dat ik de verkeerde broer had gekozen. Omdat ik zo naar je verlang dat ik nergens anders meer aan kan denken. Het kan me niet schelen dat ik niet méér dan een weddenschap voor je ben...'

'Dat ben je niet.'
'Het kan me niet schelen als je het de anderen vertelt...'
'Dat doe ik niet.'
'Kunnen we gaan?' vroeg ze, terwijl ze een briefje van twintig onder haar koffiekopje stopte en overeind kwam.
'Waarnaartoe?'
'Om de hoek is een motel,' zei ze.

Tom had de vrouw sinds openingstijd al met zijn blik gevolgd. Heen en weer langs alle hoekjes van de met kleding bezaaide gangpaden; haar handen gleden langs de bloemetjesbloesjes die keurig op maat aan de rekken hingen, en haar vingers controleerden de zachtheid van de stapels kleurige, velours sweaters met capuchon op de verschillende tafels. Haar ogen flitsten heen en weer om te zien of ze niets had gemist, of ze geen enkel stukje handelswaar over het hoofd had gezien.
'Is er een probleem, Whitman?' vroeg de manager, die achter Tom kwam staan.
Tom draaide zich razendsnel om, geschrokken bij het horen van de schrille stem van zijn baas. Hij haatte het als mensen hem beslopen. 'Niets wat ik niet kan regelen.'
'Wat valt er te regelen?' vroeg Carter Sorenson. Carter was amper een meter vijfenzestig en achtentwintig jaar oud. Tom had een hekel aan hem omdat hij zo klein van stuk was, omdat hij een rond brilletje droeg en een meisjesstem had. Maar Tom had vooral een hekel aan hem omdat hij jonger was dan hij en toch zijn baas was. En hij had een hekel aan zijn naam. Wat was dat nou voor naam, Carter? Carter was een achternaam, verdomme, geen voornaam. Ook al scheen Carter er blij mee te zijn, waardoor Tom dus een nóg grotere hekel aan hem had.
'Ik hou die vrouw daar in de gaten.' Tom knikte in de richting van de vrouw van middelbare leeftijd.
'Werkelijk waar?' vroeg Carter. 'Want het lijkt net of je hier gewoon een beetje niets staat te doen.'

'Lijkt dat zo?' Tom moest zich ervan weerhouden om zijn handen niet om Carters keel te leggen en zo hard mogelijk te knijpen.

'Heeft ze iets verdachts gedaan?' vroeg Carter.

'Moet je horen,' antwoordde Tom, met een glimlach die de minachting in zijn stem niet helemaal kon verhullen, 'ik ben oorlogsveteraan en dan ontwikkel je een soort zintuig voor dit soort dingen.'

'Je bedoelt dat jouw soldateninstinct je zegt dat ze een mogelijke winkeldief is?'

'In combinatie met mijn ervaring in de detailhandel zie ik dat inderdaad als stellige mogelijkheid.'

Op dat moment naderde Angela Kwan, een jonge Aziatische verkoopster met lang zwart haar en een irritant vrolijk karakter, de vrouw en vroeg of ze haar kon helpen.

'Ja, graag,' zei de vrouw dankbaar. 'Ik sta al een tijdje te wachten, maar jullie hadden het allemaal zo druk.' Ze wierp een blik op Tom, alsof ze wilde zeggen: behalve die man daar. Hij stond daar maar.

'Misschien moet je de bewaking maar even laten voor wat die is en in plaats daarvan klanten helpen,' stelde Carter voor. Het sarcasme droop van zijn iele stem. 'Die heren daar kunnen vast hun voordeel doen met jouw expertise.' Hij wees naar twee tienerjongens die de winkel net waren binnengekomen.

'Komt voor elkaar,' zei Tom. 'Eikel,' voegde hij er zachtjes aan toe, toen hij wegliep. 'Kan ik jullie ergens mee helpen?' vroeg hij de pukkelige pubers. Als hij ergens een nóg grotere hekel aan had dan aan vrouwen van middelbare leeftijd, dan was het wel tienerjongens. Beide groepen dachten dat ze alles wisten.

'We kijken alleen even,' zei een van de jongens lachend, en hij blies een bel kauwgom tot hij knapte. Tom dacht dat hij het woord 'loser' hoorde toen ze naar achteren liepen. Hij moest zich bedwingen om niet achter ze aan te rennen en ze tegen de grond te meppen.

In plaats daarvan bleef hij een paar minuten stilstaan en voelde hij Carters blik op de rug van zijn rood met zwart geruite overhemd branden. Wat moet je, wilde hij schreeuwen. Ik heb toch gevraagd of ik ze kon helpen? Als jij denkt dat ik voor nog geen acht dollar per uur achter een stelletje tieners aan ga, dan ben je gestoord. En als je denkt dat ik bij elk wijf van middelbare leeftijd ga lopen slijmen, zoals die suffe Aziatische muts die jij zo geweldig vindt, dan kun je het schudden. Als je minimumloon betaalt, krijg je minimumresultaten. Hebben ze je dat niet geleerd op die dure school van je? Tom draaide zich om, vast van plan om Carter aan te staren tot die het opgaf.

Alleen stond Carter helemaal niet meer naar hem te kijken. Sterker nog, Carter was nergens te bekennen. Tom slaakte een diepe, hoorbare zucht en besloot dat het tijd was voor zijn pauze, ook al was de winkel net open. Hij liep naar de ingang, pakte een sigaret uit zijn zak en stak hem op voor hij goed en wel buiten stond.

Op het brede trottoir van Lincoln Road Mall was het nog drukker dan anders. Toeristen, dacht Tom minachtend, terwijl hij een zware trek van zijn sigaret nam. Waarom bleven die lui niet gewoon thuis? Ze waren luidruchtig en veeleisend en veel te enthousiast over alles. Hij zag een bejaard stel op de hoek op een kaart kijken, en een paar homo's staken de straat over, al ruziënd over welke kant ze op moesten. Een aantrekkelijke vrouw met een bruine huid en zilverkleurige stilettohakken slenterde langs met drie tassen van Victoria's Secret. Een van de tassen schampte langs Toms sigaret toen ze langsliep en ze keek boos achterom alsof ze dacht dat hij hem daar expres had gehouden. Stomme trut, dacht Tom. Denk je nou echt dat ik een paar stringetjes en push-upbeha's in de hens wil steken?

Wat was het toch met vrouwen? Moest hij direct in de houding springen omdat hij haar misschien in de weg zat? Het was alsof je hun gedachten moest lezen, dacht hij. Net als dat mens in de winkel – hoe moest hij nou weten dat ze hulp wilde? Was het dan zo moeilijk om het te vragen? En deze trut op hoge hakken – als hij zo nodig aan de kant moest, had ze toch ook even iets kunnen zeggen? Een beetje beleefdheid kon geen kwaad. En Lainey, verdomme. Als ze wilde dat hij vaker thuis was, als ze wilde dat hij een betrokken vader was, als ze wilde... ach, godver, wie wist wat zij wilde? Hij was verdomme geen helderziende.

Of dat meisje in Afghanistan, dacht hij, en ze verscheen als een verleidelijk beeld in een rookwolk aan de helderblauwe hemel. Had ze niet geglimlacht toen hij en een aantal andere soldaten, inclusief Jeff, haar kleine, amper gemeubileerde huis waren binnengedrongen op zoek naar de vijand? Had ze haar blik niet omlaag geslagen – het enige wat hij van haar had kunnen zien onder die stomme boerka – en koket gegiecheld. Als dat geen uitnodiging was... Hoe had hij moeten weten dat ze nog maar veertien was? Hoe moest hij weten dat ze 'nee' zei, als ze weigerde Engels te spreken?

Het was verdomme niet eens zijn idee geweest. Het was die achterlijke Gary Bekker. 'Zullen we eens van deze verboden vrucht snoepen?' had Gary gezegd, toen ze wilden vertrekken.

'Ik niet,' had Jeff direct geantwoord. 'Kom, Tom. We gaan.'

'Is dat zo, Tommy? Heb je Jeffs toestemming nodig om plezier te maken?' had Gary treiterend gezegd. 'Wat is dat met jullie twee? Hebben jullie samen iets waar wij niets van weten?'

'Kom, Tom,' had Jeff gezegd, die weigerde zich te laten opnaaien.

'Ga maar, als je wilt,' was Toms antwoord geweest. 'Ik heb wel zin in iets lekkers.'

'Shit,' zei hij nu, en hij probeerde het verwrongen gezicht van het meisje met een laatste trek van zijn sigaret te verdringen. Hij had naar Jeff moeten luisteren. Dan was hij niet oneervol terug naar huis gestuurd. Dan zou defensie voor zijn opleiding hebben betaald. Dan had hij een diploma kunnen halen en net als Jeff privétrainer kunnen worden en goed geld kunnen verdienen, omringd door aanbiddende, schaars geklede vrouwen, in plaats van te moeten zwoegen onder een eikel als Carter Sorenson in de Gap tegen minimumloon. Zijn uitspatting met die trut was hem duur komen te staan.

En ondanks al haar gejammer had hij kunnen merken dat ze stiekem van elke seconde had genoten.

'Tom?' riep een bekende stem halverwege de straat.

Tom keek om een groep jonge vrouwen heen die in oostelijke richting liep. De brunette had een lekker kontje, dacht hij, toen Wills gezicht plotseling in beeld kwam. Shit. Alsof vandaag al niet waardeloos genoeg was. Wat deed híj hier?

'Blij je te zien,' zei Will. 'Ik wist niet zeker of je hier zou zijn.'

'Waar moet ik anders zijn?' Tom trapte zijn sigaret op de stoep uit en keek door samengeknepen ogen tegen het felle zonlicht naar Jeffs broertje. In zijn witte overhemd en bruine broek was hij een wandelende reclame voor de Gap, dacht Tom hatelijk.

'Is Jeff in de buurt?'

'Wat zou Jeff hier moeten?'

'Heb je hem vandaag niet gezien?' vroeg Will, en hij negeerde Toms vraag.

'Had dat gemoeten, dan?'

'Vanmorgen vroeg belde er iemand. Was jij dat niet?'

'Nee, dus,' zei Tom, en hij hield verder zijn mond.

Will wipte van zijn ene voet op zijn andere. 'Jeff zei dat het zijn baas was die hem vroeg om eerder te beginnen.'

'Waarom vraag je dan of ik het was?'

'Omdat hij niet op zijn werk is. Kennelijk heeft hij zich ziek gemeld.'

Tom haalde zijn knokige schouders op, ook al was zijn nieuwsgierigheid gewekt. Hij was niet van plan om dat Will te laten merken.

'Hij heeft zijn portemonnee thuis laten liggen.'

Tom glimlachte en nam in stilte de situatie in zich op. Iemand had Jeff vanmorgen vroeg gebeld en Jeff was zó haastig vertrokken dat hij zijn portemonnee had vergeten. Hij had gelogen over waar hij naartoe ging. Interessant, dacht Tom. Eén ding is in elk geval duidelijk: als Jeff niet was waar hij zei dat hij was, dan was hij waar hij wilde zijn. En dat kon maar één ding betekenen: een vrouw.

'Heeft hij tegen jou gezegd of hij vanmorgen ergens naartoe moest?' drong Will aan.

'Denk je dat ik jou dat zou vertellen?' zei Tom koeltje.

'Hoor eens, ik wil me nergens mee bemoeien als het mijn zaken niet zijn...'

'Werkelijk waar?' onderbrak Tom hem met Carters woorden. 'Want het lijkt erop alsof je dat dus wel doet.'

'Ik maak me een beetje zorgen. Het is niets voor Jeff...'

'Het is juist precies Jeff.'

'Oké,' gaf Will toe. 'Jij kent hem beter dan ik.'

'Reken maar.'

'Nou, als jij hem dan zo verdomd goed kent,' zei Will afgemeten, 'waar is hij dan?'

Tom merkte dat hij zijn vuisten balde. Hij wilde niets liever dan het rotbroertje eens flink op zijn neus timmeren. In plaats daarvan pakte hij nog een sigaret. 'Denk zelf eens na,' zei hij spottend, terwijl hij de sigaret opstak en diep inhaleerde. 'Jeff liegt tegen jullie beiden en tegen zijn baas. Waarom? Wat maak je daaruit op?'

'Dat hij misschien in moeilijkheden is.'

Tom lachte. 'Leren ze je aan die universiteit van jou om het meest voor de hand liggende te negeren?'

'Als jij het me nou eens uitlegt.'

'Weet je zeker dat je het wilt horen?'

'Ik weet zeker dat je het me wilt vertellen.'

'Hij is bij een meisje,' zei Tom.

'Een meisje,' herhaalde Will.

'En niet zomaar een meisje,' ging Tom verder, en hij blies een rookwolk in Wills gezicht. 'Hoeveel durf je erom te verwedden dat hij bij die Granaatappel is?'

'Wat? Je bent gek.' Will dacht aan de middag die hij met Suzy had doorgebracht, de uren vol zachte kussen en tedere strelingen.

'Ga maar na,' zei Tom. 'Wie zou hem anders zo vroeg bellen en waarom zou hij erover liegen?' Hij zweeg om de vragen tot

Will te laten doordringen. 'Geef het op, broertje. Hij is bij je vriendin. Het hemd is dan wel nader dan de rok, maar niet als het om een lekker poesje gaat.' Hij lachte. 'Shit man, je zou je gezicht eens moeten zien.'

Tom stond nog steeds te lachen, toen Will zich omdraaide, wegrende en opging in een groep naderende toeristen.

21

Het duizelde Jeff toen hij de moteldeur achter hen dichtdeed. Hij had het gevoel alsof hij de hele ochtend pure whisky had zitten drinken in plaats van koffie. Alsof iemand hem drugs had gegeven waardoor alles veel heftiger en intenser voelde en leek. Hij stak zijn hand uit om zich tegen de muur in evenwicht te houden. Suzy stak direct haar hand in de zijne, haar lichaam vouwde zich om het zijne, hij voelde haar warme adem in zijn hals.

Het was donker in de kamer omdat de zware gordijnen alleen een paar koppige straaltjes zonlicht doorlieten. Jeff zag de contouren van een ronde tafel en twee stoelen bij het raam, een ladekast met een tv tegen de muur, een staande lamp ernaast, een kingsize bed dat het grootste deel van de kamer in beslag nam, met daarachter een badkamer. Heel eenvoudig, dacht hij. Bijna ordinair. Als hij zijn portemonnee niet had vergeten, hadden ze een kamer kunnen nemen in zo'n mooi boetiekhotelletje in South Beach, en de hele dag kunnen vrijen tussen helderwitte lakens, en in een bubbelbad kunnen liggen met geurende badoliën, misschien zelfs onder het genot van een glas champagne. Ze verdiende beter, vond hij, en dat wilde hij haar geven. Hij wilde haar kussen en alles goedmaken, haar laten zien dat niet alle mannen beesten waren, dat ze teder en aardig en liefdevol konden zijn. Hij besefte dat hij voorzichtig moest zijn, dat hij haar geen pijn moest doen, omdat ze al genoeg pijn had gekend, en hij wilde niet de oorzaak zijn van meer verdriet.

'Maak je geen zorgen,' hoorde hij haar zeggen. 'Ik breek niet.'

En toen voelde hij haar lippen op de zijne, met zo'n intensiteit dat hij het gevoel kreeg dat hij weer veertien was en de beste vriendin van zijn stiefmoeder hem inwijdde in de wonderen van het vrouwelijke lichaam, hem liet zien waar hij zijn trillende handen moest leggen, hoe hij zijn gretige mond het beste kon gebruiken. Al die middagen dat zijn stiefmoeder de kleine Will bij zijn huiswerk hielp, had ze geen idee dat Jeff ook hard aan de studie was met een aantal belangrijke levenslessen.

Of misschien ook wel. Misschien had het haar gewoon niet kunnen schelen.

Wanneer had een vrouw voor het laatst echt om hem gegeven?

'Ik wil je geen pijn doen,' mompelde Jeff, toen Suzy zijn handen naar haar borsten leidde.

'Dat doe je niet.'

Hij voelde haar kleine, meisjesachtige borst in zijn hand en kreunde luid, sloeg zijn andere arm om haar smalle taille en duwde zijn rechterbeen tussen haar benen. Samen vielen ze op het bed. Zonder zijn lippen van de hare te halen, ging hij heel voorzichtig verder, maakte de knoopjes van haar bloes los en schoof de zachte stof opzij. 'Je bent zo mooi,' fluisterde hij. Zijn ogen waren nu gewend aan het donker en hij zag haar duidelijk, terwijl zijn vingers behoedzaam over het kostbare kant van haar beha gleden, moeiteloos de voorsluiting vonden en openmaakten zodat haar borsten zichtbaar werden. Ze kromde haar lichaam en bracht haar tepels naar zijn lippen.

Algauw lagen ze naakt naast elkaar en ontdekten ze elkaars lichaam alsof ze voor het eerst de liefde bedreven. En later, toen hij zijn hoofd tussen haar benen begroef, toen hij haar teder onderzocht met zijn tong, schreeuwde ze het uit, greep ze hem bij zijn achterhoofd vast, duwde zijn tong nog harder tegen zich aan totdat haar lichaam hevig schokte en ze tegelijkertijd moest lachen en huilen.

En daarna rolde ze hem op zijn rug, trok ze een spoor van zijn borst naar zijn kruis met een serie zachte kussen. Ze nam hem in haar mond en bracht hem langzaam, maar ervaren op de rand van een climax. Hij trok zich los uit haar mond, drong snel bij haar binnen en hun lichamen gingen volmaakt samen, terwijl ze elkaar stevig vasthielden; elke streling een kloppende, woeste mengeling van verrassing en vertrouwdheid. Jeff had het gevoel dat hij met een vreemde vrijde die hem op de een of andere manier al zijn hele leven kende.

Toen het afgelopen was, lagen ze stilletjes in elkaar armen. 'Hoe voel je je?' vroeg hij na een paar minuten. 'Ik heb je toch geen pijn gedaan, hè?'

'Je hebt me geen pijn gedaan,' antwoordde ze, en ze kuste zijn borst. 'Je bent een geweldige minnaar.'

'Ik was niet aan het vissen, hoor,' zei Jeff oprecht.

'Dat weet ik, maar ík wel.' Ze leunde op een elleboog en giechelde als een tienermeisje. 'Was ik goed?'

Jeff schoot in de lach. 'Wil je dat echt weten? Je was fantastisch.'

Suzy grijnsde van oor tot oor, haar blijdschap zelfs in het donker duidelijk. 'Weet je, ik was bijna vergeten hoe het is. Meestal lig ik daar maar en wacht tot Dave klaar is.'

Jeff zei niets. Hij wilde niet aan Suzy denken met een ander.

'Dave houdt er niet van om... met zijn mond...'

'Dan is hij een sukkel én een klootzak,' antwoordde Jeff.

Suzy slaakte een zucht en kroop dichter tegen Jeff aan. 'Ga je iemand vertellen wat er is gebeurd?'

'Nee.'

'Zelfs je broer niet?'

'Nee. Nog niet.'

'En Kristin?'

'Wat is er met Kristin?'

'Ga je het haar vertellen?'

'Nee,' zei Jeff.

'Waarom niet?' vroeg Suzy. 'Ik dacht dat jullie zo'n open relatie hadden.'

'Dit is anders,' zei Jeff, ook al wist hij niet goed hoe. Of waarom.

'Vertel me eens over haar.'

'Over Kristin? Waarom?'

'Gewoon nieuwsgierig. Vertel eens iets over haar. Behalve dan dat ze bloedmooi is.'

'Behalve dat ze bloedmooi is,' herhaalde Jeff, 'weet ik het echt niet.'

'Hoe bedoel je, je weet het niet? Je woont met haar samen.'

'Kristin is nogal gereserveerd. Ze laat mensen niet zo snel toe,' zei Jeff, al besefte hij dat hij het ook nooit echt had geprobeerd. Zelfs in bed was ze een beetje afstandelijk, bedacht hij. O, ze maakte de juiste bewegingen, zei de juiste dingen, maar toch ontbrak er iets. En ze deed wel of ze zoveel lef had, maar toch nam ze zelden het initiatief. In zekere zin deed het wel een beetje denken aan de manier waarop Suzy het vrijen met Dave had beschreven. Ze lag daar maar, liet Jeff zijn gang gaan en wachtte tot het voorbij was.

'Wat zou je ervan vinden als je ontdekte dat ze het met een andere man had gedaan en jou niets had verteld?' vroeg Suzy.

'Dat weet ik niet.' Vooral verbaasd, dacht Jeff. Misschien een beetje gekwetst. En nog iets anders, besefte hij. Hij zou opgelucht zijn. 'Weet je dat Dave gisteren in The Wild Zone is geweest?'

'Wat?'

'Hij probeerde Kristin te versieren, gaf haar zijn kaartje, zei dat ze hem maar eens moest bellen.'

'Dat begrijp ik niet. Waarom zou hij...?'

'Je weet toch dat een hond zijn territorium afbakent door over de geur van een andere hond heen te zeiken? Ik denk dat jouw man in wezen hetzelfde deed.'

'Interessante vergelijking,' merkte Suzy op.

'Wat gaan we aan hem doen?' vroeg Jeff.

'Hoe bedoel je?'

'Ga je bij hem weg?'
'Hij laat me niet gaan.'
Jeff knikte begripvol en zei enkele seconden niets. 'Mijn moeder ligt op sterven,' zei hij uiteindelijk.
'Wat erg.'
'Volgens mijn zus kan het elk moment afgelopen zijn. Ze wil dat ik naar Buffalo ga.'
'Ga je dat doen?'
'Nee,' zei hij.
'Waarom niet?'
'Mijn moeder heeft me bij mijn vader gedumpt toen ik acht was. Ze zei dat ik te veel op hem leek en dat ze kotsmisselijk van me werd. De eerste jaren zag ik haar nog wel eens een enkel keertje, maar daarna helemaal niet meer. Toen ze nog gezond was, had ze geen behoefte om me te zien; ik heb geen behoefte om haar te zien nu ze ziek is. Dat zul je wel harteloos vinden.'
'Hé, ik ben degene die zei dat ze haar man dood wenste,' zei Suzy met die trieste glimlach van haar.
'We zijn een mooi stel.'
'Ik vind van wel.'
Jeff streek een paar haren uit haar gezicht. 'Ik ook.'
'Ik vind dat je naar haar toe moet,' zei Suzy.
'Wat? Waarom?'
'Omdat ik denk dat je haar moet zeggen hoe je je voelt.'
'Ik moet een stervende vrouw vertellen dat ik haar verafschuw?'
'Is dat zo?'
Jeff schudde zijn hoofd. 'Ik weet het niet.'
'Ik denk dat je naar haar toe moet,' herhaalde Suzy. 'Om daarachter te komen.'
'En ik denk dat je bij je man weg moet.'
Suzy glimlachte. 'Hoe moet ik dat doen?'
'Ik verzin wel iets,' zei Jeff.

Kristin was net de lakens aan het verschonen toen ze de voordeur hoorde. 'Will?' riep ze. 'Ben jij dat?'

'Nee, ik ben het,' zei Jeff. Hij liep de slaapkamer binnen en rook snel aan zijn vingers om er zeker van te zijn dat hij alle sporen van Suzy had weggewassen. 'Heb je mijn portemonnee ergens gezien? Ik dacht dat ik die op de ladekast had laten liggen.'

'Will heeft hem,' zei Kristin met een vragende blik op haar gezicht. 'Hij zou hem naar je werk brengen. Heb je hem niet gezien?' Was het haar verbeelding of verstrakte Jeff even, vroeg Kristin zich af. Ze duwde haar haar uit haar gezicht en stopte haar blauwgestreepte shirt in haar afgeknipte spijkerbroek, terwijl ze op zijn antwoord wachtte.

'Ik was niet op mijn werk,' gaf hij na een ogenblik toe.

'O?'

'Nee.' Weer bleef het even stil. 'Ik heb tegen je gelogen. En tegen Will. En daarna tegen Larry. Ik heb hem gezegd dat ik ziek was.'

'Waarom?' vroeg Kristin. 'Waar was je dan?'

Weer een stilte. Langer deze keer. 'Ik was bij Tom.'

'Wat? Waarom?' vroeg Kristin opnieuw, en ze keek eens goed naar Jeff. Ze kon de radertjes van zijn hersenen bijna zien werken, zien ratelen achter zijn ogen, als het binnenste van een klok. Ze luisterde hoe hij zijn leugens verklaarde met iets wat ze onmiddellijk herkende als meer leugens; dat Tom ergens van overstuur was en dat Jeff hem tot rust had moeten brengen, hem een of ander idioot plan uit zijn hoofd had moeten praten. En toen nog meer leugens dat hij haar en Will de waarheid niet had verteld omdat hij niet wilde dat ze zich zorgen maakten. 'Je liegt anders nooit tegen me,' zei Kristin, en haar zachte stem verried niets. 'Je bent er verrassend goed in.'

'Het spijt me heel erg.'

Kristin knikte, terwijl ze zijn smoesjes tot zich liet doordringen. Dachten mannen nou echt dat vrouwen zo goedgelovig waren, of kon het ze gewoon niet schelen? 'Hoe is het met hem?' vroeg ze, om het spelletje mee te spelen. 'Is het je gelukt hem een beetje te kalmeren?'

'Ja.' Jeff slaakte een zucht.

Zeker opgelucht dat ze zijn verhaal zo gemakkelijk had geslikt.

'Het heeft me wel de halve ochtend gekost,' ging hij verder, om zijn verhaal nog mooier te maken, typerend voor leugenaars. 'Hij stuiterde zo ongeveer tegen het plafond toen ik bij hem kwam. Hij is echt heel erg over de zeik vanwege dat gedoe met Lainey.'

'Ze was hier vanmorgen,' vertelde Kristin hem.

Jeff verstrakte direct. 'Lainey was hier? Waarom?'

'Ze wil dat jij met hem gaat praten.'

'Nou, kijk aan.' Hij dwong zichzelf te lachen. 'Missie al volbracht.'

'Denk je echt dat je tot hem bent doorgedrongen?'

Jeff haalde zijn schouders op. 'Wie zal het zeggen?'

'Je denkt toch niet dat hij echt iets zou doen, hè?' vroeg Kristin, en ze kon de huilende Lainey nog in haar armen voelen.

'Zoals?'

'Dat hij Lainey of de kinderen iets zou aandoen.'

'Welnee. Natuurlijk niet. Tom heeft alleen een grote bek.'

'In Afghanistan had hij niet alleen een grote bek.'

'Dat was anders.'

'Tom is dezelfde.'

'Het komt wel goed.'

'Hij heeft een pistool.'

'Nee,' zei Jeff. 'Wíj hebben zijn pistool, weet je nog?'

Kristin dacht aan Toms pistool in de bovenste la van haar nachtkastje. Het lag er dus nog. 'Hij zei dat hij er meer heeft.'

'Tom zegt wel meer.'

'En het meeste wat uit zijn mond komt is doodeng,' zei Kristin.

'Daarom heb ik je dus niet gezegd waar ik was.'

Kristin liep naar Jeff toe, sloeg haar armen om zijn nek en bracht haar lippen naar de zijne. 'Je bent lief.'

Jeff kuste haar licht en maakte zich toen los. 'Ik moet ervandoor. Ik heb Larry gezegd dat ik mijn best zou doen om vanmiddag wel te komen.'

Niks daarvan, dacht Kristin, die een lichte hint van een duur parfum op zijn huid rook en verleidelijk met haar ogen knipperde toen ze opnieuw op hem afliep. Zo gemakkelijk kom je niet van me af. 'Weet je zeker dat je niet nog een paar minuten hebt?'

'Was het maar waar.'

'Ik heb net de lakens verschoond. Ze zijn lekker fris.'

'Klinkt heel verleidelijk, maar het gaat niet.'

'We kunnen het staand doen,' plaagde Kristin. 'Om tijd te besparen. Hier tegen de muur.'

'En als Will thuiskomt en ons zo ziet?'

Kristin glimlachte. 'Dan kunnen we hem vragen mee te doen.'

Jeff liep lachend achteruit de hal in. 'Ander keertje?'

'Ik weet het niet, hoor,' zei ze neuriënd, terwijl ze de knoopjes van haar bloes losmaakte. 'Het is misschien wel nu of nooit.'

'O schat, doe me dat niet aan. Ik moet echt weg. Je wilt toch niet dat ik mijn baan kwijtraak?'

Kristin liet zich op het net opgemaakte bed vallen. 'O, goed dan, spelbreker. Ga maar naar je werk. Maar je bent me wat verschuldigd.'

'Helemaal mee eens.' Jeff liep terug naar het bed en kuste Kristins voorhoofd zacht. 'Tot straks.'

'Doei,' riep Kristin, toen Jeff de kamer uit liep. Even later hoorde ze de voordeur.

Ze bleef een paar minuten op het voeteneinde van het bed zitten en probeerde te begrijpen wat zojuist was gebeurd, wat het allemaal betekende. Jeff had tegen haar gelogen en dat was op zich al ongewoon. Hij had ook tegen zijn broer en zijn baas gelogen en had het pas bekend toen hij geen kant meer op kon. De bekentenis had uit nog meer leugens bestaan, al was het knap van hem dat hij, gezien de omstandigheden, nog met iets geloofwaardigs was gekomen. Niet iedereen was zo snel van geest als hij met zijn rug tegen de muur stond.

En het was ook niets voor Jeff om seks af te slaan, ongeacht de omstandigheden, wát voor risico het ook meebracht voor zijn baan. Was hij de laatste keer niet ontslagen omdat hij het met een cliënt had aangelegd?

En dat betekende dat er maar één verklaring was voor zijn bedrog: hij had het met iemand anders gedaan.

Een vrouw.

En niet zomaar een vrouw die hij op de sportschool of in de bar had versierd, die hij kon gebruiken en weggooien als een gebruikt zakdoekje. Geen overwinning waarover hij kon opscheppen bij de jongens. Dit was anders. Deze vrouw had een duur parfum op en was het waard om voor te liegen; wat betekende dat het méér was dan alleen seks, dat Jeff echt iets voelde voor deze vrouw, en dát was de reden waarom hij haar de waarheid niet had verteld.

De reden waarom hij het zijn broer niet had verteld was ook makkelijk na te gaan, omdat het slechts bevestigde wat Kristin al wist.

Want de naam van die reden was Suzy Bigelow.

22

Jeff besloot om lopend naar zijn werk te gaan. Het was een prachtige dag, zonnig en heet, dat wel, maar niet zo vochtig als de afgelopen weken. Bovendien voelde hij zich geweldig. Niet dat hij het fijn had gevonden om tegen Kristin te liegen. Dat was niet zo. Maar hij was opgelucht dat ze zijn verhaal over Tom zonder vragen had geslikt, en hij hield zichzelf voor dat het niet nodig was om haar de waarheid te vertellen, in elk geval niet zolang hij nog niet wist hoe het met Suzy zou gaan.

'Suzy,' zei hij hardop, en hij genoot van het gevoel van haar naam op zijn lippen. Wanneer had hij dit voor het laatst voor een vrouw gevoeld?

Had hij dit ooit voor een vrouw gevoeld?

Eerst was hij ervan uitgegaan dat zijn heftige gevoelens waren aangewakkerd door haar afwijzing, door het feit dat zijn charmes haar zo onverschillig lieten, door haar voorkeur voor zijn broer. Het feit dat ze getrouwd was, had haar alleen maar aantrekkelijker gemaakt. En toch was ze te gecompliceerd gebleken voor een eenvoudige verleiding. Sterk en kwetsbaar tegelijk, had ze zich in zijn gedachten genesteld. Zelfs vanmorgen was hij er nog van uitgegaan dat hij haar uit zijn gedachten kon bannen als hij eenmaal met haar naar bed was geweest. Maar het tegenovergestelde was gebeurd. Ze stond in zijn brein geëtst, als hiërogliefen in zijn hersenpan. Ze beheerste zijn gedachten. Hij kon niet ademhalen zonder de subtiele beweging van haar borsten tegen zijn borst te voelen.

Hij deed belachelijk, dat wist hij. Hij kende haar verdomme nog geen week. Vijf dagen! Hoe kon een vrouw die hij amper kende hem zo verteren? Ja, ze waren goed samen in bed, beter dan goed, voegde hij er snel aan toe. Misschien wel geweldig. Maar hoe ging die oude uitdrukking ook al weer? Zelfs als de seks slecht was, was het goed?

Maar het was niet alleen seks geweest, besefte Jeff. Hij had haar niet genomen, geneukt, genaaid. Bij seks ging het meestal om hem – zíjn genot, zíjn verlangens, zíjn bevrediging – maar deze keer had hij alles gedaan om háár genot te schenken, aan háár verlangens te voldoen, háár te bevredigen. Zodra ze op die motelkamer waren gekomen, had hij alles voor haar gedaan. Ze hadden de liefde bedreven, besefte hij, en hij bleef abrupt staan omdat hij voor het eerst begon te beseffen wat die uitdrukking inhield.

Maar wat betekent het dan precies, vroeg hij zich af. Hij zette zijn ene been weer voor het andere en dwong zichzelf door te lopen. Betekende het dat hij verliefd werd? 'Doe niet zo belachelijk,' hield hij zichzelf voor. Hij bleef weer staan en zag zichzelf in de grote etalageruit van een reisbureau. Wie ben jij, vroeg hij zich af, en hij bekeek de vreemdeling eens goed. Wat heb je met Jeff gedaan?

Hoe kan een man van wie niemand ooit heeft gehouden, begrijpen wat het betekent om van een ander mens te houden, vroeg zijn spiegelbeeld.

Ik weet het niet, antwoordde Jeff in stilte. Ik weet alleen dat ik vierentwintig uur per dag aan haar moet denken, en als dat liefde is, dan ben ik smoor.

'Shit,' zei hij hardop. Wat gebeurde er met hem?

'Kan ik u ergens mee helpen?' vroeg een vrouw in het reisbureau geluidloos van achter het glas. Ze stapte zijn spiegelbeeld binnen en haar grote gestalte vernietigde min of meer zijn toch al vage aanwezigheid. Ze wees naar een met de hand geschreven papier waarop enkele aanbiedingen stonden. Hij kon voor nog geen zevenhonderd dollar naar Londen, en voor bijna negenhonderd dollar naar Rome. Er stond een zevendaags arrangement naar Cancún bij voor slechts vierhonderdnegenennegentig dollar. 'Een koopje,' hoorde hij haar door het glas zeggen.

Jeff schudde zijn hoofd en wuifde de vrouw weg, ook al was het idee om Suzy mee te nemen naar een exotisch oord heel verleidelijk. Maar hoewel hij Larry misschien zover zou weten te krijgen om hem wat vakantiedagen te gunnen, en hij zelfs Kristin er misschien van zou kunnen overtuigen dat hij wat tijd alleen nodig had, betwijfelde hij of Suzy iets kon verzinnen om haar man ervan te overtuigen haar een week te laten gaan.

Tenzij Dave Bigelow niet langer in beeld was.

Ja, vast, dacht Jeff. Hij liet de etalage achter zich en versnelde zijn pas. Waar was hij in vredesnaam mee bezig?

Ik heb zulke akelige gedachten, hoorde hij Suzy zeggen. *Dat hij ligt te slapen en dat ik dan naar de keuken ga en zo'n groot, lang mes pak en hem recht in zijn hart steek. Of dat ik zijn matras in brand steek. Of met mijn auto over hem heen rij. Soms stel ik me voor hoe fantastisch het zou zijn als iemand inbrak en hem doodschoot.*

Zou hij het kunnen? Zou hij het huis van de man kunnen binnenstormen en hem in koelen bloede neerschieten? Het zweet brak hem uit toen hij de hoek om ging en de bakkerij onder Elite Fitness in beeld kwam. 'Geen schijn van kans. Je bent hartstikke gek,' zei hij hardop. Hij trok de deur open en liep de trap naar de sportschool op.

'Hé, jij daar!' zei Caroline Hogan, boven aan de trap bij de deuren naar de sportzaal, waarachter harde rock klonk. 'Waar was je vanmorgen? We hebben je gemist.'

'Gevalletje voedselvergiftiging.'

'Getver. Nou, gelukkig had Larry een vervanger voor je,' zei ze. Ze legde even haar hand op zijn arm toen ze de trap afliep. 'Hij was best goed. Afijn, beterschap. Ik moet ervandoor.'

'Prettige dag,' mompelde Jeff over zijn schouder, toen hij verder omhoogliep.

Melissa liep op hem af zodra hij de sportzaal binnenkwam. 'Deze is van jou, geloof ik,' zei ze, en ze gaf Jeff zijn portemonnee. 'Een vent die ik niet ken, bracht hem vanmorgen langs en vond het maar vreemd dat jij je had ziek gemeld. Ik hoop niet dat hij Larry's wantrouwen heeft gewekt.'

'Dat geeft niet,' zei Jeff. 'Maak je geen zorgen.'

'Voel je je goed?'

'Prima. Een stuk beter,' voegde hij eraan toe, toen Larry in de buurt kwam.

'Wat een timing,' zei Larry. 'Je volgende cliënt kan elk moment komen. Hij heeft tien minuten geleden gebeld om er zeker van te zijn dat je er zou zijn.'

'Sorry van vanmorgen,' zei Jeff verontschuldigend, en hij maakte zich klaar voor zijn uitleg. Maar Larry liep alweer weg. 'Wie is de cliënt?' vroeg hij aan Melissa.

'Een nieuwe.' Melissa keek in haar afsprakenboek, terwijl er zware stappen op de trap klonken. 'Volgens mij zei Larry dat het een dokter is,' zei ze, toen de deur openging en Dave Bigelow binnenkwam.

Will had het grootste deel van de ochtend als in een waas door de straten van South Beach gelopen. Hij was ternauwernood aan een botsing met een jonge skater op Drexel Avenue ontsnapt en was vervolgens tegen een vrouw met een stok aan gebotst die net uit het Espanola Way Art Center kwam. Ze had hem in het Spaans uitgescholden en haar stok in de lucht gestoken alsof ze hem ermee wilde slaan. Daarna was hij maar naar het prachtige Flamingo Park gelopen. Daar had hij tien minuten lang afwezig zitten staren naar de joggers op de schilderachtige paden, en nog eens vijf minuten naar een stel jongens in strakke, blauwe sportbroekjes en blote borsten die op een oefenveldje aan het basketballen waren. Toen een van de spelers hem had gevraagd of hij mee wilde doen, had hij bedankt en was hij weer vertrokken, om enkele minuten later bij een openluchtzwembad van olympische afmetingen te kijken hoe een groepje giechelende tienermeisjes een spontane synchroonzwemuitvoering verknalde.

Daarop was hij achter een groepje fietsers aan naar het Art Deco District gelopen: een vierkante kilometer volgebouwd met huizen, hotels en andere gebouwen uit de jaren dertig en veertig van de vorige eeuw in art-decostijl, die in de jaren tachtig grotendeels waren overgeschilderd in pasteltinten. Uiteindelijk was hij naar Ocean Drive gegaan, waar hij een paar minuten voor het mediterrane huis van wijlen Gianni Versace had gestaan en naar de gedetailleerde architectonische krullen had gestaard. Ondertussen had hij de libellen weggeslagen die als een formatie helikopters rond zijn hoofd hadden gezoemd. Met elke stap die hij nam waren er hagedisjes met hem meegerend, waren over de stoep en tussen zijn voeten heen en weer geschoten terwijl hij verder was gelopen zonder te weten waarnaartoe. Uiteindelijk waren de beestjes tussen de spectaculaire, maar lukraak groeiende palmbomen, varens en bloemen verdwenen. Het zuiden van Florida was per slot van rekening een jungle.

U BEVINDT ZICH IN THE WILD ZONE.

BETREDEN OP EIGEN RISICO.

Uiteindelijk was Will weer op de hoek van Espanola Way en Washington Avenue aangekomen. Hij had een tijdje in Kafka's Cyber Kafe gehangen, waar hij door een aantal onbekende internationale tijdschriften had zitten bladeren, ook al sprak hij geen Frans, Italiaans of Duits. Hij had overwogen om zijn moeder een e-mailtje te sturen op een van de talloze computers achterin, maar deed het niet. Wat moest hij haar zeggen?

Dat ze gelijk had als het om Jeff ging?

Hád ze gelijk, had Will zich afgevraagd, toen hij zijn maag hoorde rommelen en bedacht dat hij nog helemaal niet had geluncht. 'Vergeet niet om goed te eten,' had zijn moeder hem gewaarschuwd. Het waren zo ongeveer haar laatste woorden geweest voordat hij naar Miami was vertrokken. Niet: *doe Jeff de groeten.* Zelfs niet: *doe geen domme dingen.* Nee. Het was: *vergeet niet om goed te eten.* Advies dat je aan een kind geeft.

Zag iedereen hem zo?

'Een dubbele espresso, graag,' zei hij nu tegen de jongeman achter de toonbank van het Cyber Kafe.

Het was een vergissing geweest om naar Miami te komen, besloot hij. Het was een vergissing geweest om bij Jeff langs te gaan, te denken dat hij de relatie met zijn broer, die hij in geen jaren had gesproken, kon herstellen. Het was een vergissing om te denken dat hij iets had bereikt, dat hij meer was dan een leuke afleiding, meer dan een irritante herinnering aan een ongelukkig verleden. Een misvatting dat hij iets betekende voor Jeff en dat ze nu niet alleen familie waren maar ook vrienden. Niet alleen maar 'halfbroers' met alle vervelende bijklanken, alsof beide broers op de een of andere manier minder waren, alsof ze in tweeën waren gehakt en de twee helften nooit meer echt een geheel konden vormen.

Ik had niet naar Florida moeten komen, dacht hij, en hij deed zijn best om niet te denken aan Suzy in de armen van zijn broer. Had Tom gelijk?

Toen Will het café uit liep, hield hij zijn hand voor zijn ogen om ze te beschermen tegen de meedogenloze zon, en terwijl hij zonder duidelijk doel over Washington Avenue liep, stelde hij zich voor hoe Jeff en Suzy elkaar in de schaduw van elke boom omhelsden.

Hij kon moeilijk terug naar de flat. Kristin hoefde maar één blik op hem te werpen om te weten dat er iets was gebeurd. Kon hij net zo gemakkelijk tegen haar liegen als Jeff? Kon hij haar vertellen wat Tom hem had verteld?

Was er zelfs maar een kleine kans dat Tom gelijk had?

Hoe zou Kristin reageren? Zou het haar iets kunnen schelen? Zou ze met hem huilen om hun beider verraad en boos zijn omdat het allemaal zo oneerlijk was? Of zou ze het onverschillig van zich af zetten en hem zeggen dat hij het zich niet zo moest aantrekken. Het betekent niks, kon hij haar bijna horen zeggen.

Maar het betekende wel iets. Voor hem wel.

En dat wist Jeff.

En het kon hem niets schelen.

Een weddenschap is een weddenschap, zou Jeff ongetwijfeld zeggen.

Was dat echt waar het hier om ging?

'Verdomme, Jeff,' fluisterde Will zacht. Rotzak.

'Je hebt wel lef om hier te komen,' zei Jeff tegen de man voor hem. Hij zei het verrassend zacht en rustig ondanks alles wat er in zijn lijf gebeurde – zijn zenuwenuiteinden stonden in brand, zijn spieren vertrokken en deden pijn, zijn keel werd samengeknepen en zijn hart ging tekeer in zijn borstkas.

'Dan staan we quitte.' Dave Bigelow had een glimlach op zijn gezicht, terwijl hij met zijn armen over zijn brede borst gevouwen stond. Hij droeg een wit T-shirt met korte mouwen, een blauwe, nylon korte broek tot op de knieën, witte sokken en dure Nikes.

'Wat moet je?'

'Ik vond het tijd om weer eens in vorm te komen,' zei Dave. 'Je zei laatst dat je privétrainer bent. Ik heb eens rondgeneusd en goeie dingen over je gehoord, dus dat wilde ik zelf wel eens zien.'

Hoeveel weet hij, vroeg Jeff zich af. Was hij thuis geweest, had hij Suzy gesproken, de waarheid uit haar geslagen? Had hij haar vanmorgen gevolgd en haar en Jeff in het café gezien en daarna in het motel? 'Zo te zien ben je al aardig in vorm,' zei Jeff, terwijl hij naar Daves grote handen keek. Handen waarmee hij hulpeloze vrouwen slaat. Handen waarmee hij Suzy vasthoudt terwijl hij ruw bij haar naar binnen stoot. Gore klootzak, dacht hij. Ik zou je nek moeten breken. Wat hij zei was: 'Ik denk niet dat ik de juiste trainer voor je ben.'

Dave keek hem geamuseerd aan. 'Werkelijk? Hoezo?'

'Jeff...' zei Melissa waarschuwend, toen Larry dichterbij kwam.

'Iets niet in orde?' vroeg Larry.

Hoe vaak had hij dat de laatste tijd al niet gevraagd?

'Dokter Bigelow? Ik ben Larry Archer,' zei Larry, en hij stak zijn hand naar Dave uit. 'We hebben elkaar vanmorgen aan de telefoon gehad.'

'Aangenaam.' Dave schudde Larry's hand met kracht.

'Ik zie dat u Jeff al hebt ontmoet. Dokter Bigelow vroeg speciaal naar jou,' vertelde Larry hem. 'Hij zei dat hij goeie dingen over je had gehoord.'

'Helaas denkt Jeff dat hij niet de geschikte man is,' zei Dave.

Larry's snelle frons was zelfs van opzij zichtbaar. Van voren was hij helemaal uitgesproken. 'Echt waar? Waarom?'

'Ik dacht alleen dat dokter Bigelow misschien liever de baas zelf had,' improviseerde Jeff.

Larry kneep wantrouwig zijn ogen samen. 'Je doet het vast en zeker prima,' zei hij. 'Een prettige training, dokter Bigelow.'

'Ach, noem me Dave.'

'Prettige training, Dave.' Larry liep terug naar zijn cliënt aan de andere kant van de zaal.

'Weet je zeker dat je dit wilt?' vroeg Jeff aan Dave, toen Larry buiten gehoorsafstand was.

'Ga jij maar voor,' zei Dave.

Jeff moest de hakken van zijn gympen in de hardhouten vloer trappen om zichzelf ervan te weerhouden Dave aan te vallen. Eén goeie trap in zijn kruis, dacht hij, één harde tik tegen zijn nek; meer was niet nodig om hem net zo machteloos te maken als Suzy was geweest. Jeff kreeg er de zenuwen van dat die klootzak zijn handen op haar huid had gehad. Wat doe je werkelijk hier? Wat voor spelletje speel je, vroeg Jeff hem in stilte. Wát het ook was, dat kon hij ook spelen. En winnen. Wil je een training, klootzak? Die kun je krijgen. Een helse training, dacht hij, en hij glimlachte. 'Als je nou eens begint met een warming-up van een paar minuten op de loopband.'

'Als ik dat nou eens doe,' stemde Dave in, en hij stapte op het apparaat.

Lul, dacht Jeff, terwijl hij het apparaat aandeed en snel op stand 4 zette. 'Ik hoorde dat je gisteravond in The Wild Zone was,' zei hij, en hij draaide de knop naar 5 en toen 6.

'Ik wilde wel eens zien wat voor tent dat is,' zei Dave, die op zijn gemak jogde.

'En daarvoor moest je ook mijn vriendin versieren?'

Dave keek oprecht verbaasd. 'Ik weet niet waar je het over hebt.'

'Tuurlijk wel.'

Dave fronste zijn wenkbrauwen terwijl hij het probeerde te begrijpen. 'De barkeeper is jouw vriendin? Dat wist ik niet.'

Jeff zette de loopband op stand 7. 'Ik dacht dat jij gelukkig getrouwd was.'

'O, ja,' zei Dave. 'Dat ben ik ook.'

'Gelukkig getrouwde mannen proberen meestal geen andere vrouwen te versieren.'

'Heeft ze dat gezegd? Dat ik haar wilde versieren? Het spijt me dat ik die indruk heb gewekt. Dat was echt niet mijn bedoeling,' zei Dave, terwijl Jeff de knop naar stand 8 draaide. 'Wat ik me herinner is dat ze vertelde dat ze modellenwerk deed,' ging hij verder. Met een redelijk ontspannen ademhaling paste hij zijn snelheid aan. 'Toevallig ken ik een bekende fotograaf. Fotografeert alle bekende fotomodellen. Zijn foto's staan in alle bladen. Ik heb aangeboden ze met elkaar in contact te brengen, meer niet.'

'Ja, ja. Hoe bevalt dit tempo?' vroeg Jeff.

'Eitje,' zei Dave.

'Dus je kunt nog wel wat meer aan?'

'Laat maar komen.'

Jeff voerde het tempo op van 8 naar 9 en toen snel naar 10, zodat Dave een pittige zestien kilometer per uur liep. Na twee minuten begon Dave wat zwaarder te ademen. Precies, waardeloze eikel, puf maar tot je hart ermee uitscheidt. Jeff liet hem nog twee minuten hardlopen en keek toe hoe Daves gezicht van roze naar rood verkleurde en er zweetdruppeltjes langs zijn haargrens verschenen. Hij drukte pas op de UIT-knop toen hij zag dat Larry van de andere kant van de zaal naar hen keek. 'Twintig keer opdrukken,' zei hij, en hij wees naar de vloer.

Dave glimlachte en deed direct wat hem gezegd was. Hij strekte zijn benen, zakte door zijn ellebogen en duwde zich met zijn handpalmen plat op de grond weer omhoog.

'Langzamer,' zei Jeff, en hij legde een gewicht van twintig kilo op Daves rug. Als Dave meer wilde, dan kon hij het krijgen. Wat doe je hier, klootzak? Denk je dat je mij net zo makkelijk kunt intimideren als een vrouw die twee keer zo klein is? Denk je dat ik onder de indruk ben omdat je je een paar keer kunt opdrukken? Verwaand stuk ellende. 'Zak wat verder door,' zei hij hardop. 'Goed, pak deze,' zei hij, toen Dave zich voor de laatste keer had opgedrukt. Het zweet droop over Daves wangen toen Jeff hem een paar gewichten van vijftien kilo in de hand duwde en hem de opdracht gaf twee minuten lang uitstapoefeningen te doen. 'Dat is geweldig voor de hartslag, dokter. En natuurlijk voor de dijen,' zei hij, en hij zag Larry's bezorgde blik op Dave rusten.

'Goed, op je rug,' beval Jeff na twee minuten, en hij pakte een trainingsbal en legde hem tussen Daves voeten. 'Je gaat een serie van honderd crunches doen, door de bal van je voeten naar je handen te brengen.'

'Honderd?'

'Is dat te veel voor je?'

'Welnee,' zei Dave, en hij bracht zijn benen en zijn bovenlijf tegelijk omhoog en bracht de bal van zijn voeten naar zijn handen. 'Makkie.'

'Mooi. Daar krijg je een mooie platte buik van. Ik zie het begin van een zwembandje. Je wilt die welvaartsbuik vast zo lang mogelijk weghouden.'

'Volgens mij lukt me dat aardig.'

'Niet slecht,' zei Jeff. 'Hoe komt het trouwens dat een dokter met zo'n drukke baan als jij midden op de dag vrij kan nemen?'

'Ik sla mijn lunch over.'

'Waarschijnlijk geen gek idee. Langzamer. Kom iets verder omhoog. Kin naar de borst.' Klotevent. 'Dat is beter.'

'Wat heb je nog meer voor me in petto?' vroeg Dave, toen hij de crunches had gedaan.

'Tien keer heffen met de lange halter,' zei Jeff, en hij hing vier schijven aan de toch al zware halter, voor een totaal van honderd kilo. 'Zo werk je aan je hele lichaam.' Als je er tenminste niet aan onderdoor gaat, dacht Jeff. 'Hoe voelt dat? Kun je dat aan?'

'Ik kan alles aan waar jij mee komt,' zei Dave, en hij kreunde van de inspanning. Zijn inmiddels donkerrode gezicht droop van het zweet. Na tien keer pakte hij zijn knieën vast en klapte hijgend voorover.

'Neem wat water en loop met me mee,' zei Jeff, terwijl hij een oefenbal van tien kilo van de grond pakte. Zo'n leuk spelletje is het niet meer, hè klootzak?

Dave liet een papieren bekertje vollopen met ijskoud water uit de waterkoeler bij het raam en sloeg het achterover. 'Waar gaan we naartoe?'

'De trap.' Jeff wierp hem de oefenbal toe toen ze de sportzaal verlieten. 'Omlaag en omhoog. Vijf minuten.'

'Vijf minuten?'

'Tenzij je dat te veel vindt.'

Dave glimlachte, haalde diep adem en begon de trap af te rennen. 'Het ruikt hier lekker,' zei hij, en hij schoot in de lach. 'En ik ben het niet.'

'Dat is de bakkerij van beneden.'

'Die zag ik, ja. Misschien haal ik straks wel wat croissants. Kan ik morgenochtend mijn vrouw verrassen met ontbijt in bed. Denk je dat ze dat leuk vindt?'

Ik denk dat ze jou liever in de bek van een alligator ziet bungelen, dacht Jeff. 'Ben zelf niet zo dol op croissants.'

'Je weet niet wat je mist,' zei Dave met een knipoog.

'Nog drie minuten,' zei Jeff. 'Kun je niet sneller?'

'Als jij vindt dat het sneller moet, dan ga ik sneller,' zei Dave, al kwam hij na vijf minuten bijna kruipend weer boven. 'Oké. Wat nu?'

Jeff ging hem voor naar de zaal en wees naar de rekstok. 'Twaalf keer optrekken.'

'Je geeft hem een behoorlijk zware training,' merkte Larry

zachtjes op, toen Dave bij de zesde keer wild begon te slingeren. 'Hoe gaat het?' vroeg hij aan Dave. 'Maakt Jeff het je niet te zwaar?'

'Gaat prima,' wist Dave uit te brengen, en hij probeerde zijn benen in balans te houden.

'Misschien moet je het wat rustiger aan doen,' fluisterde Larry tegen Jeff.

'Larry vindt dat je het wat rustiger aan moet doen,' zei Jeff, die er plezier in begon te krijgen. 'Wat vind jij?'

'Nee hoor, het gaat prima.'

Je bent een eikel, dacht Jeff, en hij glimlachte naar Larry, terwijl Dave aan het einde van de oefening badend in het zweet bijna instortte. 'Oké. Twee series kniebuigingen met handhalters. Twintig kilo lukt wel, hè?' Hij duwde een halter van twintig kilo in Daves rechterhand, onmiddellijk gevolgd door twintig kilo in de linkerhand. 'Hoe voelt dat?'

'Prima.'

'Goed zo. Hou je rug recht. Iets verder door je knieën.'

Zodra Dave dertig kniebuigingen had gedaan, bracht Jeff hem naar een bankje om twee series van vijftig benchdips te doen met twee gewichten van twintig kilo op zijn benen, waarna hij vijf minuten voluit moest fietsen op stand 15.

'Dat lijkt me wel genoeg,' wist Dave uit te brengen, toen hij met trillende benen door Jeff naar een bank aan de andere kant van de zaal werd geleid. 'Ik moet weer aan het werk.'

Jeff keek op zijn horloge. 'De tijd is nog niet om,' zei hij geringschattend. 'Wat dacht je van wat excentrische oefeningen? We beginnen met een serie van tien met negentig kilo. Tenzij je denkt dat je dat niet aankunt...'

Dave liet zich op het bankje vallen, liet zijn hoofd tussen zijn knikkende knieën zakken en hapte naar adem.

'Gaat het?'

'Even op adem komen.'

'Neem de tijd.'

'Alles goed, hier?' vroeg Larry, die naast Dave ging staan.

Dave hief zijn hoofd op en het zweet gutste van zijn voorhoofd op zijn dijen alsof er een kan water boven zijn hoofd werd leeg gegoten. Hij zag eruit alsof hij elk moment tegen de vlakte kon gaan.

'Haal wat water voor hem,' blafte Larry tegen Jeff.

Nog geen seconde later stond Dave op en strompelde hij naar het toilet. Algauw klonk door de hele sportzaal het geluid van zijn heftige kotsen dat de rockmuziek die uit de speakers schalde bijna overstemde.

'Waar ben jij in vredesnaam mee bezig?' vroeg Larry dwingend aan Jeff.

'Hij wilde een stevige training. Die heb ik hem gegeven.'

'Je hebt hem ervanlangs gegeven, zul je bedoelen. Waar sloeg dat op?'

'Je hoorde hem toch? Hij was ervan overtuigd dat hij het aankon.'

'Jij bent degene die dat moet beoordelen. Shit. Moet je hem horen! We mogen blij zijn als hij ons niet aanklaagt.'

'Dat doet hij heus niet.'

'Hij hangt met zijn kop boven de pleepot!' Larry begon gefrustreerd te ijsberen. 'Wat sta je nou te grijnzen?'

'Ik grijns niet.'

'Hoor eens, ik heb geen zin meer in dat gezeik met jou.'

'Ik grijns niet,' herhaalde Jeff, die probeerde de lach van zijn gezicht te halen. Die klootzak verdient het, dacht hij. Met een beetje geluk kreeg hij zo meteen een hartaanval en was hij voor het einde van de dag de pijp uit.

'Je bent sarcastisch tegen cliënten,' zei Larry, 'je meldt je ziek, terwijl je overduidelijk zo gezond als een vis bent, je helpt bijna een cliënt om zeep... Wat? Hou je niet van doktors?'

'Ik kan het uitleggen.'

'Doe geen moeite. Je bent hier klaar.'

'Wat?'

'Je hebt me wel gehoord. Je bent ontslagen. Verdwijn. Ik stuur je nog wel een cheque voor je laatste loon. Maar ik wil je hier nooit meer zien.'

'Kom op, Larry. Vind je dat niet een beetje overdreven?'
'Opsodemieteren.'
Shit, dacht Jeff, en hij bleef even stilstaan voor hij naar de deur beende.
'Dag, Jeff,' fluisterde Melissa. 'Bel nog eens.'
Net toen Jeff zich omdraaide, kwam Dave uit het toilet. De dokter stak langzaam zijn hand in de lucht en wuifde met zijn vingers. Doei, zei hij geluidloos, en hij blies Jeff een kus toe.

23

Tom telde de minuten tot sluitingstijd af en zag dat Carter met een man bij de ingang stond te praten. De man was jong, niet ongewoon in een winkel als de Gap, en hij droeg een pak met stropdas, wat wel ongewoon was. Tom concludeerde dat het zo iemand was die graag jong wilde lijken, maar het niet was, graag cool wilde zijn, maar het niet was. Het laatste waar Tom zin in had was een metamorfose aan het eind van de dag. Hij probeerde zichzelf klein te maken achter een verrijdbaar rek met mouwloze zomerjurken, maar Carter was hem te snel af.

'Daar is hij,' hoorde hij Carter zeggen, en hij wees de man naar de plek waar Tom stond weggedoken.

Onwillig kwam Tom tevoorschijn. 'Kan ik u ergens mee helpen?' vroeg hij, terwijl hij nijdig naar de jongeman met viesblond, dunnend haar staarde. Daar kon geen metamorfose aan helpen.

'Tom Whitman?' vroeg de man.

Tom verstijfde. Sinds wanneer noemde een potentiële klant hem bij naam? 'Ja?'

De man haalde een grote, bruine envelop uit zijn bruine jaszak. 'Voor u,' zei hij, waarna hij zich omdraaide en wegliep.

'Wat moet dat?' riep Tom hem na.

De man verdween snel naar buiten.

Tom scheurde de envelop open, liet zijn ogen razendsnel over de inhoud glijden, van de ene zin naar de andere, niet in staat bij één bepaalde zin te blijven hangen.

'Is dat een contactverbod?' vroeg Carter, en hij leunde opzij.

'Die stomme trut.'

'Je vrouw heeft een contactverbod tegen je aangevraagd?'

'Daar gaat ze spijt van krijgen.'

'Hier staat dat je op driehonderd meter afstand moet blijven van Elaine Whitman, haar ouders en haar kinderen.'

'Míjn kinderen,' corrigeerde Tom hem.

'Tja, van wie ze ook zijn, je moet op driehonderd meter afstand van ze blijven.'

'Bekijk het maar.'

'Anders word je gearresteerd.'

'Dat kutwijf!'

'Hé, hé. Rustig aan,' waarschuwde Carter hem, en hij keek behoedzaam door de nog steeds drukke winkel. Verschillende mensen waren blijven staan. 'Straks denken de klanten nog dat je het tegen hen hebt.'

Tom verfrommelde de brief in zijn vuist en smeet de prop boos op de grond. 'Dat gaat haar mooi niet lukken.'

Onmiddellijk pakte Carter de papieren en begon de vouwen glad te strijken. 'Je kunt wel iets weggooien, maar daarmee verdwijnt het nog niet,' was zijn advies aan Tom, en hij duwde de brief in diens handen. 'Dit moet je verstandig aanpakken, hier moet je goed over nadenken.'

Tom haalde zijn telefoon uit zijn achterzak en belde Jeff op zijn werk. 'Wat sta je daar nog, eikel?' vroeg hij boos aan Carter.

Carter deed een paar stappen achteruit. 'Ik wilde alleen maar helpen,' zei hij, en hij slaagde erin gekwetst en superieur tegelijk te klinken.

'Wil je iemand helpen? Help haar.' Tom wees naar een tienermeisje met een armvol bloesjes. Carter schoot haar direct te hulp.

'Elite Fitness,' zei een jonge vrouwenstem in Toms oor.
'Geef me Jeff. Het is dringend.'
'Ik ben bang dat Jeff hier niet meer werkt.'
'Wat? Waar heb je het over?' blafte Tom. Was de hele wereld gek geworden? Wat was er aan de hand?
'Jeff werkt hier niet meer,' herhaalde de stem.
'Je bedoelt dat hij vandaag niet werkt?'
'Ik bedoel dat hij niet langer bij Elite Fitness werkzaam is.'
'Sinds wanneer?'
'Sinds een paar uur geleden.'
'Heeft hij ontslag genomen?'
'Ik ben bang dat u hem dat zelf moeten vragen.'
'En ik ben bang dat jij geen flikker weet, of wel?' snauwde Tom, en hij verbrak de verbinding. 'Shit!' Dat had híj weer! Net nu hij dringend met Jeff moest praten, was hij er niet. Hij drukte Jeffs mobiele nummer in en kreeg direct de voicemail. Hij sprak een kort bericht in. 'Waar ben je verdomme?' Daarna probeerde hij Jeffs vaste nummer. Na drie keer werd er opgenomen.
'Hallo?' vroeg Kristin aan de andere kant van de lijn.
'Ik moet Jeff spreken,' kondigde Tom zonder enige plichtplegingen aan.
'Tom?'
'Is Jeff thuis?'
'Die is op zijn werk.'
'En over welk werk hebben we het dan?'
'Sorry?' vroeg Kristin.
'Het schijnt dat Jeff niet langer bij Elite Fitness werkt.'
'Doe niet zo raar. Natuurlijk werkt hij daar.'
'Ik heb ze net gebeld. Zij zeiden iets anders.'
'Daar begrijp ik niets van,' zei Kristin.
'Dan ben je niet de enige.' Hij hing op voordat Kristin nog iets kon zeggen.

'Is er iets?' vroeg Will aan Kristin, toen ze met haar lange, blonde haar golvend over haar schouders, haar make-up kunstig aangebracht en met een paar zwarte stiletto's bungelend in haar linkerhand de slaapkamer uit kwam. De knoopjes van haar luipaardprintbloes waren open en haar borsten puilden uit haar zwarte push-upbeha.

'Volgens mij is Jeff ontslagen,' zei ze. Ze leunde naar voren om haar schoenen aan te trekken.

Will zei niets.

'Je lijkt niet verrast.'

Will aarzelde en probeerde te bedenken hoe hij haar het beste kon vertellen dat Jeff vanmorgen niet naar zijn werk was gegaan.

'Ik weet dat Jeff vanmorgen niet op zijn werk was,' zei ze, alsof ze zijn gedachten kon lezen. 'Toen hij merkte dat hij zijn portemonnee had vergeten, kwam hij thuis.' Ze vertelde hem het hele verhaal.

'Hij zei dat hij bij Tom was?' herhaalde Will, toen ze was uitgesproken.

Er viel een stilte. 'Geloof je hem niet?'

'Jij wel?'

Weer een stilte. 'Ik weet het niet.' Ze haalde haar schouders op, waardoor haar borsten op en neer deinden. 'Zijn baas geloofde hem in elk geval niet.' Afwezig woelde ze door haar haar. 'Jij bent de filosoof. Vertel me eens, Will, waarom liegen mannen? En zeg niet: omdat ze dat kunnen.'

Will wilde dat ze haar bloes dichtknoopte, zodat hij zich kon concentreren. Deed ze met opzet zo uitdagend en ogenschijnlijk nonchalant, vroeg hij zich onwillekeurig af. Of had ze echt niet door wat voor effect dat op hem zou kunnen hebben? Was hij dan zó seksloos, zó onbeduidend voor haar – voor alle vrouwen? 'Volgens mij liegen mannen om dezelfde redenen als vrouwen,' zei hij uiteindelijk.

'Hebben we het over vrouwen in het bijzonder?'

'Dat weet ik niet. Zeg jij het maar.'

Het bleef even stil.

'Waar ben je naartoe gegaan toen je ontdekte dat Jeff niet op zijn werk was?' vroeg Kristin.

'Nergens in het bijzonder.'
'Je bent de hele dag weg geweest.'
'Gewoon wat rondgelopen,' zei Will.
'Dan heb je heel wat kilometers gemaakt.'
'Er is veel te zien.'
'Maar Jeff heb je dus niet gezien.'
Will schudde het hoofd.
'Waar denk je dat hij is? We weten dat hij op dit moment niet bij Tom is.'
'Ik heb geen idee.'
'Denk je dat hij bij Suzy is?' vroeg Kristin simpelweg.
Weer een stilte, langer dan de andere.
'Denk jíj dat?' vroeg Will, en hij kaatste de vraag terug. Het was wel duidelijk dat ze die mogelijkheid allebei hadden overwogen. En ze waren duidelijk tot dezelfde conclusie gekomen.
Kristin bracht de twee helften van haar bloes bijeen en begon ze van onderen dicht te knopen. 'Ik weet niet meer wat ik moet denken,' zei ze, terwijl ze de bloes in haar korte, strakke rokje stopte en haar tas van de grond pakte.
'Wat zou je ervan vinden als het zo was?'
'Ik weet het niet. Wat zou jij ervan vinden?'
Will haalde zijn schouders op en schudde zijn hoofd.
'Nou ja, ik kan me er nu niet druk om maken, ik moet naar mijn werk. Kom je straks nog even langs?'
'Als je wilt.'
'Natuurlijk.'
'Dan kom ik.'
'Fijn.' Kristin leunde naar voren, bracht haar borsten naar Will toe en kuste hem zacht op zijn wang. 'Doei.'
Onwillekeurig moest Will glimlachen. 'Toedeloe.'

'Zo,' zei Dave, toen hij die avond rond halfzeven de hal van zijn huis binnenliep. 'Het lijkt erop dat je vriendje zijn baan kwijt is.'
Suzy worstelde om haar gezicht in de plooi te houden. Het was belangrijk om geen enkele emotie te tonen, om alle mogelijk be-

zwarende informatie te verbergen. Ze moest kalm en geconcentreerd blijven zodat ze niet te sterk zou reageren. Wát haar antwoord ook was, haar stem moest beheerst klinken, ze moest haar handen stil houden. Enige nieuwsgierigheid was wel toelaatbaar, zelfs verwacht, maar ze mocht niet te gretig overkomen. Ze moest uiterst voorzichtig te werk gaan. Eén verkeerde klemtoon kon een ramp betekenen. 'Waar heb je het over?' vroeg ze, boven het bonken van haar hart uit. Kon hij het horen, vroeg ze zich af. Kon hij het tekeer zien gaan in haar borstkas?

'Jeff Rydell,' zei Dave, en hij gooide de naam eruit alsof hij een bal was die ze moest opvangen.

Suzy dwong haar gelaatstrekken tot een vragende blik. Ze haalde haar schouders op alsof de naam haar zo weinig zei, dat hij niet herhaald hoefde te worden.

'De vent in de auto zaterdag, die op zoek was naar Miracle Mile,' vertelde Dave uitvoerig, terwijl hij haar gezicht onderzocht op het miniemste teken van herkenning. 'Die de kaart vast had.'

'Dat weet ik niet meer.'

'Natuurlijk wel. De knappe man naast de chauffeur. Veel spieren, weinig hersenen. Hoe kun je die nou zijn vergeten?'

'Ik heb niet echt opgelet...'

'Nee,' zei Dave, en hij liep langs haar heen naar de woonkamer. 'Je wilde alleen maar helpen.'

Suzy liep achter hem aan, en er raasden gedachten in allerlei richtingen door haar hoofd, alsof ze gevierendeeld werd. Waarom had hij het over Jeff, en hoe wist hij zijn naam? Had hij haar vanmorgen gevolgd? Had hij hen beiden in het café zien zitten? Had hij gezien hoe ze samen de motelkamer waren binnengegaan? Wat bedoelde hij toen hij zei dat haar vriendje zijn baan kwijt was? Waar had hij het over? Hoeveel wist hij? 'Wil je iets drinken voor we gaan eten?' vroeg ze.

'Lekker.' Hij ging op de roomkleurige bank zitten, sloeg zijn ene been over het andere, maakte zijn stropdas los en wachtte tot hij bediend werd. 'Wodka met ijs.'

Suzy liep snel naar hun vierkante eetkeuken die zonnig geel en Provençaals blauw was geschilderd. Ze smeet een handvol ijsklontjes in een glas, pakte de wodka uit de vriezer en schonk een flinke hoeveelheid in. Het kostte moeite om haar handen stil te houden. Blijf rustig en verraad jezelf niet, hield ze zich voor, terwijl ze een paar keer oefende hoe ze hem het glas gaf, in een poging haar trillende vingers tot rust te brengen. Laat niet merken dat je bang bent, zei ze tegen zichzelf, terwijl ze een paar keer diep ademhaalde voordat ze terugliep naar de woonkamer.

'Ga je me niet vragen hoe ik weet dat hij is ontslagen?' zei Dave, toen ze dichterbij kwam. Hij stak zijn hand uit.

Suzy gaf hem snel zijn drankje en zei niets.

'Ik weet het omdat ik erbij was.'

'Dat begrijp ik niet,' zei Suzy eerlijk. Waar had Dave het over?

'Weet je nog dat hij zei dat hij privétrainer was en bij Elite Fitness aan Northwest Fortieth in Wynwood werkte?'

'Nee,' loog Suzy. Geloofde hij haar? Hij beweerde dat hij het altijd kon merken als ze niet eerlijk was.

'Afijn,' ging Dave verder. Hij klopte op het kussen en gaf zwijgend aan dat ze naast hem moest komen zitten. 'Het zette me aan het denken. Die man had indrukwekkende spierballen. En ik word er ook niet jonger op. Misschien zou ik eens wat meer aan sport moeten doen, aan mijn conditie moeten werken. Ik mag mezelf niet laten gaan.'

Suzy liet zich op de lage, diepe zitting zakken en wierp een blik op de lamp op het klavervormige tafeltje naast haar. De deuk in de lampenkap was een wrede herinnering aan de manier waarop Dave met leugenaars omging. 'Waar heb je het over? Je ziet er fantastisch uit.'

Hij sloeg zijn arm om haar heen, trok haar dicht tegen zich aan en kuste haar wang hard. 'Nou, dank je wel, schat. Een man vindt het altijd fijn als hij zo'n motie van vertrouwen van zijn beeldschone vrouw krijgt.' Hij nam een slokje. 'Vooral als ze zo goed drankjes kan mixen als dit. Ben je bij je vriendin in de leer geweest?'

'Wat?'

'Die barkeeper uit The Wild Zone. Hoe heette ze ook al weer?'

'Kristin,' fluisterde Suzy, en ze voelde hoe haar hartslag versnelde. Hij speelde met haar, zoals een kat met zijn prooi speelt voordat hij hem afmaakt.

'Kristin. Die bedoelde ik. Heb je haar deze week nog gesproken?'

'Nee.'

'Nee? Waarom niet? Ik dacht dat jullie zulke goede vriendinnen waren geworden?'

'Niet echt.'

'Mooi.' Hij nam nog een slokje, leunde achterover in de kussens en deed zijn ogen dicht.

'Maak je je verhaal niet af?' vroeg Suzy onwillekeurig.

Dave deed zijn ogen open. 'Er valt verder niet veel te vertellen. Ik heb Elite Fitness gebeld, een afspraak gemaakt voor een privétraining en daar ben ik vanmiddag geweest.'

'Je bent daar geweest?'

'Is dat een probleem?'

'Nee, natuurlijk niet. Het verbaast me alleen dat je helemaal naar Wynwood bent gegaan, terwijl er hier ik weet niet hoeveel goede sportscholen in de buurt zijn.'

'Zo ver is het niet. Maar ik ga niet nog een keer.'

'Wat is er gebeurd?'

Dave haalde zijn schouders op. 'Die Jeff blijkt niet veel voor te stellen als trainer, en zijn baas was zo slim om dat in te zien.'

'Was je erbij toen hij werd ontslagen?'

'Ik zeg het je zo vaak, schatje. Mensen die mij dwarszitten, krijgen dat altijd op hun brood.'

Suzy voelde een rilling door haar lijf gaan. Ze huiverde.

'Wat is er, schatje? Heb je het koud?'

'Nee.'

'Je vindt het toch niet erg dat hij is ontslagen?'

'Waarom zou ik?'

‘Mooi zo.’ Hij leunde opzij en gaf haar een klopje op haar knie. ‘Wat eten we? Ik heb honger gekregen van al die lichaamsbeweging.’

24

De zon scheen nog steeds toen Jeff die avond om exact tien voor negen uit de taxi stapte, ook al was het dat merkwaardige licht tussen dag en nacht – intens, maar ook opvallend eentonig. Geleend licht, dacht Jeff, terwijl hij de chauffeur betaalde en de verlaten straat overstak naar de lobby van het Bayshore Motel. Een vreemde naam voor een motel dat in de verste verte niet bij een baai of kust stond. Typisch Buffalo, dacht hij, en hij keek over zijn schouder naar de taxi die wegreed. Niets was hier ooit normaal. Voor hem in elk geval niet.

Maar wat deed hij hier dan?

Hij kon zich amper herinneren dat hij het vliegtuig in was gestapt, laat staan dat hij een ticket had gekocht.

Een onverwachts beeld schoot als een bliksemschicht door zijn gedachten. Hij zag Daves gezicht verwrongen van de inspanning, Larry's gezicht vertrokken van woede, zijn eigen gezicht een en al ongeloof over het plotse ontslag. En toen de verwrongen glimlach van de dokter die hem triomfantelijk uitzwaaide. De beste had gewonnen, was de overduidelijke boodschap van die wuivende vingers. Hij was buiten spel gezet en op zijn eigen terrein wreed verslagen, dacht Jeff niet voor het eerst, zelfs niet voor de tiende keer, terwijl hij zijn vuisten balde.

Hij was de trap van de sportschool af gerend, de straat op, was de anders zo geruststellende geur van versgebakken brood die hem nu dreigde te verstikken ontvlucht, en was blijven rennen tot hij zwetend en buiten adem voor datzelfde reisbureau stond met de aanlokkelijke, handgeschreven aanbiedingen voor verre, exotische oorden. Als een klein kind met Kerstmis had hij zijn neus tegen de etalage gedrukt, en opnieuw had de vrouw in de etalage hem gewenkt. Ze had hem koffie en een glimlach met te veel tanden aangeboden. Hij had haar verteld dat hij onverwachts wat vrije tijd had en de onbedwingbare neiging voelde om op stap te gaan. Als bij toverkunst was er een enorme stapel kleurrijke folders verschenen, terwijl de stem van de vrouw verleidelijk had gesproken over de schoonheden van Barcelona, de wonderen van het oude Griekenland. En toen was er een andere stem geweest, iel en stamelend, een kinderstem eigenlijk, die verstikt van tranen – niet zijn stem, toch zeker niet zijn stem? – vertelde dat zijn moeder op sterven lag en vroeg of ze hem ook op de eerste de beste vlucht naar Buffalo kon krijgen. De bovenlip van de vrouw was als een gordijn over die tanden gevallen toen de glimlach op haar gezicht stierf, haar hand even naar de zijne gleed en iets te lang bleef liggen. 'Natuurlijk,' had ze gefluisterd. Ze zou haar uiterste best doen.

'Als ik maar een vlucht kan krijgen,' had hij gezegd.

Waarom in vredesnaam?

Hij was er duidelijk met zijn gedachten niet bij geweest, besloot Jeff nu, terwijl hij de zware, glazen deur van de lege motellobby opentrok en de veel te warme, bedompte ruimte zó snel binnenviel dat de slaperige receptionist achter de balie een stap naar achteren deed.

'Kan ik u helpen?' vroeg de jongeman, terwijl hij met zijn ene hand aan de kraag van zijn witte overhemd trok en met de andere hand naar de alarmknop onder de balie gleed. Hij was heel lang en bijna angstwekkend dun, maar zijn stem was verrassend laag. Hij had een pokdalige huid, en zijn roodbruine haar weigerde zich te laten temmen. Het groeide alle kanten op, waardoor hij er verveeld en verrast tegelijk uitzag.

'Ik heb een kamer nodig,' hoorde Jeff zichzelf zeggen, en terloops bekeek hij de saaie aquarel van wat zeilboten op de lichtblauwe muur achter de balie.

De jongeman haalde zijn schouders op en ontspande zijn hand boven de knop. 'Hoe lang bent u van plan te blijven?'

'Een nacht.'

'De airco doet het niet.'

'Ik vond het al wat warm.'

'Ik mag u korting aanbieden,' bood de jongeman ongevraagd aan. 'Zestig dollar in plaats van vijfentachtig. Wat zegt u daarvan?'

'Heel attent.'

De jongeman begon aarzelend te glimlachen, alsof hij niet zeker wist of er een spelletje met hem gespeeld werd. 'Als u nog een nacht langer blijft, moet ik u het hele bedrag in rekening brengen.'

'Ik blijf niet langer.'

'Waar komt u vandaan?'

'Miami.'

'Ik heb altijd al een keer naar Miami gewild. Ik heb wel eens gehoord dat de vrouwen daar bijzonder zijn.'

Jeff knikte en zag Suzy's zeeblauwe ogen voor zich. Hij had het gevoel dat het weken geleden was dat hij haar voor het laatst had gezien, aangeraakt. Had hij haar echt die ochtend nog in zijn armen gehouden?

'Wat brengt u naar deze contreien?' vroeg de jongen.

'Mijn moeder ligt op sterven,' zei Jeff simpelweg.

De jongeman deed een stap naar achteren alsof de dreigende dood besmettelijk was. 'Ja? Wat akelig.'

Jeff haalde zijn schouders op. 'Wat doe je eraan?'

'Niet veel, vrees ik. Hoe wilt u het afhandelen?'

Even dacht Jeff dat hij het over zijn moeder had. 'Ik weet niet...'

'MasterCard, Visa, American Express?' vroeg de receptionist.

Jeff haalde zijn portemonnee uit zijn achterzak, pakte zijn creditcard en schoof hem over de balie. Dit gebaar deed hem denken aan de drankjes die Kristin over de bar van The Wild Zone schoof. Hij keek op zijn horloge. Het was negen uur. Ik moet haar bellen, dacht hij. Ze vraagt zich vast af waar ik ben.

Misschien ook niet.

Kristin was altijd opmerkelijk vol vertrouwen over zijn komen en gaan. Het was een van haar beste eigenschappen, vond hij. Toch had hij haar moeten bellen over zijn plannen, vond hij zelf. Maar wat had hij haar kunnen vertellen, aangezien hij zelf helemaal niet had geweten – nog steeds niet goed wist – wat die plannen waren? Voor het maken van plannen was bewust denken nodig, en hij had de afgelopen week op pure adrenaline geleefd. Hoe kon hij anders de gebeurtenissen van de afgelopen dagen verklaren?

Hoe moest hij uitleggen wat hij hier in godsnaam deed?

Hij had altijd een hekel aan deze verrekte stad gehad. Hij keek naar buiten, herkende de ogenschijnlijk verlaten buurt amper, ook al stond het huis waar hij was opgegroeid net iets meer dan een kilometer verderop. Had hij de taxichauffeur daarom deze kant op gestuurd, in plaats van naar een aangenaam hotel in het centrum? 'De hoek van Branch en Charles,' had hij de donkere taxichauffeur gezegd, hoewel hij niet eens wist of het motel dat hij zich uit zijn jeugd herinnerde er nog wel was. Hij was half verbaasd dat het nog bestond. Al was het wel van naam veranderd. Niet voor het eerst waarschijnlijk.

De rest van de stad was niet veel veranderd, had hij geconcludeerd tijdens zijn rit vanaf het vliegveld. Toen de taxi het centrum was gepasseerd, had hij het toenemende gevoel van angst weggeslikt en gekeken naar de leegstaande en vervallen pakhuizen in de omliggende sloppenwijken, die geleidelijk overgingen in de rijen nette, burgerlijke huizen van de voorsteden. Hij had niet al te goed gekeken, zich bewust van de verloedering direct daarachter – een kapotte dakrand, een afbrokkelend stenen trapje, de schade van de afgelopen winter bubbelend onder de gladde beschilderde oppervlakten. De stad rook zelfs nog hetzelfde, had Jeff gemerkt toen er een lichte bries door het open raam van de taxi was gewaaid, die als kleine kiezelsteentjes in zijn poriën was gaan zitten. Hij wist dat hij overgevoelig reageerde, dat de stad waar hij een ongelukkige jeugd had gehad niet anders rook dan andere middelgrote steden in Amerika: een onaangename combinatie van natuur en industrie, aarde en beton, verloedering en vernieuwing, successen en mislukkingen. Voornamelijk mislukkingen, dacht hij nu, terwijl hij in de bedompte, nautisch ingerichte lobby liever niet ademhaalde.

'Wilt u één keycard of twee?' vroeg de receptionist, en hij gaf Jeff zijn creditcard terug.

'Eentje is prima.'

'Eentje.' De jongeman hield de plastic keycard boven zijn hoofd alsof het een trofee was. 'Deze kant op.'

Jeff liep achter hem aan de lobby uit en keek naar het slappe lijf van de jongen. Afwezig bedacht hij een reeks oefeningen die wat spieren zou kweken in de schriele armen die levenloos langs het lichaam hingen. Zoals zo vaak met mannen die onzeker waren vanwege hun lengte, had de jongen een slechte houding, zijn hoofd weggedoken tussen zijn schouderbladen alsof hij een schildpad was, alsof hij er al van uitging dat de volgende deuropening te laag zou zijn. 'Ik kan de kamer ook wel zelf vinden,' zei Jeff, en hij vroeg zich af of het wel een goed idee was dat de jongen de receptie onbemand liet.

'Ik heb toch niks beters te doen.'

Hij klinkt net als Tom, dacht Jeff, en hij beschermde zijn ogen tegen het onnatuurlijk felle licht van de avondzon, terwijl hij achter de jongeman aan langs het gebouw liep. Voor de tweede keer die dag had hij het onaangename gevoel alsof iemand een zaklamp recht in zijn gezicht scheen.

'Hebt u geen bagage?' vroeg de jongen.

Zelfs geen tandenborstel, dacht Jeff. 'Ik heb niet veel nodig.'

'De beste manier,' beaamde de receptionist, alsof hij het kon weten.

Die jongen had waarschijnlijk zijn hele leven nog geen voet buiten Buffalo gezet, mijmerde Jeff, en hij moest weer aan Tom denken. De eerste keer dat Tom Buffalo had verlaten, was om naar Afghanistan te gaan.

Ze bleven voor een donkerblauwe deur staan met een koperen nummer 9 in de vorm van een vis. 'Daar zijn we,' zei de jongeman. Hij schoof de keycard in het slot en moest dit drie keer herhalen omdat het slot niet openging. 'Hij hapert soms,' verklaarde hij, toen de deur eindelijk openging en hij het licht aandeed, zodat een kingsize bed met een blauw met zilveren sprei met gequilte golven zichtbaar werd. 'Ik dacht dat u misschien wel wat meer ruimte wilde. Ik ben zelf nogal een onrustige slaper,' zei hij, terwijl hij Jeff de keycard overhandigde. 'Zeker in deze hitte. Zal ik een raam opendoen? Het is hier een beetje muf.'

'Dat hoeft niet,' zei Jeff, al was het behoorlijk benauwd. Maar hij wilde alleen zijn. Hij wilde even liggen, nadenken over wat hij ging doen.

'Twee straten verderop zit een drogist als u een tandenborstel of deo wilt,' zei de receptionist, die in de deuropening van zijn ene voet op zijn andere wipte, 'en om de hoek zit een McDonald's, als u honger hebt.'

'Straks misschien,' zei Jeff, die kramp in zijn maag kreeg bij de gedachte aan eten.

'Ik ben Rick, trouwens. Mocht u nog iets nodig hebben...'

'Nee, maar bedankt.'

Jeff ging de kamer binnen, trapte de deur met de hak van zijn rechtervoet dicht en zag Ricks vragende gezicht verdwijnen. Had hij soms fooi verwacht, vroeg Jeff zich af. Had hij gehoopt dat Jeff hem binnen vroeg? Misschien was hij daarom zo behulpzaam geweest, had hij daarom Jeff naar zijn kamer gebracht, hem korting gegeven waar hij niet om had gevraagd en een kingsize bed dat hij niet nodig had.

Misschien voelde het joch zich gewoon alleen.

Jeff ging aan het voeteneind van het bed zitten en legde zijn handen op de blauwe en zilveren golven van de sprei. Hij zag zijn vermoeide gezicht in de grote, schelpvormige spiegel tegen de muur. Een rechthoekige tv stond rechts op een laag kastje, en in het lege scherm zag hij de woelige, groene wateren van een kolkende zee op een schilderij boven het bed weerspiegeld. Wat doe ik hier, vroeg Jeff zich opnieuw af, en hij liet zich achterover op bed vallen.

Hij keek op zijn horloge en zag dat het bijna kwart over negen was. Het had geen zin om nu nog naar het ziekenhuis te gaan, besloot hij. Het bezoekuur was ongetwijfeld afgelopen. Bovendien had hij geen puf om zijn moeder nu te zien. Zelfs in haar verzwakte toestand was hij niet tegen haar opgewassen. Hij wist niet eens in welk ziekenhuis ze lag, bedacht hij geschokt. Hij was ervan uitgegaan dat het het Mercy was, zo'n tien straten verderop, maar misschien lag ze wel ergens anders. Hij moest Ellie bellen.

Maar niet nu. Hij was kapot. Morgenochtend zou hij zijn zus wel bellen, besloot hij. Hij haalde zijn telefoon uit zijn zak en keek of hij berichten had. Hij moest lachen toen hij Tom op verontwaardigde toon hoorde vragen waar hij uithing. Ik zou het niet weten, dacht Jeff, en hij liet de telefoon naast zich vallen.

Hij deed zijn ogen dicht, voelde het gewicht van de muffe lucht als een zware deken op zijn lichaam, en luisterde naar de ventilator van de kapotte airco die aan de andere kant van de kamer tevergeefs draaide.

Even later sliep hij.

Hij droomde dat hij over de houten pier van een drukke haven liep, een reeks kostbare boten dobberend in de oceaan naast hem, lachende vrouwen in kleine bikini's die hoge glazen champagne dronken, terwijl hun echtgenoten zware ankers lichtten en de zeilen wind vingen. Boven hem cirkelde een helikopter met veel lawaai waardoor hij haar eerst niet hoorde roepen. Maar opeens stond ze daar in de schaduw van een hoge mast: zijn moeder, jong en beeldschoon, ook al kon hij zelfs op een afstand van vijftien meter een lichte afkeer in haar blik zien, alsof hij nu al iets gedaan had wat haar teleurstelde. 'Jeff,' riep ze opgewonden, en ze wuifde naar hem. 'Snel. Kom.'

En hij rende naar haar toe, maar hoe dichtbij hij ook kwam, hij moest steeds weer een boot passeren, nóg een zeil waar hij omheen moest, en nóg een, en nóg een. En opeens landde de helikopter die boven hen had gehangen en huppelde zijn moeder ernaartoe, tilde ze haar rok op en wilde ze instappen. 'Ma,' riep hij, maar ze weigerde hem aan te kijken. En toen verscheen er een muziekkorps met pukkelige jongens, en hun kopersectie en houtblazers tetterden 'The Star-Spangled Banner', terwijl zijn moeder naast de piloot ging zitten en uitgelaten lachte toen de helikopter opsteeg.

'Ma, wacht!'

Zijn moeder keek verwijtend op hem neer. 'Je lijkt precies op je vader,' zei ze.

Plotseling begon de helikopter in steeds kleinere rondjes te draaien en zijn moeders lach veranderde in kreten van paniek. Het nationaal volkslied klonk steeds harder, steeg omhoog toen de helikopter steeds ongecontroleerder begon te tollen. Jeff keek machteloos toe hoe het tegen de zijkant van een voorbijrazende wolk botste en in zee stortte.

Happend naar adem schoot hij overeind, en zweetdruppeltjes parelden op zijn voorhoofd. Naast hem klonk nog steeds de hardnekkige deun van 'The Star-Spangled Banner'. 'Jezus,' mompelde hij, zowel een gebed als een vermaning. Zijn hand gleed over de golven van de sprei naar zijn mobieltje. Waar ging dat nou weer over, vroeg hij zich af, terwijl de droom langzaam verdween en hij de telefoon openklapte. 'Hallo,' zei hij versuft, en bij het horen van zijn stem verdwenen de laatste flarden van zijn droom.

'Jeff?'

Droomde hij nog steeds?

'Jeff?' vroeg de stem opnieuw.

'Suzy?' Hij schudde zijn hoofd in een poging helder te worden.

'Is alles goed met je? Dave vertelde wat er op de sportschool is gebeurd. Ik wil je de hele avond al bellen. Ik vind het zo erg.'

'Niet nodig. Het gaat prima.'

'Je klinkt niet prima.'

'Ik ben geloof ik in slaap gesukkeld. Hoe laat is het?'

'Een uur of tien. Ik kan niet lang praten. Dave is net in slaap gevallen. Weet je zeker dat alles goed met je is?'

'Ja.'

'Als ik nou eens met je baas ga praten en uitleg wat er is gebeurd...?'
'Nee, het is wel goed.'
'Het is helemaal niet goed. Je bent je baan kwijt.'
'Het maakt niet uit.'
'Natuurlijk maakt het uit. Verdomme. Het is mijn schuld.'
'Het is helemaal niet jouw schuld,' zei Jeff.
'O, god. Het spijt me zo. Je zult wel een hekel aan me hebben.'
'Een hekel aan je hebben?' vroeg Jeff ongelovig. En voordat hij er erg in had, voordat hij besefte dat de woorden in zijn mond lagen, zei hij: 'Ik hou van je.'
Stilte.
'Suzy?'
'Ik hou ook van jou,' zei ze.
Weer een stilte, een fractie langer dan de eerste.
'Wat moeten we nu doen?' vroeg ze hem.
'Je moet bij hem weg.'
Suzy haalde diep adem en blies de lucht langzaam, bijna doelbewust uit. 'Ik weet het.'
'Nu direct,' liet Jeff haar weten. 'Nu hij slaapt. Hoor je me, Suzy? Stap in je auto en rijd naar The Wild Zone. Dan bel ik Kristin om haar te zeggen wat er aan de hand is en dan zorgt zij voor je tot ik terug ben...'
'Hoe bedoel je? Waar ben je dan?'
Hij moest bijna lachen. 'Ik ben in Buffalo,' zei hij, ervan overtuigd dat het wel een droom moest zijn. 'Ik weet niet hoe het is gegaan. Het ene moment stond ik voor een reisbureau en even later zat ik in een taxi naar het dichtstbijzijnde vliegveld.'
Als Suzy al verbaasd was, dan liet ze het niet merken. 'Daar ben ik blij om.'
'Ja?'
'Het was de juiste beslissing. Ik weet zeker dat het veel voor je moeder heeft betekend.'
'Ik heb haar nog niet gezien,' zei Jeff eerlijk. 'Ik ga morgenochtend.'

Hij voelde dat ze knikte, toen ze dit laatste beetje informatie in zich opnam. 'Het is waarschijnlijk ook beter als ik tot morgen wacht,' zei ze.

'Wat? Nee. Luister naar me, Suzy. Je moet daar nú weg. Ik ben morgenmiddag weer thuis.'

Een scherpe zucht en toen: 'Nee, sorry,' zei Suzy kortaangebonden. 'Er woont hier niemand die zo heet.'

'Wat?'

'Nee, dan hebt u zeker een verkeerd nummer gedraaid.'

En toen een andere stem, een mannenstem, helder en dreigend alsof de eigenaar van de stem pal naast Jeff zat. 'Tegen wie heb je het, Suzy?' vroeg de man, vlak voordat de verbinding werd verbroken.

'Suzy?' zei Jeff, en hij sprong overeind. 'Suzy? Ben je er nog? Kun je me horen? Shit,' riep hij machteloos, terwijl hij voor het bed ijsbeerde. 'Blijf met je poten van haar af, smerige klootzak. Waag het niet om haar aan te raken. Ik zweer je, als je haar iets doet, maak ik je af.' Hij liet zich met zijn hoofd in zijn handen weer op bed zakken. 'Ik maak je af,' herhaalde hij steeds weer opnieuw. 'Ik zweer je, dan maak ik je af.'

25

Hij besloot de politie te bellen.

'AT&T nummerinformatie,' klonk een blikkerige stem, toen hij het nummer had gedraaid. 'Welke plaats en staat?'

'Coral Gables, Florida.'

'Welke naam?'

'De politie.'

'Neemt u mij niet kwalijk,' zei de ingeblikte stem, die er zelfs in slaagde berouwvol te klinken. 'Dat heb ik niet verstaan. Welke naam?'

'Laat maar zitten,' mompelde Jeff, en hij klapte geërgerd de telefoon dicht. Stel dat hij de betreffende autoriteiten te pakken kreeg, wat wilde hij dan zeggen? Hallo, agent. Ik denk dat het verstandig is om een politieauto naar Tallahassee Drive 121 te sturen; ik ben bang dat mijn vriendin in elkaar geslagen wordt door haar man? Ja, dat zou indruk maken.

Al hoefde hij natuurlijk geen details te vertellen. Hij hoefde de politie niet eens zijn naam of de redenen van zijn vermoeden te noemen. Hij kon gewoon een bezorgde burger zijn die melding maakte van huiselijk geweld. Maar stel dat er geen sprake was van huiselijk geweld? Stel dat Dave zonder moeilijk doen het verhaal over een verkeerd nummer had geslikt? Als hij de politie waarschuwde en zij een patrouillewagen stuurden, zou Jeff Daves vermoedens juist bevestigen en Suzy's lot bezegelen.

De politie zou sowieso niet snel reageren op een anonieme tip. Ze zouden eerst details willen. Op zijn minst zouden ze willen weten met wie ze spraken, en als Jeff hun dat niet wilde zeggen, als hij weigerde enige uitleg te geven, zouden ze de zaak waarschijnlijk niet eens verder onderzoeken. Ze konden moeilijk elke vage, niet onderbouwde klacht nagaan.

Dus de politie bellen had geen zin.

Maar hij kon hier ook niet blijven zitten en niets doen.

'Kristin,' besloot hij, en hij koos haar nummer uit het geheugen en hoorde hoe de telefoon drie keer overging voordat hij de voicemail kreeg.

'Met Kristin,' klonk haar stem verleidelijk. 'Zeg me wat je wilt, dan zal ik zien wat ik voor je kan doen.'

'Verdomme,' zei Jeff, en hij hing op zonder een boodschap in te spreken. Wat had het voor zin? Hij keek op zijn horloge. Natuurlijk nam ze niet op. Het was tien uur. Ze was aan het werk. 'Wat is het nummer, verdomme?' zei hij hardop, en hij pijnigde zijn hersenen tot hij uiteindelijk opnieuw de nummerinformatie belde. 'South Beach, Florida,' vertelde hij de vertrouwde blikken stem. 'The Wild Zone.'

'Neemt u mij niet kwalijk, dat heb ik niet verstaan,' zei de stem, zoals Jeff al had verwacht. 'Welke naam?'

'Shit.'

'Neemt u me niet kwalijk, kunt u dat herhalen?'

'Nee, dat kan ik verdomme niet,' schreeuwde Jeff.

Plotseling hoorde hij een mens in de plaats van de blikken stem. 'Welke naam zei u?' vroeg de vrouw.

'The Wild Zone,' herhaalde Jeff, terwijl hij zijn vuisten balde en zijn best deed om het ongewenste beeld van Daves vuist tegen Suzy's kaak te verdringen. 'Een beetje snel, alstublieft. Het is belangrijk.'

'Is het een bedrijf?'

'Een bar in South Beach.'

Ja, hoor. Lekker belangrijk, kon Jeff de vrouw bijna horen denken. 'Ik heb het,' zei ze, na een paar seconden.

En vervolgens klonk de blikken stem weer met het juiste nummer en het aanbod om hem tegen een bescheiden vergoeding direct te verbinden. Een paar seconden later hoorde Jeff de telefoon een, twee, drie, vier keer overgaan...

'Wild Zone,' bulderde een man boven een mengeling van harde stemmen en nog hardere muziek uit.

'Ik wil Kristin spreken,' zei Jeff, en hij hoorde Elvis met 'Suspicious Minds' op de achtergrond schallen.

'Die is bezig. Kan ik iets doorgeven?'

'Ik moet haar spreken. Het is een noodgeval.'

'Wat voor noodgeval?'

'Geef me Kristin nou, verdomme.'

En toen niets. Als hij Elvis niet had horen blèren – *We can't go on together* – zou hij gedacht hebben dat er was opgehangen. Waarom duurde het zo lang?

'Hallo?' vroeg ze even later.

'Kristin...'

'Jeff?'

'Je moet iets voor me doen.'

'Is alles goed met je? Heb je een ongeluk gehad?'

'Alles is prima.'

'Joe zei dat het een noodgeval was.'

'Dat is het ook.'

'Ik begrijp het niet. Waar ben je?'

'In Buffalo.'

'Wat?'

'Het is een lang verhaal.'

'Is je moeder overleden?'

'Nee. Heb je iets van Suzy gehoord?'

'Wat?'

'Suzy Bigelow. Heb je iets van haar gehoord?'

'Waarom zou ik iets van haar gehoord hebben?'

'Omdat ik haar gezegd heb dat jij haar naar onze flat zou brengen, om haar voor haar man te verbergen...'

'Ik begrijp het niet.'

'Is dat noodgeval nou al eens over?' hoorde Jeff iemand roepen. 'Je hebt een bar vol dorstige klanten.'

'Wanneer heb je Suzy gesproken?' fluisterde Kristin in de hoorn. 'Ik dacht dat je zei dat je in Buffalo zat.'

'Zit ik ook. Hoor eens, het is ingewikkeld. Ik leg alles uit zodra ik terug ben. Maar als Suzy ondertussen naar de kroeg komt, laat Will haar dan naar de flat brengen en zeg niemand waar ze is. Goed?'

Een seconde later: 'Wil je dat ik naar je toe kom?'

'Nee, ik red me wel. Ik ben morgen weer terug.'

'Weet je zeker dat alles goed is?'

'Heel zeker.'

'Oké, dan zie ik je morgen,' zei Kristin, voordat ze ophing.

'Shit,' snauwde Jeff, en hij liet de telefoon op bed vallen. Hij kon de verwarring in Kristins stem nog horen, maar wist dat dat niet lang zou duren. Het was een slimme meid. Ze zou binnen een paar minuten doorhebben dat hij iets met Suzy had. Zou ze boos zijn of zou ze het gewoon accepteren zoals met de meeste ontwikkelingen in haar leven die ze niet in de hand had? 'Shit,' zei hij opnieuw, en hij probeerde te begrijpen wat er allemaal gebeurde. Was hij echt verliefd aan het worden? Was dit liefde: dit overweldigende gevoel van hulpeloosheid? Nadat hij een paar minuten had lopen ijsberen, duwde Jeff de telefoon weer in zijn zak en liep hij naar de deur.

Tien minuten later stond hij in de rij van de drogist om de hoek te wachten tot hij een zakje wegwerpscheermesjes, een tandenborstel, tandpasta en een verpakking met drie herenslips kon afrekenen. Hij wipte van de ene voet op de andere, probeerde in evenwicht te blijven, terwijl zijn hoofd tolde en de gebeurtenissen van de dag steeds weer opnieuw door zijn gedachten raasden als een dj die platen draait in een drukke nachtclub in Miami:

Suzy's telefoontje vroeg in de ochtend, Suzy aan de andere kant van de tafel in het café, Suzy in zijn armen in het motel, Suzy aan de telefoon zojuist, Suzy in zijn hoofd, in zijn hart.

Had hij echt tegen haar gezegd dat hij van haar hield?

Had hij het gemeend?

Ik hou van je, hoorde hij zichzelf zeggen.

'Hoeveel, zei u?' wilde een bejaarde blanke vrouw voor in de rij weten van de zwarte jongeman achter de kassa. 'Volgens mij heb je een fout gemaakt. Dit kan niet kloppen. Ga maar na.'

'Vijf dollar dertien,' herhaalde de jongen, en hij rolde met zijn ogen naar de andere wachtenden.

Ik hou ook van jou, fluisterde Suzy in Jeffs oor.

'Ik dacht dat de deodorant in de aanbieding was.'

'Dat is hij ook. Twee dollar negenentachtig. Dat is de aanbieding.'

'Het spijt me, maar dat kan niet kloppen.'

Nee, sorry, er woont hier niemand die zo heet.

'Normaal kost hij drie negenentwintig. Twee negenentachtig is de aanbieding.'

'Wat is er zo bijzonder aan?'

'Dat weet ik niet. Ik gebruik het niet.'

'Kijk nog eens. Ik weet zeker dat het niet klopt,' drong de vrouw aan.

Dan hebt u zeker een verkeerd nummer gedraaid.

De jongeman pakte een kleurige folder van achter de toonbank en sloeg hem open op de tweede bladzijde. 'Het klopt heus. Kijk maar. Het staat hier.' Hij wees naar het plaatje. 'Aanbiedingsprijs: twee negenentachtig. Wilt u het nou hebben of niet?'

'Ik heb niet veel keus, hè?' mopperde de vrouw hoofdschuddend, terwijl ze tergend langzaam gepast betaalde en daarna de plastic tas met haar aankopen uit de handen van de jongeman rukte.

Wat moeten we nu doen?

Je moet bij hem weg.

'Een pakje Marlboro,' zei de volgende klant, nog voordat de vrouw was vertrokken. Als reactie hierop keek de vrouw hem vuil aan en liep toen schuifelend de winkel uit. 'Een pakje Marlboro,' herhaalde de man, en hij schoof een briefje van tien over de toonbank.

Het is waarschijnlijk ook beter als ik tot morgen wacht.

Luister naar me, Suzy. Je moet daar nú weg.

'Kan ik u helpen?'

Tegen wie heb je het, Suzy?

'Kan ik u helpen? Neem me niet kwalijk, meneer? Kan ik u helpen?' vroeg de jongeman achter de kassa.

'Sorry,' zei Jeff, en met een schok was hij weer in de werkelijkheid en besefte hij dat hij in de rij stond.

'Drieëntwintig dollar achttien,' zei de jongeman, toen hij alles had opgeteld. Hij zich leek schrap te zetten voor een nieuwe discussie.

Jeff gaf hem dertig dollar en wachtte tot hij alles had ingepakt en het wisselgeld had uitgeteld. 'Dank je.'

'Prettige avond.'

Jeff liep naar buiten en keek naar links en naar rechts. Op de hoek stond de man van de Marlboro's onder het licht van een lantaarnpaal een sigaret op te steken. In de verte liep de oude vrouw van de betwiste deodorant in slakkengang verder, voorovergebogen alsof ze tegen de wind in liep, terwijl de plastic zak tegen haar dijen kletste. Even overwoog hij om haar in te halen en aan te bieden haar te helpen, maar dan dacht ze vast dat hij haar wilde beroven en zou ze beginnen te schreeuwen.

Een oude herinnering schoot opeens door zijn gedachten: hij en Tom die thuiskwamen na een avondje feesten, beiden met te veel op. Ze zagen een vrouw van middelbare leeftijd die haar tas tegen zich aan klemde en de straat overstak om hen te vermijden. 'Die denkt zeker dat we op haar geld uit zijn,' had Jeff lachend gezegd.

'Of haar lijf,' had Tom gezegd, en nog harder lachend. En opeens was hij de straat over gerend en had hij de vrouw tegen de grond gesmeten en de tas uit haar handen gerukt.

Wat had Jeff anders kunnen doen dan hem achternarennen? Hij had moeilijk kunnen blijven staan om de bloedende vrouw overeind te helpen. Dan was ze gaan schreeuwen en zou ze hem hebben beschuldigd van medeplichtigheid. En dus was hij zonder omkijken gevlucht. 'Had haar moeten verkrachten,' had Tom bijna weemoedig gezegd. 'Dat zou ze vast lekker hebben gevonden.' Hij had aangeboden om de tweeënveertig dollar die hij in de tas van de vrouw had gevonden te delen, maar Jeff had geweigerd en toegekeken hoe Tom de tas in de dichtstbijzijnde prullenbak had gegooid. De dagen daarna had hij in de krant gekeken of er iets over de overval stond vermeld; hij had zelfs de rouwadvertenties gelezen om te zien of de vrouw na de overval was overleden, maar had niets kunnen vinden.

Het is een wonder dat Tom en ik nooit zijn opgepakt, dacht Jeff, en hij liep terug naar het motel. Alleen sloeg hij opeens rechts af in plaats van links af, liep toen naar de overkant en ging doelbewust verder alsof hij door een magneet werd aangetrokken. Bij de volgende kruising sloeg hij links af en twee straten later nog een keer. Hij hoefde geen straatnaamborden te lezen. Hij zou het geblinddoekt hebben kunnen vinden.

Een kwartier later stond hij moe en bezweet in Huron Street voor een grijs huis van een hoog, met witte luiken en een bloedrode voordeur. Zijn vaders huis. Twee deuren verder, in het witte huis met de zwarte voordeur, had Kathy gewoond, de beste vriendin van zijn stiefmoeder die hem had verleid toen hij amper veertien was. 'Je bent een heel stoute jongen,' kon hij haar nog in zijn oor horen flemen. 'Je stiefmoeder heeft gelijk.' En toen ze naakt in haar queensize bed lagen en zij hem liet zien waar hij zijn handen moest leggen en hoe hij zijn tong moest gebruiken, had hij geluisterd naar de vreemde geluiden die ze maakte en naar de hese klank in haar stem toen ze fluisterde 'zeg dat je van me houdt,' en haar lange nagels in zijn rug zette. En hij had gedaan wat ze zei, had keer op keer gezegd dat hij van haar hield. Misschien zelfs wel gemeend, dacht hij nu, wie kon het zeggen? Maar op een dag, twee jaar na het begin van hun affaire, had er opeens een bord TE KOOP in de tuin gestaan, en enkele maanden later was dat bord vervangen door een VERKOCHT-bord, en de maand daarna was de verhuiswagen gearriveerd en was ze verdwenen. Naar Ann Arbor met haar man en twee dochtertjes, voor de nieuwe baan van haar man.

Jeff had haar nooit meer gezien.

En hij had ook nooit meer tegen een vrouw gezegd dat hij van haar hield.

Tot vanavond.

Wat heb jij toch, dacht hij nu, en hij voelde Kathy's valse lach door zijn lichaam trillen, toen zijn blik van het bovenste slaapkamerraam van haar oude huis naar het met bloemen omzoomde, betonnen pad bij zijn vaders huis gleed. Wat deed hij hier? Was hij echt van plan over het pad naar de kleine portiek te lopen en op die rode deur te kloppen? Was hij helemaal gek geworden? Wat wás er toch met hem?

Nou, nou, de verloren zoon, kon hij zijn vader bijna horen zeggen, terwijl Jeff zichzelf dwong verder te lopen. Stik, dacht hij. Het had hem veel geld gekost om naar Buffalo te komen, geld dat hij moeilijk kon missen nu hij zijn baan kwijt was. Hij had de reis voor zijn zus ondernomen, was gekomen om zijn moeder te zien die hem in de steek had gelaten toen hij nog klein was. Dan kon hij net zo goed bij zijn vader langs, die hem rond dezelfde tijd emotioneel in de steek had gelaten.

Twee voor de prijs van een, twee vliegen in een klap, dacht Jeff treurig, en hij keek naar het woonkamerraam. Hij stelde zich zijn vader en stiefmoeder binnen voor, zijn vader weggedoken in een boek, zijn stiefmoeder boven haar naaiwerk. Hoe zullen ze reageren als ze mij zien, vroeg hij zich af toen hij zijn hand ophief en aanklopte. Het geluid echode door de met bomen begroeide straat en bracht beelden van onverschilligheid en verwaarlozing boven. Jeff voelde de jaren als blaadjes langs zijn hoofd ritselen.

Er deed niemand open, ook al had Jeff het idee dat hij binnen iemand hoorde. Ga toch terug naar het motel, zei hij tegen zichzelf, toen hij nog een keer aanklopte. Hij klopte steeds harder, tot hij achter elkaar op de zware, houten deur bonkte.

Aarzelende voetstappen kwamen dichterbij. 'Wat is er?' snauwde een vrouw binnen. 'Heb je je sleutel soms bij je vriendinnetje laten liggen?' De deur ging open. Zijn stiefmoeder stond in de deuropening en haar gezichtsuitdrukking ging van boosheid over in verrassing, daarna verbijstering en toen totale ontzetting. 'O, mijn god,' zei ze, en ze viel tegen de deur aan, alsof Jeff haar een stomp in haar maag had gegeven. 'Mijn zoon...' riep ze uit.

Jeff wilde haar in zijn dankbare armen nemen, haar stevig tegen zich aan drukken, haar zeggen dat alles vergeven en vergeten was, dat er nog tijd was om het goed te maken.

'O, god. Wat is er gebeurd?' vroeg zijn stiefmoeder dwingend. 'Is er een ongeluk gebeurd? Is alles goed met hem?'

Het duurde een paar seconden eer Jeff doorhad dat ze haar zoon Will bedoelde. Natuurlijk, dacht hij. Hij trok zijn armen terug en voelde hoe zijn lichaam kil verstijfde. 'Er is niets met Will aan de hand,' zei hij monotoon. 'Alles is goed, hij heeft het zelfs prima naar zijn zin.'

Zijn stiefmoeder richtte zich op en kneep haar kilblauwe ogen samen. Ze was bijna een meter achtenzeventig, zelfs op de sjofele, roze slippers die ze droeg. Een imposante verschijning, ook zonder chique kleding, dacht Jeff, die zag dat haar ravenzwarte haar grijs was bij de slapen, waardoor ze een beetje op een stinkdier leek. Dit beeld werd versterkt door haar smalle gezicht en dunne bovenlip. Niet erg aardig van hem, bedacht Jeff, die wist dat ze in haar jonge jaren een schoonheid was geweest, maar wat zou het? Zijn milde bui was over. 'Ik begrijp het niet. Wat doe je hier?' vroeg ze, en ze trok haar lichtgroene, badstof ochtendjas wat strakker om zich heen.

'Mijn moeder ligt op sterven,' zei Jeff simpelweg. 'Volgens Ellie heeft ze nog maar een paar dagen.'

'Wat naar,' zei zijn stiefmoeder alsof ze het meende. 'Wil je even binnenkomen? Je vader is er helaas niet...'

Jeffs lippen vormden een glimlach, terugdenkend aan haar begroeting van achter de andere kant van de deur. *Wat is er? Heb je je sleutel soms bij je vriendinnetje laten liggen?* 'Fijn om te zien dat sommige dingen nooit veranderen.'

'Je lijkt precies op hem, weet je dat? Het is echt griezelig.'

'Dat heb ik vaker gehoord.' Jeff merkte dat hij nijdig werd en draaide zich om. 'Hoor je nog wel eens iets van Kathy?' hoorde hij zichzelf vragen, en hij richtte zijn blik op het huis verderop.

'Kathy? Kathy Chapin, bedoel je? Waarom vraag je in vredesnaam naar haar?'

'Gewoon, nieuwsgierig.'

'We hebben al jaren geen contact meer. Hoezo?' vroeg ze opnieuw.

'Gewoon.'

Ze staarden elkaar enkele seconden aan. 'Waarom kom je niet even binnen?' stelde ze opnieuw voor. 'Dan zet ik een pot koffie. Wie weet verrast je vader ons en komt hij vroeg thuis.'

'Dat zal wel niet.' Jeff liep het trapje af en vroeg zich af of dit nieuwe medeleven van zijn stiefmoeder het gevolg was van oprechte bezorgdheid of dat ze gewoon geen zin had om alleen te zijn.

'Zeg tegen Will dat hij zijn moeder zo nu en dan eens moet bellen,' riep ze hem na.

'Dat zal ik doen,' zei Jeff zonder omkijken.

26

Wat is dit een vreemde dag geweest, dacht Kristin, toen ze zich uitkleedde en haar bed opensloeg. Het was begonnen en geëindigd met een telefoontje, met tussendoor een reeks leugens. Was Jeff echt in Buffalo, zoals hij had beweerd, of was dit ook weer een leugen? Hij had zo stellig gezegd dat hij niet naar zijn moeder wilde. Waarom was hij van gedachten veranderd?

Kristin kroop tussen de koele, witte lakens, draaide zich snel van haar rechterzij op haar linkerzij en nam in gedachten het eerdere gesprek door. 'Ik leg alles uit als ik weer thuis ben,' had hij gezegd.

Wat moest hij uitleggen?

En dan die cryptische boodschap over Suzy. *Als Suzy ondertussen naar de kroeg komt, laat Will haar dan naar de flat brengen en zeg niemand waar ze is.* Waar ging dat over? Had Suzy hem weer gebeld? Was er iets gebeurd waardoor Jeff zich zorgen maakte om haar veiligheid? Wát het ook was, besloot Kristin, terwijl ze op haar rug ging liggen en naar het plafond staarde, Suzy was niet naar de kroeg gekomen. En ze had ook niet gebeld. Dus wat was er nou werkelijk aan de hand? Moest zij nu Suzy bellen, vragen wat er aan de hand was? Ze hield er niet van als er dingen voor haar verzwegen werden. Ze hield er niet van als ze niet wist hoe het zat.

Eén ding wist ze heel zeker: Jeff had de weddenschap gewonnen. Hij en Suzy waren minnaars; daar was ze van overtuigd. Ze had het geweten zodra ze had ontdekt dat het Suzy was geweest die om halfzeven 's morgens de flat had gebeld.

En er was nog iets wat ze wist: Jeff had zijn weddenschap misschien gewonnen, maar hij had zijn hart verloren.

Hij was helemaal gek geworden, besloot Kristin met een lach. Het was niets voor haar om zo dramatisch te doen. Ze ging weer op haar rechterzij liggen, trok haar knieën op, maar lag nog steeds niet lekker.

Hoe dacht ze echt over deze ontwikkelingen? Was ze verdrietig, boos? Was ze bang dat ze in de steek gelaten zou worden? Ze slaakte een lange, diepe zucht. De waarheid was dat ze vanaf de minuut dat zij en Jeff elkaar hadden ontmoet, had geweten dat het een kwestie van tijd was voor hij bij haar weg zou gaan. Toen ze bij hem was ingetrokken, had ze zelfs al het gevoel gehad dat hij zich geestelijk begon terug te trekken, en dat had ze prima gevonden. Ze begreep het gevoel van zelfbehoud, waardoor hij haar – en alle andere vrouwen – emotioneel op armlengte hield. Net zoals ze intuïtief had begrepen dat hij uiteindelijk rusteloos zou worden en op zoek zou gaan naar nieuwe uitdagingen, hoe goed ze ook voor hem was en hoeveel vrijheid ze hem ook gunde. Vroeg of laat zou hij iemand vinden om haar te vervangen. Zeker als die iemand het spelletje goed speelde, een beetje mysterieus deed, hem liet werken voor haar aandacht en tegelijkertijd zijn mannelijke ego streelde door hem het gevoel te geven dat hij nodig was.

Kristin was nooit bijzonder mysterieus of uitdagend geweest. En ze gaf mannen al helemaal niet het gevoel dat ze hen nodig had.

Wat bijzonder toch, de macht van een dame in nood, dacht ze nu, en ze wist intuïtief dat mannen met het slechtste zelfbeeld de beste ridders op het witte paard waren. Maar hoe slim ze ook was, ze had ze niet verwacht dat Jeff daadwerkelijk verliefd zou kunnen worden.

Of dat die gevoelens wederzijds zouden kunnen zijn.
Daar had ze niet aan gedacht.
Is dat echt mogelijk, vroeg Kristin zich af. Ze sperde haar ogen open en staarde in de omliggende duisternis.
Hoe moest het dan met haar?
Ze hoorde voetstappen in de hal bij haar deur, het kraken van de badkamerdeur toen Will hem opendeed. Even later hoorde ze hem doortrekken en hoorde ze het geklater van water in de wasbak. Ze stelde zich voor hoe hij met zijn haar in zijn halfdichte ogen en met een vermoeid en verward gezicht zijn handen waste en zijn tanden poetste.
Toen ze hem had verteld dat Jeff had gebeld – dat hij in Buffalo zat, zijn instructies over Suzy – had hij zijn schouders opgehaald en nog een biertje genomen. Hij had niets gezegd, al had ze wel gezien dat hij zijn blik de hele avond op de deur had gericht, alsof hij op Suzy zat te wachten. Ze vroeg zich af hoe hij werkelijk dacht over zijn broer en Suzy. Kristin had zo'n vermoeden dat hij net zo in de war was over het gebeurde als zij. Wat er ook in hem omging, hij had niets gezegd. Op weg naar huis had hij gedaan alsof hij sliep, en hij was met zijn kleren aan op de bank geploft zodra ze de flat waren binnengekomen. Toen ze hem had gevraagd of hij een beker warme chocolademelk wilde, of een stuk appeltaart die ze die middag bij de supermarkt had gekocht, had hij niet eens de moeite genomen om antwoord te geven, ook al had ze aan zijn stijve schouders kunnen zien dat hij niet sliep. Ze had zo'n vermoeden gehad dat ze geen van beiden veel zouden slapen.
Seconden later hoorde Kristin de badkamerdeur opengaan, en ze wachtte tot ze Wills voetstappen hoorde. Maar die kwamen niet. Ze ging rechtop zitten. 'Will?' riep ze door de dichte slaapkamerdeur.
Niets.
'Will?' riep ze opnieuw, en ze trok haar lakens om zich heen toen de deur langzaam openging.
'Heb ik je wakker gemaakt?' vroeg hij vanuit de gang.

'Nee.'
'Slaapproblemen?'
'Inslaapproblemen,' corrigeerde ze hem.
'Ik ook.'
'Zin in warme chocolademelk?' vroeg ze, zoals ze hem al eerder had gevraagd.
'Nee.'
'Is alles goed met je?'
'Ja. En met jou?'
'Ja, ik kan alleen niet slapen. Te veel gedachten.'
'Wat voor gedachten?'
'Ik weet het niet. Allemaal nogal vaag,' loog ze.
'Misschien ben je er niet aan gewend alleen te slapen,' zei Will.
'Misschien.'
Even was het stil en toen: 'Mag ik even binnenkomen?'
'Tuurlijk. Wacht even, dan trek ik iets aan.' Kristin pakte de roze, zijden ochtendjas van het voeteneinde en trok hem snel aan. 'Oké. Je kunt binnenkomen.'
Will duwde de slaapkamerdeur open en kwam aarzelend binnen. 'Het is hier ijskoud,' zei hij, en hij sloeg zijn armen om zich heen.
'Jeff houdt van een koele slaapkamer.' Kristin zag dat Will nog steeds het blauwe overhemd en de bruine broek droeg die hij die dag had gedragen, al liep hij wel op blote voeten.
'En waar hou jij van?' vroeg hij.
'Ik ben eraan gewend geraakt.'
Will liep behoedzaam door de kamer; zijn ogen waren nog niet gewend aan de duisternis. 'O jee, ik sta ergens op.' Hij bukte zich en pakte wat kleren van de grond. Kristins zwarte push-up-beha bungelde aan zijn rechterhand. 'Sorry, ik heb hem geloof ik vermoord.'
Kristin schoot in de lach. 'Dat geeft niet. Ik heb hem toch niet nodig. Een van de voordelen van plastic borsten.' Ze klopte naast zich op het bed. 'Kom zitten.'
'Zal ik het licht even aandoen?'

'Als je wilt.'
'Eigenlijk niet.'
'Mooi. Ik heb mijn gezicht gewassen. Geen fraai plaatje.'
'Je bent gek. Ik heb je al eens eerder gezegd dat je zonder make-up veel mooier bent.' Hij ging op het randje van het bed zitten.
Kristin voelde het bed inzakken. Ze zag dat zijn ogen haar in het donker aankeken. 'Dank je. Je bent heel lief.'
'Het is de waarheid. En ik ben niet lief.'
'Ik vind van wel.'
'Vergeleken met Jeff misschien...'
Ze waren een paar seconden stil.
'Wil je erover praten?' vroeg Kristin.
'Waarover?'
'Over wat er tussen Jeff en Suzy speelt.'
'Wat speelt er tussen Jeff en Suzy?' zei Will, en hij maakte van de verklaring een vraag.
'Dat weet ik niet zeker.'
'Jawel.'
'Jawel,' beaamde Kristin.
'Jij denkt dat ze met elkaar naar bed gaan,' constateerde Will.
'Ja.'
'Vanmiddag wist je het nog niet zeker.'
'Nu wel,' vertelde ze hem.
'Waarom? Wat is er veranderd?'
'Jeff.'
'Dat begrijp ik niet. Heeft hij gezegd dat ze met elkaar naar bed zijn geweest?'
'Nee.'
'Maar hoe...'
'Ik weet het gewoon.'
'Vrouwelijke intuïtie?'
'Het was zijn stem,' zei Kristin na een korte stilte.
'Zijn stem?' herhaalde Will.
'Aan de telefoon. De manier waarop hij Suzy's naam zei. Het was gewoon... anders.'

'Anders?'

'Ze doen het met elkaar, Will,' zei Kristin.

Will boog voorover, leunde met zijn ellebogen op zijn knieën en liet zijn kin in zijn handen zakken. 'Ja,' beaamde hij.

'Probeer het niet persoonlijk op te vatten,' adviseerde ze hem, na nog een paar tellen. 'Dat doe ik ook niet.'

Will keek haar aan. 'Hoe kun je het nou niet persoonlijk opvatten? Jouw vriend doet het met een andere vrouw.'

'Zo erg is dat niet.'

'Dat geloof ik dus echt niet.'

Deze keer was het Kristin die haar schouders ophaalde. 'Best. Dan geloof je het maar niet.'

'Hij is gek,' zei Will. 'Om iemand als jij te bedonderen.'

'Het is Jeff,' zei Kristin. Het is een man, dacht ze.

'Dat zou ik nooit doen.'

'Nee?'

'Niet als ik zo iemand als jij had.'

'Zo goed ken je me niet, Will.'

'Ik denk het wel.'

'Wat weet je dan van mij?'

'Ik weet wat ik zie.'

'En wat zie jij dan wel als je naar me kijkt?' vroeg Kristin. Opeens wilde ze het weten. 'Behalve de neptieten, het geblondeerde haar en de valse wimpers? Vertel me eens wat je ziet.' Ze zag dat Wills blik over haar gezicht gleed.

'Ik zie een vrouw met een prachtige ziel,' zei Will.

'Je kunt mijn ziel zien?' Kristin probeerde te lachen, maar de lach bleef in haar keel stokken en er sprongen tranen in haar ogen.

'Ik heb je overstuur gemaakt.' Wills vingers schoten naar haar gezicht, bleven hangen toen ze te dichtbij kwamen. 'Het spijt me.'

Kristin sloeg haar hand voor haar mond. 'Dat is misschien wel het liefste wat iemand ooit tegen me heeft gezegd.'

'Lief,' herhaalde Will, en hij liet zijn hand in zijn schoot vallen. 'Dat woord weer.'

'Daar is niets mis mee, Will.'
'Ik ben niet lief.'
'En ik heb geen prachtige ziel.'
'Ik vind van wel.'
'Dan ken je me dus niet goed.'
'Ik weet wat ik moet weten,' hield Will vol.
'Nee,' zei Kristin. Ze nam zijn rechterhand in de hare en bracht hem naar haar borsten. 'Ik ben een vleesgeworden barbiepop. Van top tot teen plastic.'
'Nee,' zei hij met trillende vingers.
'Ze zijn nep, Will. Ik ben nep.'
'Ik voel je hart kloppen. Vertel me niet dat dat niet echt is.'
Ze schudde haar hoofd. 'Het is niet belangrijk,' zei ze.
'Dat geloof je zelf niet.'
Kristin maakte haar zijden ochtendjas open, pakte Wills hand en legde hem op haar blote borsten. 'Wil je weten wat ik voel als je me hier aanraakt?' vroeg ze, en ze leidde zijn vingers van de ene tepel naar de andere. 'Niets,' antwoordde ze, voordat hij kon reageren. 'Ik voel niets. En weet je waarom? Omdat tijdens de operatie alle zenuwen zijn beschadigd. Mijn borsten zien er dus goed uit – verdomd fantastisch – maar ik voel niet veel. Begrijp me niet verkeerd,' voegde ze er snel aan toe. 'Ik klaag niet. Ik vind het prima. Ik vind het meer dan een eerlijke deal. Ik heb lang geleden al geleerd dat gevoelens overschat worden.'
'Voel je helemaal niets als ik je aanraak?' vroeg Will, en zijn hand bewoog nu zelf, masseerde eerst zachtjes de ene borst en daarna de andere.
'Niet echt,' zei Kristin, en ze probeerde de tinteling tussen haar benen te negeren.
'En hier?' Will leunde naar voren en kuste haar hals.
Er ontsnapte een geluidje aan haar lippen toen Wills tong langs haar oor streek.
'En hier?' Hij drukte zijn lippen teder op de hare.
'Ik wil mijn lippen ook nog laten doen,' zei ze hees.
'Als je het maar laat. Ze zijn beeldschoon. Jij bent beeldschoon.'

‘Nee,’ hield ze vol.

‘Ga me niet vertellen dat je nu niets voelt,’ zei hij, en hij schoof haar ochtendjas van haar schouders, haalde zijn handen van haar borsten en liet in plaats daarvan zijn mond op haar huid zakken.

‘Ik voel niets,’ fluisterde ze, en ze wist hoe weinig overtuigend dat klonk toen ze haar rug kromde om zijn lippen de ruimte te geven.

‘En nu?’ Zijn vingers trokken een spoor van haar navel naar haar schaambeen en verdwenen tussen haar benen.

Kristin kreunde met een mengeling van genot en herkenning. Onwillekeurig vergeleek ze Wills aarzelende toenaderingspogingen met de zelfverzekerder aanraking van zijn broer. En al snel kwam er een vervelend beeld in haar gedachten op en zag ze Jeff met Suzy, voelde ze zijn behendige handen op haar gekwetste huid, zijn ervaren tong in de plooien van de gevoeligste plekjes, terwijl zij Wills tong op haar eigen huid voelde. Nee, dacht ze, en ze schudde haar hoofd in een poging het beeld te verjagen. De gedachte kreeg vorm en werd een woord. ‘Nee,’ zei ze, toen ze merkte dat Will zijn rits wilde openmaken. ‘Nee,’ zei ze luider, en ze duwde hem weg. ‘Nee,’ zei ze huilend, terwijl ze haar ochtendjas om zich heen sloeg en snikkend haar hoofd in haar handen liet zakken. ‘Ik kan het niet,’ zei ze. ‘Het spijt me. Ik kan het gewoon niet.’

‘Het geeft niet,’ hoorde ze Will zeggen, zijn stem al net zo onzeker als de hare. ‘Ik ben degene die zijn excuses moet aanbieden.’

‘Nee, ik ben degene...’

‘Je hebt niets gedaan.’

‘Ik wilde je verleiden,’ gaf ze toe.

‘Waarom denk je dat ik je kamer binnenkwam?’ vroeg hij.

Ze lachten, ook al was het de lach van herkenning en niet van plezier. ‘Ik zie ze steeds voor me,’ zei Kristin, en ze duwde haar haar uit haar gezicht, drukte haar vingers in haar schedel alsof ze de beelden letterlijk wilde weghalen.

‘Mijn broer is een sukkel,’ zei Will, en hij hees zich overeind.

‘Vind ik ook.’

'Dan zijn we het daar tenminste over eens.'

'Jij bent geen sukkel, Will.'

'En ik ben mijn broer niet,' zei Will treurig.

Je bent beter dan hij, wilde Kristin zeggen. Maar voordat ze de woorden kon vormen, was hij al weg.

Hij liep naar de keuken om een kop oploskoffie te maken. Wat maakte het uit? Hij kon toch niet meer slapen. Will snoof de geurige damp op toen zijn vingers zich om de goedkope beker vouwden met de roze flamingo op de zijkant en het handvat in de vorm van de poot van een onhandige, maar prachtige vogel. WELKOM IN MIAMI stond in grote zwarte schreefletters onderaan.

Welkom in The Wild Zone, dacht Will.

Betreden op eigen risico.

En dat had hij gedaan, dacht hij hoofdschuddend. En hij was afgeschoten.

Will nam een slok koffie en voelde de vloeistof op zijn tong branden. Zelfs dat deed niets om de smaak van Kristin op zijn lippen weg te nemen. Hij nam nog een slokje, liet het zijn hele mond verbranden. Had je maar niet zo'n eikel moeten zijn, dacht hij. Denken dat je een plaatsvervanger voor je broer kon zijn. Zijn oudere, betere broer, dacht hij verbitterd. 'Wat mankeert mij?' vroeg hij hardop.

Wat mankeert jou, had zijn vader willen weten toen hij van Princeton af was getrapt na die kansloze toestand met Amy.

Wat mankeert jou, had zijn moeder herhaald. *Hoe durf je je zo te gedragen... Je bent je broer toch niet?*

Nee, inderdaad, dacht Will nu, terwijl hij weer naar de woonkamer liep, de afstandsbediening van het voetenbankje pakte en op de bank neerzakte. Kristins afwijzing had hem voor eens en voor altijd duidelijk gemaakt dat hij het origineel niet kon vervangen.

De Uitverkorene, hoonde hij, en hij dacht aan Jeff en Toms belachelijke bijnaam voor hem als kind.

Als hij werkelijk de uitverkorene was, waarom kozen vrouwen dan altijd iemand anders?

Iemand als Jeff.

Hij zapte langs de zenders tot hij bij een film met Clint Eastwood kwam, zo'n oude spaghettiwestern waarin Clint, de man zonder naam, in een Mexicaanse poncho het dorre terrein met zijdelingse blik afspeurt en zonder iets te zeggen schiet op alles wat beweegt. Will zette het geluid zacht zodat Kristin geen last had van het geknal. Hij hoefde haar niet nog meer lastig te vallen. Enkele seconden later keek hij hoe Clint met een zelfvoldane grijns zijn pistool op het hoofd van zijn vijand richtte en beheerst de trekker overhaalde.

Hij dacht aan Toms pistool en vroeg zich af waar Kristin het had verstopt. Hij vroeg zich af hoe het zou voelen om een ander mens neer te schieten. Met het geluid van kogels die langs zijn hoofd scheerden viel hij in slaap.

27

Jeff werd wakker van gekrijs bij zijn slaapkamerraam.

'Koppen dicht!' riep een vrouw onmiddellijk. 'Joey, blijf met je handen van je zusje af!'

'Zij sloeg eerst!'

'Nietes! Hij liegt!'

'Allebei ophouden nu. Wees stil. Mensen liggen nog te slapen. Stap maar in.'

Het geluid van autoportieren die open- en dichtgingen. Jeff leunde op één elleboog en keek op de wekkerradio naast het bed. Het was nog geen zeven uur. Hij ging rechtop zitten, gooide de lakens op de grond bij de quilt die hij 's nachts kennelijk op de grond had getrapt en zag zichzelf in de spiegel boven de ladekast. Hij zag er beroerd uit, dacht hij, terwijl hij het zweet van zijn blote borst veegde. De hitte van de komende dag vermengde zich al met de resterende mufheid van de nacht. Het beloofde weer een snikhete dag te worden. Hij stapte uit bed en liep naar de badkamer.

Hij zette de douche aan en baalde toen hij zag dat de waterdruk op zijn zachtst gezegd laag was. Het water druppelde in een ongeïnspireerd stroompje uit de douchekop. Kennelijk gold het nautische thema van het motel niet voor de waterleiding, dacht

Jeff, en hij probeerde wat schuim te creëren met het platte, ronde witte zeepje. Hij ging recht onder de douchekop staan en liet het lauwe water langs zijn gezicht en oren stromen. In de verte hoorde hij 'The Star-Spangled Banner'.

Het duurde even voor Jeff doorhad dat het zijn telefoon was. Shit. Hij pakte snel een dunne, witte handdoek, wikkelde die om zijn lijf, rende naar de kamer en griste de telefoon uit zijn zwarte spijkerbroek. 'Suzy?' riep hij, nog voordat hij de telefoon goed en wel had opengeklapt.

Maar het telefoontje was al overgeschakeld naar de voicemail. 'Verdomme,' zei hij, en hij sloeg met zijn hand tegen zijn natte dij. Waarom had hij de telefoon ook niet meegenomen naar de badkamer?

'U hebt een nieuw bericht,' informeerde zijn voicemail hem enkele seconden later. 'Om dit bericht te luisteren, toets 1.'

Jeff drukte de toets in en wachtte op het geluid van Suzy's stem. 'Jeff, met Ellie,' zei zijn zus in plaats daarvan. 'Bel me alsjeblieft zo snel mogelijk.'

'Shit.' Jeff smeet de telefoon op bed en haalde zijn hand door zijn natte haar. Zijn stiefmoeder had Ellie natuurlijk gebeld om haar te vertellen over zijn onverwachte bezoekje gisteravond. *Heeft hij jou dan niet gebeld om te zeggen dat hij in Buffalo was*, kon hij haar bijna horen vragen. Hij wilde de telefoon pakken, maar zijn hand bleef halverwege hangen. Hij zou zijn zus nog genoeg zien, besloot hij. Hij kon het straks wel uitleggen.

Een halfuur later zat hij bij McDonald's achter zijn tweede kop koffie en kauwde hij met lange tanden op een McMuffin met ei. Hij vroeg zich af wat hij in Buffalo deed en keek steeds tevergeefs of hij berichten had. Hij duwde de asbak opzij, verfrommelde zijn servet tot een prop en liet hem op tafel vallen, waarna hij keek hoe deze zich ontvouwde en als een parachute op de grond viel. Hij leunde opzij, pakte het servetje, streek het glad en vroeg zich af hoeveel tijd hij nog kon verprutsen voordat hij naar zijn moeder ging. Ze is bijna dood, verdomme, hield hij zich voor. Waar was hij zo bang voor? Wat kon ze hem nu nog aandoen?

Hij wierp een blik naar het raam waar een groepje tienermeisjes al giechelend hun Franse frietjes aten. Een van de meisjes – met bruine krullen, roze tuitlippen, een groen met wit geruite rok hoog opgetrokken op haar dijen – keek steeds zijn kant op. Hij keek hoe ze een van de frietjes uit de rode kartonnen verpakking haalde, uitdagend omhoogbracht en langzaam tussen haar lippen duwde. Als Tom hier was zou hij vast wedden hoe snel hij zijn hand onder het rokje van het domme wicht kon krijgen. Weet je moeder waar je mee bezig bent, dacht Jeff, en hij staarde naar het meisje tot ze beschaamd begon te blozen en de andere kant op keek. Hij dronk zijn koffie en hees zich overeind. Het draait uiteindelijk allemaal om moeders, dacht hij, en hij moest bijna lachen.

Het was iets over achten toen hij bij het Mercy aankwam. Het ziekenhuis stamde uit 1911 en het zag er ook uit alsof het bijna honderd jaar oud was. Sinds Jeff het voor het laatst had gezien, was er een nieuwe vleugel van marmer en glas aan het mosterdgele, stenen hoofdgebouw aangebouwd, maar het roomkleurige marmer zat al onder de graffiti, en het glas was smerig en verwaarloosd. Het zag er net zo afgeleefd uit als hij zich voelde, dacht Jeff, toen hij met loodzware voeten de trap naar de ingang op liep.

'Kunt u me zeggen op welke kamer Diane Rydell ligt?' vroeg Jeff de receptioniste achter de balie in het midden van de lobby.

'Kamer 314,' zei de vrouw zonder opkijken. 'Derde verdieping, de oostelijke vleugel. De lift uit, rechtsaf.' Zonder haar hoofd op te heffen, wees ze naar een serie liften naast een kleine cadeauwinkel.

'Dank u.' Jeff vroeg zich af of hij bloemen voor zijn moeder moest kopen, of een tijdschrift. Hij was blij dat het winkeltje nog dicht was, zodat hij niet hoefde te beslissen. Hij had sinds hij klein was nooit meer iets voor haar gekocht, en hij dacht aan het flesje parfum dat hij een keer bij de drogist voor haar verjaardag had gekocht. Maandenlang had hij zijn zakgeld opgespaard om het mooie, stervormige flesje te kunnen kopen. Zijn moeder had er minachtend aan geroken en het weggezet. 'Dat heeft zijn vader zeker met hem uitgekozen,' had hij haar later aan de telefoon tegen een van haar vriendinnen horen klagen. 'Het ruikt naar een van zijn hoeren.'

'Hou op,' mompelde hij tegen de kraag van zijn zwarte shirt. Niet nu, ging hij in stilte verder. Hij was hier niet helemaal naartoe gekomen om oude wonden open te rijten. Aan het verleden konden ze geen van beiden meer iets veranderen. Het was wat het was, en het goede aan het verleden was dat het voorbij was. Ja, zijn moeder had fouten gemaakt. Veel. En misschien had ze er haar hele leven over gedaan om te beseffen hoe fout ze was geweest. Het was wreed en egoïstisch geweest om hem in de steek te laten, maar ze besefte het nu en ze had spijt van alles wat ze had gedaan. *Vergeef het me alsjeblieft*, kon hij haar horen smeken, terwijl haar stervende ogen zich vulden met tranen van spijt. *Ik hou van je. Ik heb altijd van je gehouden.*

Wat zou hij doen, dacht Jeff, terwijl hij behoedzaam verder liep als in een dichte mist. Zou hij het ook kunnen zeggen? Zou hij haar broze hand in de zijne kunnen nemen, in die smekende ogen kunnen kijken en liegen? Zeggen dat hij ondanks alles ook van haar hield? Zou hij dat kunnen?

En zou het echt een leugen zijn?

Jeff merkte dat hij zijn adem inhield, alsof hij de onaangename mengeling van ziekenhuisluchtjes – ontsmettingsmiddel in strijd met de stank van kots – wilde buitensluiten. Hij ging de lift in en drukte op het knopje van de derde verdieping. Voordat de deuren dichtgingen, kwamen er nog haastig vier mensen bij, inclusief een jongeman met een naambordje op zijn witte jas waarop DOKTER WANG stond. Die jongen kan amper twintig zijn, dacht Jeff. Vroeger had hij zelf ook dokter willen worden. Als hij wat was aangemoedigd... Misschien ook niet, besloot hij, want hij had ooit ook acrobaat en brandweerman willen worden. Hij blies de lucht uit zijn longen toen de liftdeuren op de derde verdieping opengingen en hij de gang op liep, rechts afsloeg zoals hem was verteld en door de gang liep tot hij bij kamer 314 stond.

Voor de dichte deur bleef hij staan en probeerde hij zijn gedachten op een rijtje te krijgen. Hij keek naar links en rechts. Hij had Ellie moeten bellen, iets met haar moeten afspreken, dan hadden ze samen kunnen gaan. Dan zou hij zijn moeder niet alleen onder ogen hoeven komen.

'Doe niet zo stom,' fluisterde hij zachtjes. Ze ligt op sterven, verdomme. Zc kan je niets meer doen.

Hij haalde diep adem, blies de lucht langzaam uit en deed met een zo neutraal mogelijke blik de deur open. 'Ze is erg veranderd,' had Ellie hem tijdens een eerder telefoontje gezegd. 'Je herkent haar nauwelijks. Ze is erg mager geworden en haar huid is bijna doorzichtig.'

Jeff zette zich schrap voor wat hij zou zien en keek strak naar een vierkant vlak op de vinyl vloer terwijl hij zich sterk maakte. Pas na een paar seconden en een paar diepe zuchten was hij in staat zijn ogen op te richten.

Het bed was leeg.

Jeff stond zo een minuut lang zonder te bewegen. Hij wist niet wat hij moest doen.

Iemand had een vergissing gemaakt. De vrouw aan de balie had hem het verkeerde kamernummer gegeven, of hij had de verkeerde deur opengedaan. Maar zelfs toen hij naar de gang liep om het kamernummer te controleren, zelfs toen hij door de gang naar de zusterpost liep, zelfs toen hij de aantrekkelijke, donkere verpleegkundige vroeg waar hij Diane Rydell kon vinden, zelfs toen hij over de hoogst onwaarschijnlijke mogelijkheid nadacht dat Ellie hun moeder onder een andere naam had ingeschreven of naar een ander ziekenhuis had gebracht, wist hij dat de informatie die hij had gekregen klopte en dat er geen vergissing was.

'Heel triest,' zei de verpleegkundige. 'Mevrouw Rydell is vanmorgen heengegaan.'

Heengegaan? Wat bedoel je, heengegaan? Wat? 'Wat bedoelt u?' wilde Jeff ongeduldig weten, en onwillekeurig deed hij een stap naar achteren toen de werkelijke betekenis van de verbloemde woorden tot hem doordrong. 'U bedoelt dat ze is overleden?'

'Rond halfzes vanmorgen,' vertelde de verpleegkundige verder, en er verscheen een bezorgde blik in haar donkerbruine ogen. 'Het spijt me. U bent...'

'Jeff Rydell.'

'Bent u familie?'

'Ik ben haar zoon,' zei Jeff zacht.

'Het spijt me. Ik wist niet dat ze een zoon had,' zei de verpleegkundige.

'Ik woon in Florida,' zei Jeff. 'Ik ben gisteravond aangekomen.'

'Uw zus ken ik natuurlijk.'

'Ellie. Is zij hier?' Jeffs blik schoot door de lange gang.

'Daarstraks wel. Ik geloof dat ze naar huis is gegaan om het een en ander te regelen.'

Jeff voelde zijn knieën plotseling knikken en hij greep de balie vast om niet te vallen.

'Ach, jee,' zei de verpleegkundige, en ze liep om de balie heen. 'Gaat het? Sandra, pak even een bekertje water. Nu meteen. Kijkt u eens,' zei ze een paar seconden later, terwijl ze Jeff naar de dichtstbijzijnde stoel leidde en een papieren bekertje naar zijn lippen bracht. 'Neem hier maar even een slokje van. Langzaam. Hoe is dat? Gaat het?'

Jeff knikte.

'Het is altijd een schok,' zei de verpleegkundige. 'Hoe oud onze ouders ook worden of hoe ziek ze ook zijn. De dood komt altijd onverwachts.'

Daarom had Ellie hem vanmorgen dus gebeld. Niet omdat zijn stiefmoeder haar had gebeld, maar omdat hun moeder was overleden. Ellie wist niet eens dat hij in Buffalo was. Hij sprong overeind. Hij moest haar bellen.

'Ho ho, rustig aan,' zei de verpleegkundige met haar hand rond zijn elleboog, en ze duwde hem terug in de stoel. 'Ik denk dat u beter even kunt blijven zitten. Laat mij uw zus maar bellen en zeggen dat u hier bent.'

Het was meer een conclusie dan een voorstel, en Jeff merkte dat hij instemmend knikte. Vanuit zijn stoel tegen de muur van de ziekenhuisgang hoorde hij de verpleegkundige met zijn zus praten. 'Ja, natuurlijk weet ik het zeker. Hij zit hier recht tegenover me. Hij lijkt behoorlijk overstuur,' meende hij haar te horen zeggen. 'Ja, ik zal hem hier houden tot u er bent.'

En daarna wist hij niets meer. Bewuste gedachten maakten plaats voor verschillende beelden, alsof hij televisie keek met het geluid uit. Hij zag zichzelf als kleine jongen vrolijk naast zijn moeder lopen, zijn hand veilig in de hare, terwijl ze van de ene winkel naar de andere liepen. Het beeld ging snel over in een ander – dat van zijn moeder die teder zijn haar kamde. En toen weer een ander – zijn moeder die zijn knie kuste toen hij van zijn nieuwe fiets was gevallen. Het ene beeld volgde het andere op, sneller en sneller: zijn moeder, jong en gezond, lachend en levendig, lief en zorgzaam.

Nog meer beelden vielen als speelkaarten uit een beduimeld pak: zijn moeder ijsberend bij de telefoon, snikkend in haar kussen, haar handen die hem wegwuifden toen hij haar wilde troosten; zijn moeders gezwollen ogen en verwrongen, boze mond die het ontbijt weigerde dat hij haar op bed had gebracht; zijn moeder, bedroefd en verslagen, huilend en ontmoedigd, ongeduldig en onverschillig.

Zijn moeder die zijn koffer pakte en hem wegstuurde.

Hij doet me gewoon zo aan zijn vader denken, hoorde Jeff haar zeggen, alsof iemand opeens het geluid van de denkbeeldige tv had aangezet. *Ik zweer je, hij heeft dezelfde rotkop.*

Nee, hou op. Ik ben mijn vader niet.

Het geluid werd nog harder. *En ik kan er niets aan doen, maar elke keer dat ik hem zie, kan ik hem wel wurgen. Ik weet dat het nergens op slaat. Ik weet dat het zijn schuld niet is. Maar ik wil hem gewoon niet zien.*

Nee. Toe, hou op.

Ik heb wat tijd voor mezelf nodig, om uit te zoeken wat het beste voor me is.

En wat is dan het beste voor mij?

En Ellie, hoorde Jeff zijn jongere ik vragen, *gaat zij ook mee naar pa?*

Nee, antwoordde zijn moeder monotoon. *Ellie blijft bij mij.*

'Jeff,' hoorde hij nu een stem zeggen. 'Jeff? Gaat het?'

De televisie in zijn hoofd ging plotseling uit.

'Jeff?' zei de stem opnieuw. Zachte vingers op zijn hand.

'Ellie,' zei Jeff. Het gezicht van zijn zus kwam in beeld. Ze zat op haar hurken voor hem; haar gezicht was ouder en voller dan hij zich herinnerde, haar haar was wat minder mooi blond, en haar grijsgroene ogen waren roodomrand. Ze droeg een lichtblauwe, mouwloze bloes en Jeff zag de sproetige huid die onder haar armen bungelde.

'Daar zou je iets aan moeten doen,' zei hij afwezig. Er waren allerlei oefeningen die hij haar kon aanbevelen.

'Waaraan?'

'Wat?' vroeg hij, en hij richtte zijn blik op haar.

'Gaat het wel goed met je?'

'Ja.'

'Zo zie je er niet uit.'

'Ik ben alleen moe.'

'Wanneer ben je aangekomen?' vroeg Ellie.

'Gisteravond.'

'Gisteravond? Waarom heb je me niet gebeld?'

'Het was al laat,' loog Jeff. De waarheid was dat hij niet goed wist waarom hij haar niet had gebeld. 'Misschien wilde ik je verrassen.'

'Misschien wist je niet zeker of je het wel echt zou doen.'

Jeff hoefde Ellie niet te vragen wat ze bedoelde. 'Misschien.'

'Wil je wat koffie?'

'Ik heb al genoeg gehad.'

'Ik ook. Laten we ergens gaan zitten.' Haar knieën kraakten toen ze zichzelf overeind duwde.

Een paar minuten later zaten ze in hun moeders lege kamer. Ellie op de rand van het net opgemaakte bed, Jeff bij het raam met zijn blik naar de straat. 'Hoe is het precies gegaan?' vroeg Jeff.

'Haar hart is er gewoon mee opgehouden, denk ik.'

'Wat zeggen de artsen?'

'Niet veel. Ik bedoel, wat valt er te zeggen? Het was niet echt een verrassing. Ze was verteerd door kanker. De afgelopen dagen was ze al regelmatig buiten bewustzijn. Haar hart werd steeds zwakker. Toen ik er gisteren was, had haar huid zo'n afschuwelijk grijze kleur gekregen. Ik wist dat het niet lang meer kon duren.'

Plotseling begon Jeff te lachen. Hard en lang.

'Jeff, wat is er? Wat is er aan de hand?'

'Het stomme wijf kon gewoon niet wachten, hè?' zei hij.

'Hè?'

'Ze kon gewoon geen godvergeten dag langer wachten.'

'Waar heb je het over?'

'Een paar godvergeten uur,' zei Jeff.

'Denk je dat ze dit met opzet heeft gedaan? Dat ze met opzet is doodgegaan voordat jij hier kon zijn?'

Jeff wierp zijn hoofd in zijn nek en moest nog harder lachen. 'Daar zie ik haar wel voor aan.'

'Wat een onzin.'

'Ze kon de kans niet voorbij laten gaan om me nog één keer te naaien.'

'Dat is niet waar. Dat weet je. Ze heeft wekenlang naar je gevraagd. Ze wilde je zó graag nog een keer zien. Ze hoopte dat je zou komen.'

'Waarom heeft ze dan niet gewacht? Vertel me dat eens.'

'Ze had geen keus, Jeff.'

'Natuurlijk had ze een keus. Ze heeft altijd een keus gehad. Net zoals ze er destijds voor koos om me op te geven, dat ze ervoor koos om jou te houden, dat ze ervoor koos om mijn bestaan gewoon te vergeten...'

'Ze is je nooit vergeten, Jeff.'

'Ze wist dat ik vroeg of laat zou komen opdagen. Ze had gewoon geen zin om te wachten. Die moeite was ik niet waard.'

'Dat is niet waar.'

'Ze heeft me gewoon wéér in de steek gelaten. De laatste klap in het gezicht. Deze keer vanuit het graf. Klasse, ma. Ik moet het je nageven. Niemand kan het zo goed als jij. Je bent nog steeds de kampioen.' Jeff voelde dat zijn zus van achteren op hem afkwam en hij voelde haar handen op zijn armen. Hij huiverde en trok zich terug. 'Waar is ze trouwens?'

'Ze hebben haar naar de rouwkamer gebracht. We kunnen ernaartoe, als je wilt. Dan kun je haar zien, afscheid van haar nemen.'

'Dank je, maar ik denk het niet.' Hij lachte weer.

'Wat?'

'De verpleegkundige zei dat ze was "heengegaan". Alsof ze een ommetje aan het maken was.'

'Het is maar een uitdrukking, Jeff. Ze dacht waarschijnlijk dat het vriendelijker klonk dan zeggen dat ze dood was.'

'Nou, dood is dood, hoe je het ook zegt. En nu?'

'Nu gaan we naar huis, regelen alles voor de rouwdienst. Ik zat aan vrijdag te denken. Het heeft geen zin om het uit te stellen, denk je wel? Ze had niet veel vrienden...'

'Wat een schok,' zei Jeff honend. 'En, nee hoor, hoe eerder ze onder de grond ligt hoe beter.'

'Je komt bij mij logeren,' zei Ellie. 'Kirsten ook, als ze komt.'

Jeff had geen zin meer om haar te corrigeren. Kirsten, Kristin, wat maakte het uit? 'Ze komt niet.'

'Prima, dan hebben de kinderen je helemaal voor zichzelf.'

'Die weten niet eens wie ik ben,' zei Jeff.

'Dan wordt het hoog tijd dat je daar iets aan doet.'

Jeff draaide zich om en keek zijn zus aan. Hij zag het verdriet in haar ogen en begreep voor het eerst dat de moeder die zij nu kwijt was, een heel andere vrouw was dan de moeder die hij eigenlijk nooit had gekend. 'Goed,' zei hij.

Ellies gezicht kleurde van opluchting. Tranen van dankbaarheid sprongen in haar ogen. 'Fijn. Ik ga Bob bellen om te zeggen dat we eraan komen.'

'Als ik jullie daar nou gewoon zie? Ik moet nog naar het motel, mijn koffer pakken...'

'Heb je een koffer bij je?'

‘Je kent me.’

‘Dat zou ik graag willen,’ zei ze.

‘Ga jij maar vast, en rond de nodige dingen af,’ zei hij. ‘Dan ga ik terug naar het motel, spring even onder de douche, pak mijn spullen, en dan zie ik je over een uur.’

‘Beloof je dat?’

‘Dat beloof ik.’

‘Ik hou van je,’ zei Ellie met overslaande stem.

Jeff nam zijn zus in zijn armen en omhelsde haar, terwijl zij haar tranen de vrije loop liet.

Een uur later zat hij op het vliegveld met gebogen hoofd aan Suzy te denken toen ‘The Star-Spangled Banner’ klonk. Hij stak zijn hand in zijn zak, pakte zijn telefoon en keek op het scherm in de hoop dat het Suzy was, maar in de wetenschap dat het Ellie zou zijn die wilde weten waar hij bleef.

Hij dacht erover om op te nemen, maar wat moest hij zeggen? Dat hij van gedachten was veranderd? Dat hij gewoon tegen haar had gelogen? Ellie had het vast al vermoed. Ze had ook met hem mee kunnen gaan naar het motel. Ze had ervoor kunnen zorgen dat ze hem niet uit het oog verloor, in de wetenschap dat er een grote kans was dat hij ervandoor zou gaan. In plaats daarvan had ze de gemakkelijke weg gekozen. Dus toch haar moeders dochter.

‘Ik hou van je’ was haar manier van afscheid nemen geweest.

Jeff staarde naar de telefoon totdat het volkslied stopte en duwde hem weer in zijn zak. Hij leunde ontspannen achterover, deed zijn ogen dicht, liet zijn hoofd weer zakken en droomde verder over Suzy.

28

Tom deed zijn ogen open in de duisternis van de namiddag. Niet dat het buiten zo donker was. Dat was het niet. Maar aangezien de gordijnen van de woonkamer dichtzaten, zou het net zo goed midden in de nacht kunnen zijn. Hij liet zijn hoofd tegen de bloemetjeskussens van de bank zakken, trapte zijn gympen uit en strekte zijn benen totdat zijn voeten op de houten salontafel voor hem lagen. Zijn rechtervoet – in de donkerblauwe sok die hij nu al twee dagen droeg – trapte een fles om die hij over het hoofd had gezien. De geur van ranzig bier steeg op, zich vermengend met de misselijkmakende, zoete geur van marihuana en de weggegooide sigarettenpeuken, die als een rij kiezelstenen op de grond zijn territorium afbakenden. 'Waar ben je mee bezig?' zei hij spottend tegen zichzelf, op de toon die Lainey altijd gebruikte. 'Het lijkt hier wel een zwijnenstal, verdorie. Ruim eens op.'

Tom schoot in de lach. 'Ik begin net, trut!' schreeuwde hij naar de donkere kamer, deze keer met zijn eigen stem. 'Wacht maar tot je de slaapkamer ziet.' Hij lachte weer en bracht zijn blik naar het plafond, terwijl hij nog een joint opstak en terugdacht aan de vorige avond. Wat een avond!

Hij pakte de halflege fles bier van zijn schoot en dronk hem in één lange teug leeg. De hoeveelste was dat? Hij probeerde het aantal biertjes sinds die ochtend te tellen. Sinds de vorige avond, verbeterde hij zichzelf, want hij had zeker vierentwintig uur niet geslapen en was rond zeven uur 's avonds begonnen met drinken. De twee biertjes die hij op de terugweg van zijn werk had genomen, telde hij dan niet mee. Hij liet de lege fles op de grond vallen, nam een zware trek van zijn joint, pakte de telefoon van het tafeltje naast de bank, sloeg daarbij met zijn hand tegen de lamp en gooide hem bijna om. Tom draaide zijn hoofd loom opzij, zag de lamp vervaarlijk wankelen tot hij stil bleef staan, zette toen de telefoon op zijn borst en toetste de nummers in die hij zich nog van de vorige avond kon herinneren. Nou en of, dacht hij. Gisteravond was me wat.

'Venus Milo's Escort Service,' koerde een zachte stem in zijn oor. 'Met Chloe. Wat kan ik voor je doen?'

Tom vouwde zijn arm rond de hoorn en voelde dat hij een stijve kreeg bij de herinnering aan het meisje dat de escortservice de vorige avond had gestuurd. 'Hallo, daar,' had het schatje met de krullen gezegd, toen ze de smalle gang in was gelopen en snel haar dunne trui had uitgetrokken om haar enorme implantaten te tonen. 'Ik ben Ginny. Ik heb gehoord dat jij wel van een feestje houdt.'

'Ik wil graag een meisje bestellen,' zei Tom nu tegen Chloe.

'Je wilt een escortdame inhuren,' corrigeerde Chloe hem vriendelijk.

'Ja. Misschien wel Aziatisch, voor de verandering.' Tom had wel eens gehoord dat Aziatische meisjes onderdaniger waren dan Amerikaanse. 'Is dat een probleem?'

'Nee hoor, helemaal niet. Voor wanneer?'

'Nu.'

'Nu,' herhaalde Chloe. 'En welk adres?'

'Morningside.'

'Prima, dat is geen probleem. Eens even kijken wat ik heb. Mag ik je even in de wacht zetten?'

'Niet te lang,' waarschuwde Tom, en hij dacht aan Ginny naakt en kronkelend onder zich.

'Goed, ik denk dat ik iemand voor je heb gevonden,' zei Chloe een minuutje later. 'Ze heet Ling. Ze komt oorspronkelijk uit Taiwan en kan over veertig minuten bij je zijn. Hoe klinkt dat?'

'Prima.'

'Dat is dan driehonderd dollar per uur, en je begrijpt dat we uitsluitend een escortservice zijn. Wat je verder met Ling regelt, is geheel tussen jou en haar.'

'O, dat begrijp ik heel goed.'

'Fijn, zo. Dan heb ik alleen nog even je naam en creditcardnummer nodig.'

'Tom Whitman,' zei hij, en hij graaide in de zak van zijn spijkerbroek naar zijn creditcard. Hij wilde net de reeks nummers op zijn kaart opsommen, toen Chloe hem onderbrak.

'Het spijt me,' zei ze, en de zachte klank in haar stem was vervangen door een staalharde toon. 'Tom Whitman, zei u?'

'Ja, is er een probleem?'

'Ik ben bang dat we op dit moment niet aan uw verzoek kunnen voldoen, meneer Whitman. Ik stel voor dat u elders naartoe gaat. Of nog beter, zoek hulp.'

'Waar denk je dat ik verdomme mee bezig ben?'

'Dag, meneer Whitman,' zei Chloe, voordat ze ophing.

'Wacht eens even! Wat is...? Wat krijgen we nou...? Shit!' Tom sprong op, plette de peuken onder zijn tenen en struikelde bijna over het weggegooide bierflesje. 'Word ik nou geweigerd, trut?' Wat was hier aan de hand? Eerst al dat vuile ettertje Carter die hem vertelde dat ze niet langer van zijn diensten gebruik wilden maken – de arrogante blik op die stomme kop toen hij vertelde dat een aantal klanten en zelfs een collega over zijn houding hadden geklaagd – en Tom toen een ontslagbrief overhandigde zonder hem een kans te geven de situatie uit te leggen of zich te verdedigen. Niet dat hij dat gedaan zou hebben. 'Je hebt alle kans gehad om jezelf te verbeteren,' had Carter gezegd.

Geen wonder dus dat Tom naar hem had uitgehaald, zijn neus helaas net had gemist, maar wel zijn bril tegen de grond had geslagen en er voor de goede orde nog even bovenop was gaan staan, voordat hij onder geleide en niet bepaald zachtzinnig door de beveiliging de winkel uit was geleid. Hij had een klacht moeten indienen bij een mensenrechtenorganisatie. En nu vertelde deze veredelde pijpslet van de escortservice hem dat ze niet aan zijn verzoek konden voldoen, dat hij maar ergens anders naartoe moest en dat hij hulp moest zoeken!

Het was de schuld van die trut, Ginny. Ginny met de dikke tieten en de mondvol dure, porseleinen neptanden. Hij had ze uit die stomme muil moeten rammen, dacht hij. Hij balde zijn rechterhand en verpulverde de joint tussen zijn vingers tot draderig groenbruin stof dat als vieze sneeuw op het tapijt viel. Die jankerd had natuurlijk geklaagd bij de baas. Stomme amateur. Hij had haar toch betaald? En nóg had ze over alles zitten zeiken. Wilde niet vastgebonden worden, weigerde van achteren genomen te worden en 'deed niet aan pijn'. Stom kutwijf. Hij had haar rotkop van haar lijf moeten schieten.

Wat nu? Tom liep naar de keuken en zocht in de laatjes waar Lainey het telefoonboek bewaarde, rukte de ene la na de andere open. Echt weer iets voor Lainey om het voor hem te verstoppen. Hij gooide een la met papieren servetjes leeg en nog een met placemats en keurig opgevouwen tafellakens. Bestek werd op de grond gesmeten, borden kapotgegooid. Pas toen hij alle kastjes en laatjes had leeggegooid en tot aan zijn enkels in de rotzooi stond, stopte hij. Midden in de keuken, badend in het zweet in zijn vlekkerige, witte T-shirt, terwijl het zweet van zijn schedel in zijn mond droop, bedacht hij hijgend van de inspanning dat hij het telefoonboek de vorige avond mee naar de woonkamer had genomen om Venus Milo's Escort Service op te zoeken. Hij lachte. Van alle escortservices had hij díé gekozen. En waarom? Omdat hij de naam zo chique vond klinken. Was Venus Milo niet een of ander beroemd kunstwerk, een standbeeld van een vrouw die alleen bekend was vanwege het feit dat ze haar beide armen miste? Shit, dacht hij, terwijl hij weer naar de woonkamer liep. Een naakte vrouw was een naakte vrouw. En zonder armen kon ze zo chique toch niet zijn?

Op handen en voeten kroop hij door het vuil op de woonkamervloer. Zijn handen werden nat en plakkerig van het gemorste bier en de chips en dipsaus die hij als ontbijt had gehad. Net toen hij het wilde opgeven, vond hij het telefoonboek. Een beduimelde hoek kwam onder het gordijn vandaan, alsof het had geprobeerd om te ontsnappen aan al die losbandigheid. 'Kom hier, ellendig rotding,' zei hij dwingend, en hij hees het zware boek op schoot, terwijl hij met zijn andere hand de lamp van tafel trok, hem naast zich op de grond zette en aandeed.

Hij schrok van wat hij zag. 'Shit!' riep hij uit, waarna hij triomfantelijk begon te lachen. 'Wat een bende!' Lainey zou een rolberoerte krijgen als ze zag wat een puinhoop hij ervan had gemaakt.

Wat heb je gedaan, kon hij haar al horen roepen. *Mijn god, wat heb je gedaan?*

'Gewoon de boel wat anders ingericht,' schreeuwde Tom door de stilte heen. 'Iets wat ik jaren geleden al had moeten doen.' Hij sloeg het telefoonboek open op het bedrijvengedeelte achterin en vond al snel de bladzijden met ESCORTSERVICE.

Het waren zeker twaalf pagina's met verschillende escortbedrijven, sommige met grote advertenties. Het zal niet veel moeite kosten om er een te vinden die aan mijn wensen voldoet, dacht Tom. Zo snel doet nieuws niet de ronde. Hij stond vast nog niet bij allemaal op de zwarte lijst.

EXECUTIVE CHOICE
ESCORTSERVICE MIAMI
24 UUR PER DAG GEOPEND, ALLEEN OP LOCATIE

En in kleinere, vetgedrukte letters: **Voor dinnerdates & zakenafspraken, vertrouwelijkheid gegarandeerd, zeer discrete, beeldschone dames.**

En daaronder tot slot: *Vrijwel alle creditcards geaccepteerd*, gevolgd door een telefoonnummer, een website en een e-mailadres.

De volgende twaalf bladzijden waren variaties op hetzelfde

thema: DAMES VAN ALLURE, beloofde een. PARTYMEISJES, verkondigde een andere. Er was er een die Bodylicious heette en een met de naam Ooh-la-la. Een specialiseerde zich in studentes en toonde een grote kleurenadvertentie met portretfoto's van glimlachende, aantrekkelijke tieners. 'Dat ziet er goed uit,' zei Tom, en hij pakte de telefoon, maar bladerde toen naar de volgende pagina en zag een reeks advertenties voor gewillige Japanse, Chinese, Koreaanse, Filippijnse, Indiase, Singaporese en Thaise gezelschapsmeisjes. Niet dat hij een Koreaanse zou kunnen onderscheiden van een Japanse, dacht hij. Niet dat het hem ook maar iets kon schelen, zolang ze maar zo gewillig waren als de advertentie beloofde.

Er stond een foto van een Aziatisch schatje dat haar gezicht verlegen half verborgen had achter een waaier, een andere foto van een vrouw die uitdagend over de rand van een met edelstenen bezette designerzonnebril keek, en weer een andere van een donkerharig meisje dat glimlachend met een groene appel in haar hand stond.

Waar ging dat over, vroeg Tom zich af en hij verwierp de laatste. Wie wil nou een meisje met een appel neuken? Veel te gezond, dacht hij, toen zijn oog viel op een paginagrote advertentie van een bedrijf dat zichzelf Déjà Vu Escorts noemde. Waar sloeg dat in godsnaam op? Dat je ze allemaal al eens eerder had gezien?

Hij sloeg weer een bladzijde om. Zestig en Prachtig heette eentje. 'Dat méén je niet,' snoof Tom. Fantastisch Vijftig (weer een hoonlach), gevolgd door Boeiende Rijpe Dames (wie wilde er nou rijp?), evenals Zwarte & Witte Meiden en Geboeid en Gekneveld (beide advertenties hield hij in gedachten voor een ander keertje), Het Keukenmagazijn (wat, maakten ze na afloop alles schoon?) en De Oudere, Langzamere, Betere Escort. 'Wie gaat er nou voor oud en langzaam?' vroeg Tom zich hardop af. Verder waren er advertenties voor Cubaanse meisjes, Russische meisjes, een Meesteres Letitia en een Ms. Carla de Sade, Holly Golightly, Thelma en Louise en eenvoudigweg Mark. 'Sorry, jongen. Van mijn leven niet.' Uiteindelijk koos Tom Last Minute Escorts.

'Met Tanya,' zei een verleidelijke stem enkele seconden later. 'Wat kan ik voor je doen?'

Tom probeerde iets geestigs te bedenken, maar kon alleen maar bedenken: hier komen en me pijpen. In plaats daarvan zei hij. 'Ik wil een meisje. Zo snel mogelijk.'

'Zeker,' zei Tanya. 'Heb je nog een bepaalde voorkeur?'

'Heb je ook meisjes uit Afghanistan?' Tom verbaasde zichzelf met deze vraag.

'Afghanistan?' herhaalde Tanya, zeker een halve octaaf hoger. 'Bedoel je Arabische meisjes?'

'Zal wel.'

'Ik ben bang van niet,' zei Tanya. 'We hebben wel een breed assortiment aan Aziatische vrouwen,' bood ze aan, alsof Aziatische en Arabische meisjes precies hetzelfde waren.

'Heb je ook iemand uit Singapore?' Tom had wel eens gehoord dat ze in Singapore heel streng waren en je in de cel gooiden voor door rood licht lopen en honderd zweepslagen uitdeelden voor spugen op straat. Shit, hadden ze niet bijna een Amerikaanse jongen geëxecuteerd voor het spuiten van graffiti op een muur? Dan waren hun vrouwen vast heel onderdanig.

'Ik geloof het wel.' Het geratel van een toetsenbord. 'Ik kan je een lieftallige jongedame aanbieden die Cinnamon heet. Ze is vijfentwintig, een meter zevenenvijftig en heeft een taille van zesenvijftig centimeter.'

'Cupmaat?'

'F.'

'Puur natuur?'

'Is dat een grapje?'

'Goed. Prima. Ze klinkt geweldig.'

'Dan heb ik je naam en creditcardgegevens nodig.'

Tom wilde zijn creditcard uit zijn broekzak vissen, toen hij besefte dat hij geen herhaling van die toestand met Chloe wilde. 'Heb je even?'

'Zeker.'

Dit werd een goeie, dacht hij. Hij zocht in zijn andere zak, maar vond niets. 'Verdomme.' Waar had hij hem neergelegd? 'Heb je nog even?'

'Alle tijd.'

Tom rende naar boven langs de slaapkamers van zijn kinderen naar de slaapkamer van hem en Lainey. Hij deed het licht aan, trok aan de verfrommelde witte lakens op het bed en probeerde de grote bloedvlek in het midden te negeren. Die stomme trut had zijn mooie, witte lakens bevuild en dan had ze nog het lef om te zeiken ook! Hij zou dat stomme Venus Milo moeten aanklagen, dacht hij, terwijl hij zijn rood met zwart geblokte shirt bij het voeteneinde van de grond viste en in de borstzak vond wat hij zocht.

Grinnikend liep hij terug naar de telefoon in de woonkamer. 'Oké, Tanya. Ik ben er weer. Ben je er klaar voor?'

'Naam?' voeg Tanya.

'Carter,' zei Tom, en hij onderdrukte een lachje. 'Carter Sorenson.' Hij somde de cijfers op de voorkant van de creditcard op, die hij een paar dagen eerder uit Carters portemonnee had gestolen. De imbeciel had nog steeds niet door dat hij hem kwijt was, had het in elk geval nog niet gemeld bij de creditcardmaatschappij. Dat wist Tom, want nadat Carter hem had ontslagen, had hij op Carters kosten bij Macy's verschillende shirts en een paar laarzen gekocht. Daarna had hij bij de supermarkt zes sloffen sigaretten en al evenveel kratjes bier gekocht.

Kleren die hij niet zou moeten dragen, sigaretten die hij niet zou moeten roken, bier dat hij niet zou moeten drinken, louche dames van wier services hij geen gebruik zou moeten maken. Die Carter is me er eentje, dacht Tom, en hij lachte hardop. 'Foei, Carter, jongen.'

'Neem me niet kwalijk. Zei je iets?' vroeg Tanya.

'Is er een probleem?' vroeg Tom op zijn beurt, en hij hield zijn adem in. Wist ze het al? Deed wat er met Ginny was gebeurd de ronde onder de escortservices in Miami? Had ze hem aangegeven bij de politie? Of had Carter dat gedaan?

'Nee, hoor,' zei Tanya, en ze legde in het kort de voorwaarden van de afspraak uit en vroeg naar Toms adres. 'Cinnamon kan er over een halfuur zijn.'

'Mooi.'

'Dank je voor je cliëntèle, en bel nog eens.'

'Doe ik.' Tom hing op en lachte weer. Hij moest opeens aan Jeffs broertje denken en de blik op Wills gezicht toen Tom hem de overduidelijke waarheid had verteld over waar Jeff was. De manier waarop Will met zijn staart tussen de benen op de vlucht was geslagen toen hij werd geconfronteerd met het kille feit dat Jeff het met het meisje van broertjelief deed. 'Ha!' riep Tom triomfantelijk, en hij vroeg zich af waar Jeff eigenlijk was en waarom hij niets van hem had gehoord.

Hij had geprobeerd hem te bellen nadat hij was ontslagen, maar Jeff had niet opgenomen. Hij had ook niet gereageerd op het berichtje dat Tom had ingesproken. Ongetwijfeld zat hij ergens met die Granaatappel en neukten ze zich suf, dacht Tom, terwijl hij nog een sigaret opstak en weer naar boven liep. Laat ik maar een douche nemen, besloot hij, en hij zag dat er op de witte handdoeken bij de wasbak ook bloed zat. 'Geweldig,' mompelde hij, en hij pakte een paar schone handdoeken uit de linnenkast. De trut had er een teringzooi van gemaakt.

Hij staarde in de spiegel boven de wasbak, keek langs zijn eigen spiegelbeeld en zag Ginny die door de voordeur het huis binnenliep met haar ronde gezicht, haar blonde krullen en felrode lippen. Hij keek hoe ze haar trui uittrok en die enorme ballonnen van borsten toonde. Hij wist nog dat hij had gedacht dat die van Kristin er niets bij waren, toen hij haar naar boven leidde en zijn hand al onder haar korte rokje gleed. 'Honderd dollar voor aftrekken, honderdvijftig voor pijpen,' somde ze op, alsof ze iets van een menu oplas, 'tweehonderd als je in mijn mond wilt klaarkomen. Driehonderd voor rechttoe rechtaan, vijfhonderd als je iets anders wilt. Ik doe geen gouden douches en ik doe het niet op zijn Grieks.'

'Heb je iets tegen Grieken?' grapte Tom.

'Ik ben dol op Grieken. Ik hou alleen niet van pijn,' zei Ginny.

'En als ik je vastbind?'

'Geen handboeien,' zei ze. 'Niets waar ik niet gemakkelijk uit los kan komen.'

'Hoeveel?'

'Vijfhonderd.'

'Oké.'

'Contant. Vooruitbetalen.'

Tom haalde zijn schouders op en trok vijf nieuwe briefjes van honderd uit zijn achterzak. Hij had maandenlang geld gestolen uit de portemonnees van zijn collega's. Twintig dollar hier, twintig dollar daar. Pas nog vijftig dollar van die suffe muts Angela. Hij had het geld naar de bank gebracht en ingewisseld voor nieuwe briefjes van honderd. Wedden dat het Angela's gezeik is geweest waardoor ik ben ontslagen, zei hij tegen zichzelf, en hij keek hoe Ginny de rest van haar kleren uittrok. Ze had een mooi lijf. Niet zo mooi als Kristin, maar verdomd veel beter dan Lainey. Die stomme trut, dacht hij, terwijl hij Ginny's polsen met kussenslopen aan de bedstijl vastbond en boven op haar ging liggen.

'Hé, rustig aan,' waarschuwde Ginny hem, toen Tom bij haar binnenkwam en met zijn handen in haar borsten kneep alsof ze van klei waren. 'Voorzichtig, vriend,' zei ze. 'Als je zo blijft knijpen, knappen ze nog.'

'Ik denk dat je je mond moet houden,' zei Tom. Hij had genoeg van haar instructies, haar lijstje met wat allemaal niet mocht. Hij bleef in haar rammen, deed alsof ze Kristin was, daarna Suzy, toen Angela, toen Lainey en toen die flirt uit Afghanistan, alle wijven die ooit nee hadden gezegd, alle wijven die ooit hadden geklaagd.

'En ik denk dat je wat zachter moet doen.'

'Ik betaal je niet om te denken.' Tom beukte nog harder en beet in haar oor terwijl zijn vingers over haar huid krasten.

'Stop,' zei Ginny, en boze tranen sprongen in haar ogen.

'Schatje, ik begin net.'

'Nee. Ik doe niet aan pijn, dat heb ik je gezegd. We zijn klaar.' Ze worstelde om haar polsen los te maken en jammerde toen ze probeerde onder hem vandaan te komen.

'Ik zeg wel wanneer we klaar zijn,' zei Tom, en hij begon het nu pas echt leuk te vinden. Wat hadden vrouwen toch? Probeerden je te verleiden, namen geld van je aan en lieten je vervolgens hangen. Hij was uit het leger getrapt, was zijn baan kwijt, stond op het punt om zijn huis uit gegooid te worden, en dat allemaal vanwege zo'n stom wijf. 'Zeg dat je van me houdt,' zei hij tegen Ginny.

'Wat?'

'Als je wilt dat ik het rustig aan doe, zeg dan dat je van me houdt.'

'Ik hou van je,' zei Ginny direct, maar haar ogen zeiden iets anders.

'Niet goed genoeg. Overtuig me.'

'Ik hou van je,' zei Ginny opnieuw.

'Dat kan veel beter. Nog een keer.'

'Ik hou van je,' schreeuwde ze.

'Ik voel het gewoon niet, schatje. Nog een keer.'

'Nee.'

'Ik zei, nóg een keer.'

'En ik zei, nee!'

En dat was het moment waarop hij door het lint ging. De rest was een waas van vuisten en woede. Later kon Tom zich niet meer herinneren hoe vaak hij haar had geslagen, maar hij kon nog steeds haar neus voor zich zien waar het bloed uit had gegutst, en de tandafdrukken in haar hals en op haar borst. Ginny wist zich uiteindelijk los te maken en naar de badkamer te strompelen. Haar neus bloedde hevig, terwijl ze haar kleren opraapte. 'Kan niet zeggen dat ik echt waar voor mijn geld heb gekregen,' riep hij haar na, toen ze de trap af stoof en de straat op rende.

Tom glimlachte naar zichzelf in de badkamerspiegel en herinnerde zich Jack Nicholsons beroemde opmerking over hoertjes. Althans, hij dacht dat het Jack Nicholson was. Misschien was het Charlie Sheen. 'Ik betaal ze niet om te komen,' had hij tegen een journalist gezegd die hem had ondervraagd over zijn incidentele voorkeur voor callgirls. 'Ik betaal ze om weg te gaan.'

'Da's een goeie,' grinnikte hij. De deurbel ging. Tom keek op zijn horloge. 'Tjongejonge, mijn kleine Cinnamon is vroeg. Die lust er zeker wel pap van.' Hij liep met twee treden tegelijk de trap af en deed de voordeur open.

Een jongeman in een beige kostuum stond met een glimlach op zijn gezicht aan de andere kant. 'Tom Whitman?'

De man duwde een envelop in zijn handen. 'U bent gedagvaard,' zei hij, voordat hij haastig vertrok.

'Alweer? Dat meen je goddomme toch niet?' riep Tom hem na. 'Waar nóú weer voor?' Hij scheurde de brief open, las hem snel en smeet hem toen op de grond. Dus dat takkewijf wilde hem scheidingspapieren onder zijn neus duwen, dacht hij, terwijl hij de deur dichtsloeg en hem nog een trap na gaf met zijn hiel. Een paar minuten later stond hij weer in de woonkamer met zijn twee .44 kaliber Magnums en zijn oude Glock .23 op de salontafel voor zich. 'Denk maar niet dat ik dat laat gebeuren, schatje,' zei hij, en hij nam een van de Magnums in zijn ene hand en legde zijn andere hand erop. 'Van mijn leven niet.' Hij stelde zich voor hoe Lainey voor hem in elkaar dook, haar trillende handen voor haar gezicht sloeg. Toen richtte hij het wapen op haar hoofd en haalde de trekker over.

29

Ze stond op hem te wachten op het vliegveld.

Eerst zag Jeff haar niet, hij deed zijn best om Tom te bereiken. Maar Tom was in gesprek, zelfs de derde keer nog. Met wie zit hij in vredesnaam te kletsen, vroeg Jeff zich ongeduldig af, terwijl hij doelbewust over de loopband door het drukke vliegveld van Miami liep. Afgezien van Jeff had Tom niet veel vrienden, en nu Lainey bij hem weg was... Jeff hoopte maar dat Tom Lainey niet lastigviel, dat hij wist waar zijn grenzen lagen. 'Pardon. Mag ik erlangs?' blafte hij tegen een mollige dame van middelbare leeftijd die de linkerkant bezet hield, ondanks instructies in het Engels en Spaans om rechts te houden. De vrouw slaakte een hoorbare zucht en liep langzaam naar de andere kant, alsof Jeff háár lastigviel in plaats van andersom. Maar zodra ze hem zag, veranderde haar frons in een verleidelijke glimlach. Met een nietszeggende blik passeerde Jeff haar en liep hij snel in de richting van de uitgang.

'Jeff,' riep een stem achter hem, en hij bleef abrupt staan.

Hij draaide zich om en liet zijn blik langs de kleurrijke menigte glijden. Hij zag een paar tienerjongens die elkaar lachend en stoeiend begroetten, een jonge vrouw die in het Spaans stond te ruziën met een oudere, grijze man die waarschijnlijk haar opa was, en een andere jonge vrouw met blond haar en veel te veel make-up die glimlachte en naar hem zwaaide. Hij liep een paar passen haar kant op en probeerde te bedenken wie ze was en wat ze wilde, toen de stem hem opnieuw bereikte.

'Jeff.' Het kwam ergens van rechts.

Nog steeds zag hij haar niet. Beeldde hij zich in dat hij haar stem hoorde?

'Jeff,' zei ze een derde keer, deze keer zo dichtbij dat hij haar adem op zijn gezicht voelde en haar hand op zijn arm.

'Suzy,' zei hij. Hij kon zijn ogen niet geloven toen hij haar in zijn armen nam. Hij trok haar stevig tegen zich aan, voelde hoe haar broze lichaam zich tegen het zijne ontspande. 'Ik kan haast niet geloven dat je er bent,' zei hij, alsof hij zichzelf ervan moest overtuigen dat het echt zo was.

'Je zei dat je vanmiddag terug zou komen. Er was maar één vlucht uit Buffalo. Dat was niet moeilijk...'

Hij kuste haar. De kus was zacht en teder. Haar mond smaakte naar tandpasta en Juicy Fruit-kauwgom. Haar haar geurde naar een boeket pas geplukte gardenia's. 'Ik ben zo blij dat ik je zie.' Hij liet haar alleen los om goed naar haar te kunnen kijken. Ze droeg een gele bloes en een lichtgroene broek. Haar haar hing in losse, bruine golven rond haar schouders. 'Is alles goed met je?'

'Prima,' zei ze, ook al zag ze er niet prima uit, besefte Jeff. Er klopte iets niet. Hij kon geen nieuwe blauwe plekken op haar bleke huid vinden, maar ze leek nog kwetsbaarder, angstiger dan anders. 'Ik heb het gedaan,' zei ze zachtjes op meisjesachtige toon. Ze wierp een blik over haar schouder en kneep in zijn vingers. 'Ik ben bij hem weg.'

Jeff kuste haar opnieuw, harder en langer deze keer. Zijn hart was nog nooit zo tekeergegaan.

'Ik heb het echt gedaan,' zei ze met een lach.

'Je hebt het echt gedaan,' herhaalde hij. Allerlei gedachten raasden door zijn hoofd en hij vroeg zich af wat hij nu moest doen.

'Pardon,' zei een vrouw, die zich langs hen wurmde. 'Jullie staan in de weg.'

'Neem een hotelkamer,' stelde iemand voor die hen ruw passeerde.

'Goed idee.' Jeff pakte Suzy's arm. 'Waar staat je auto?'

'Die heb ik niet. Toen Dave naar zijn werk ging, heeft hij mijn sleutels afgenomen. Hij zei dat ik ze niet nodig zou hebben.' Ze begon te lachen. 'Hij had gelijk.'

Jeff trok haar dicht tegen zich aan, toen hij haar naar de uitgang met TAXI'S EN LIMOUSINES leidde.

'Waarnaartoe?' vroeg de chauffeur, zodra ze achter in waren gestapt.

'Weet u een goed motel in deze omgeving?' vroeg hij. 'Een beetje mooi en rustig.'

'Zo dicht bij het vliegveld is niets rustig,' zei de chauffeur.

'Niet al te druk,' verduidelijkte Jeff, en hij voelde Suzy's hand in de zijne.

De chauffeur kneep zijn ogen samen in de achteruitkijkspiegel. 'Ik heb geen idee hoe druk het in dat soort gelegenheden is.'

'Best. Doet er niet toe. Maakt niet uit.'

'Je hebt even verderop een aantal motels. Geen idee of ze goed zijn.'

'Dat zal toch wel,' zei Jeff. Het was maar tijdelijk, dacht hij. Totdat hij het plan dat in zijn gedachten was ontstaan toen hij in Buffalo in het vliegtuig was gestapt, had uitgewerkt. Met een beetje geluk kon alles vanavond al geregeld zijn.

Maar alles hing er natuurlijk van af of hij Tom kon bereiken.

'Heb je je moeder nog gezien?' vroeg Suzy.

'Nee. Ze was al overleden.'

Suzy keek geschokt. 'O, Jeff, wat afschuwelijk voor je.'

'Geeft niet.'

'Natuurlijk wel. Je moet wel het gevoel hebben gehad alsof ze je weer in de steek liet.'

Jeff voelde de tranen in zijn ogen springen, toen hij zijn gezicht in Suzy's zachte naar bloemen geurende haar verborg. 'Het is alsof je in mijn hoofd zit,' fluisterde hij.

'Dat hoop ik maar,' zei ze. 'Want jij zit in het mijne.'

De chauffeur schraapte zijn keel toen hij bij de ingang van het Southern Comfort Motel stopte. 'Sorry dat ik stoor, maar... wat dachten jullie hiervan? Zo te zien de mooiste van het stel.'

'Beter dan het Bayshore,' zei Jeff, en hij graaide naar wat kleingeld in zijn zak.

'Dat ken ik niet,' zei de chauffeur, die het geld in zijn zak stopte en er automatisch van uitging dat het wisselgeld zijn fooi was.

Jeff hield Suzy's hand stevig vast toen ze uitstapten. Was het zijn verbeelding of huiverde ze toen hij zijn arm om haar middel sloeg? Zo'n tien minuten later liepen ze met een sleutel in hun hand door de gang met rood en beige tapijt naar hun kamer aan het eind.

'Vrij met me,' fluisterde ze, zodra ze binnen waren.

Dat hoefde ze hem geen twee keer te zeggen. Een fractie van een seconde later lagen zijn lippen op de hare en rukten ze elkaar de kleren van het lijf, terwijl ze achterover op het queensize bed vielen. Hij hoorde een stem zeggen 'ik hou van je', gevolgd door een andere stem die hetzelfde zei, en hun stemmen smolten samen zoals hun lichamen samensmolten.

Pas na afloop, toen ze in elkaars armen lagen, zag hij de dikke striemen in haar zij. 'Wat is dat?' vroeg hij. Heel zacht liet hij zijn vingers langs de boze, rode lijnen glijden.

'Niets.' Suzy kromp ineen van pijn, ondanks zijn tedere aanraking. 'Het doet er niet meer toe.'

'Het doet er wel toe. Wat heeft dat monster je in vredesnaam aangedaan? Zeg het me,' drong Jeff aan. 'Alsjeblieft, Suzy. Vertel me wat hij heeft gedaan.'

Ze knikte, sloot haar ogen en haalde diep adem. 'Hij hoorde me gisteravond met jou aan de telefoon, en toen werd hij zó kwaad.' Ze bracht haar hand naar haar hoofd en wreef over haar voorhoofd tot het rood werd. 'Hij heeft me met zijn riem geslagen. Hij bleef maar slaan.'

'Die gore klootzak.'

'Hij zei dat het een voorproefje was van wat er zou gebeuren als ik je ooit nog een keer sprak.'

'Ik zweer je, ik breek zijn nek.'

'Ik heb de hele nacht mijn ontsnapping gepland, maar hij was vanmorgen thuis, dus kon ik niet direct weg. Gelukkig had hij vanmiddag een afspraak waar hij niet onderuit kon. Ik mocht me niet verroeren, zei hij, mocht nog niet eens naar de wc, zolang hij er niet was. Hij heeft al mijn geld en mijn autosleutels afgepakt, zelfs mijn legitimatie. Maar ik had nog een paar dollar verstopt en zodra hij weg was, heb ik die gepakt en ben ik vertrokken. Rechtstreeks naar het vliegveld. Naar jou.'

'Dat heb je goed gedaan.'

'We moeten uit Miami weg,' zei ze.

'Wat?'

'We moeten ergens naartoe waar hij ons nooit kan vinden. New York, misschien. Ik heb altijd al een keer naar New York willen gaan.'

'Suzy...' begon Jeff.

'Of naar LA, of anders Chicago.'

'Suzy...'

'Het hoeft niet eens een grote stad te zijn. Iets kleiners, minder opvallend. Het doet er eigenlijk niet toe, als we maar samen zijn en uit Miami weg zijn voordat hij ons vindt.'

'Dat gaat niet,' zei Jeff eenvoudigweg.

'Waarom niet. Waarom kan dat niet?'

'Om te beginnen heb ik geen geld.'

'We hebben geen geld nodig. Je vindt wel een baan. Zodra we ergens een plekje hebben gevonden. En ik ook. Let maar op. Het komt allemaal goed.'

'Dan huurt hij privédetectives in,' zei Jeff. 'We kunnen niet de rest van ons leven over onze schouder kijken en bang zijn voor onze eigen schaduw. We kunnen niet op de vlucht blijven. Vroeg of laat vindt hij ons.'

'Je zegt dus dat we geen kant uit kunnen.' Suzy begon te huilen. 'Dat het hopeloos is.'

'Het is niet hopeloos. Niet zolang we samen zijn. Niet zolang je van me houdt.'

'Ik hou van je,' zei Suzy.
'Dan komt het allemaal goed. Dat beloof ik.'
'Hoe kun je dát nu zeggen? Straks vindt hij ons. Dan vermoordt hij ons allebei.'
'Dat laat ik niet gebeuren.'
'Wat kun je eraan doen?'
'Vertrouw je me?' vroeg Jeff.
'Ja, natuurlijk.'
'Geloof me dan, als ik je zeg dat alles goedkomt. Ik zorg ervoor dat hij je nooit meer pijn kan doen.'
'Beloof je dat?'
'Dat beloof ik,' zei Jeff. Hij kuste haar ogen en wiegde haar teder in zijn armen totdat hij voelde dat haar lichaam zich begon te ontspannen. Na een paar minuten zei haar rustige, ritmische ademhaling dat ze in slaap was gevallen. Jeff wachtte nog een paar minuten totdat hij er zeker van was, stapte toen uit bed en legde Suzy's hoofd voorzichtig op het kussen. Hij haalde zijn mobiele telefoon uit zijn broekzak, liep naar de badkamer en toetste Toms nummer in. Nog steeds in gesprek. 'Shit,' mompelde hij. 'Bel me. Het is belangrijk,' was zijn opdracht aan Toms voicemail. Daarna belde hij Kristin, en hij slaakte een zucht van verlichting toen ze opnam. 'Fijn. Ik was bang dat je misschien al naar je werk was,' zei hij, zodra ze opnam.
'Ik wilde net gaan. Zit je nog in Buffalo?'
'Nee, ik ben hier. In Miami.'
'Ik begrijp het niet. Waarom ben je niet thuis? Waar zit je?'
'Kamer 119 van het Southern Comfort Motel, bij het vliegveld.'
'Wat? Waarom, in vredesnaam?'
'Ik ben hier samen met Suzy.'
Stilte. Toen: 'Wat is er aan de hand, Jeff?'
Jeff bracht haar in het kort op de hoogte van de situatie; dat Suzy op hem had staan wachten toen hij in Miami was aangekomen, dat Dave haar weer in elkaar had geslagen, deze keer met een riem, dat hij haar naar het motel had gebracht om haar tegen Dave te beschermen, dat ze uitgeput in slaap was gevallen. Dat hij en

Suzy hadden gevreeën liet hij maar achterwege, ook al had hij zo'n vermoeden dat Kristin haar eigen conclusies al had getrokken.

'Wat ga je nu doen?'

'Ik weet het niet zeker,' loog Jeff, en hij besloot dat er geen reden was om Kristin meer te vertellen dan ze moest weten. Als het niet ging zoals hij hoopte, konden er maar beter zo min mogelijk mensen bij betrokken zijn. 'Heb je Tom gezien?'

'Al een paar dagen niet. Hoezo?'

'Ik moet hem spreken. Hij is constant in gesprek en hij luistert zijn berichten niet af.'

'Hij komt wel weer boven water.'

Jeff haalde met toenemende frustratie zijn hand door zijn haar. Daar had hij niets aan. 'Is mijn broer thuis?'

'Die heb ik de hele dag al niet gezien.'

'Shit. Hij moet iets voor me doen.'

'Je kunt hem toch mobiel bellen?'

'Heb je zijn nummer?'

'Dat heb ik wel ergens.' Kristin vond Wills nummer en gaf het aan Jeff.

'Oké, luister,' zei hij, toen hij het nummer in zijn geheugen had geprent. 'Misschien bel ik je straks nog. Wil je Joe zeggen dat ik nog bel en dat hij niet moeilijk moet doen?'

'Moet ik me zorgen maken?' vroeg Kristin.

'Nee,' antwoordde Jeff. 'Je hoeft je nergens zorgen om te maken. Alles komt goed.'

Kristin hing op en stond een paar minuten in de keuken voor zich uit te staren. Ze wist dat er iets ging gebeuren, al had ze geen idee wat. Maar ze kende Jeff goed genoeg om te weten dat als hij iets van plan was, dat eerder vroeg dan laat zou gaan gebeuren. Misschien zelfs vanavond.

Ze keek naar het vodje papier in haar handen en las in stilte Wills nummer. Wat wilde Jeff van zijn broer en waar was Will de hele dag geweest? Toen ze die ochtend wakker was geworden, was hij al weg.

Eerst had ze gedacht dat Will voorgoed was vertrokken, dat hij het vliegtuig naar Buffalo had genomen, en had zich nodeloos afgevraagd of zijn vliegtuig dat van Jeff zou kruisen. Maar een snelle ronde door de flat had aangetoond dat zijn koffer en kleren er nog lagen en dat hij waarschijnlijk weg was om zijn gedachten op een rijtje te zetten. Ze voelde zich schuldig over wat er de vorige avond was gebeurd, wat bíjna was gebeurd, verbeterde ze zich snel. Snel wuifde ze dat soort gevoelens weg. Schuldgevoel was een nutteloze emotie, hield ze zich voor. Je bereikte er niets mee en het deed niemand goed. Het was trouwens te laat voor schuldgevoelens.

Het was tijd om verder te gaan.

Will zat op een bankje bij de oceaan en keek naar de golven die jachtig over het strand rolden, teruggetrokken werden en daarna weer naar voren werden geduwd, keer op keer. Het is waar dat je bij de oceaan beseft hoe nietig en onbeduidend je eigenlijk bent, dacht hij, en hij moest lachen. Een bejaard, grijs echtpaar op de andere hoek van het bankje keek hem even bezorgd aan.

Will had de oceaan niet nodig om zich klein te voelen. Hij begreep al hoe onbeduidend hij was.

Als Amy en Suzy hem daar nog niet van overtuigd hadden, dan had Kristin dat gisteravond zonder meer voor eens en voor altijd aangetoond.

Wat was hij een nutteloze mislukkeling, dacht hij, op het moment dat hij zijn telefoon in zijn borstzak voelde trillen. Zijn moeder, zeker, dacht hij. Nóg een vrouw die hem het gevoel gaf dat hij weinig voorstelde. Hij haalde de telefoon tevoorschijn en keek op het scherm. 'Hallo?' zei hij, toen hij het nummer niet herkende.

'Will, hoi. Met Jeff.'

Will zei niets. Had Kristin zijn broer soms over gisteravond verteld?

'Will? Ben je daar?'

'Ja. Waar zit je?'

'In het Southern Comfort Motel.'

'In Buffalo?'

'Nee, hier in Miami bij het vliegveld. Kamer 119.'

'Wat doe je daar in godsnaam? Ik dacht dat je naar je moeder toe ging.'

'Ik ben weer terug,' zei Jeff, zonder verder uit te weiden. 'Moet je horen, ik probeer Tom te pakken te krijgen, maar dat lukt steeds niet en ik kan niet langer wachten. Wil jij iets voor me doen?'

'Wat?' Will had helemaal geen zin om iets voor zijn broer te doen. Jeff had tegen hem gelogen, had zijn meisje afgepakt. Godver, waarschijnlijk was hij nu bij haar. Wat een lef, dacht Will, om iets van me te vragen.

'Ik wil dat je naar de flat gaat...' hoorde hij Jeff zeggen.

'Ik ben bezig.'

'... Toms pistool haalt...' ging Jeff verder, alsof Will niets had gezegd.

'Wat?'

'... en het hiernaartoe brengt.'

'Wat?' zei Will opnieuw.

'Zonder vragen te stellen.'

Tom had net vier kogels in de pluchen kussens van de woonkamerbank geschoten, toen er zacht op de deur werd geklopt. 'Wie is daar?' schreeuwde hij. Hij hief het pistool op en richtte het op de deur. Als het weer een deurwaarder was, dan kreeg de arme kerel er een recht tussen de ogen.

'Cinnamon?' zei ze, alsof ze het niet zeker wist. 'Het bureau heeft me gestuurd?'

'Ah, mijn kleine Cinnamon,' zei Tom met een glimlach. Hij duwde het pistool achter de gesp van zijn riem, struikelde over de telefoon op de grond en bleef even staan om de hoorn op de haak te leggen. 'Je bent laat,' zei hij, toen hij de deur opendeed en het aantrekkelijke, Aziatische meisje met haar lange, zwarte haar en donkergroene ogen binnenliet. Ze was klein van stuk, niet veel langer dan een meter vijfenzestig, en haar siliconentieten waren zó groot dat ze bijna voorooverviel.

'Sorry. Ik kon het niet zo snel vinden.' Cinnamon bekeek de bende in de woonkamer, die nu ook onder de veren en stukken bekleding zat. 'Wauw,' zei ze met grote ogen. 'Wat is hier gebeurd?' Ze stak met een bedenkelijke blik haar neus in de lucht toen ze de kruitdampen rook.

Tom deed de voordeur dicht, waardoor het weer donker werd in de kamer. De telefoon ging. 'Een momentje, alsjeblieft,' zei Tom overdreven beleefd, terwijl hij de rotzooi wegschopte tot hij de telefoon had gevonden, waarna hij bijna omviel toen hij wilde opnemen.

'Waar heb jij het afgelopen uur verdomme gezeten?' wilde Jeff weten, nog voor Tom hallo kon zeggen. 'Ik had het bijna opgegeven...'

'Jeff, vriend, hoe is het met je?' onderbrak Tom hem. Hij had geen zin in een preek.

'Ben je dronken?'

'Niet meer dan anders.' Nou ja, misschien een beetje, dacht Tom, en hij vroeg zich af waarom Jeff zo boos klonk.

'Mooi. We hebben plannen. Je moet...'

'Eh, het komt niet zo goed uit.' Echt iets voor Jeff om te verwachten dat Tom in de houding sprong zodra zijn vriend iets zei. Jeff had geen tijd om met je te praten als híj het druk had, maar als hij jóú nodig had was het opeens een heel ander verhaal. Dan werd je geacht alles uit je handen te laten vallen en hem overal te volgen.

Naar de hel en terug, dacht Tom verbitterd, toen hij aan Afghanistan dacht.

'Is dat een pistool?' vroeg Cinnamon met overslaande stem.

'Wat?' Zelfs in het donker kon Tom de angst op Cinnamons gezicht zien, toen ze achteruit naar de deur liep. 'Dit?' Hij zwaaide ermee heen en weer. 'Speelgoed, ik zweer het. Hé, wacht. Ga nou niet weg.'

'Tegen wie heb je het?' wilde Jeff weten.

'Wacht nou even! Shit!' riep hij uit, toen Cinnamon het huis uit vluchtte. 'Kut, man. Die was geil,' zei hij klagend in de hoorn. 'Je hebt haar weggejaagd.'

'Tom, luister naar me,' zei Jeff. 'Dit is belangrijk. Je moet je concentreren.'

Tom liet zich op de bank vallen en krabde met de loop van zijn pistool over zijn hoofd. 'Best. Ga je gang. Kennelijk heb ik alle tijd voor je.'

30

Will dacht aan de eerste keer dat hij Kristin zag.

Dat was bijna drie weken geleden, toen hij met zijn koffer bij zijn broer op de stoep had gestaan en zich bezorgd had afgevraagd hoe Jeff zou reageren als hij hem zag. Zou hij blij zijn of boos? Zou hij één blik op hem werpen en hem wegsturen? Zou hij hem überhaupt herkennen na al die jaren?

Toen was de deur opengegaan en had zij daar gestaan; deze blonde amazone in een kort, zwart rokje en een bloes met luipaardprint. Ze had die oogverblindende glimlach laten zien, haar lange haren van haar ene schouder naar de andere geschud en hem van top tot teen bekeken met haar heldergroene ogen. Haar glimlach was nog breder geworden en ze had zijn hand geschud en hem naar binnen getrokken. 'Jij bent Will, of niet?' had ze gezegd, en zijn angst was onmiddellijk verdwenen.

En nu stond hij opnieuw met een bonzend hart voor diezelfde deur en luisterde hij of hij haar binnen kon horen. Terwijl hij de deur openduwde en naar binnen ging, had hij maar één wens: dat ze al naar haar werk was. Hij kon haar niet onder ogen komen. Nog niet. Niet na het fiasco van gisteravond.

'Kristin,' riep hij aarzelend, en daarna luider met meer zelfvertrouwen: 'Kristin. Ben je thuis?' Hij keek op zijn horloge. Vijf over halfzeven. Ze was allang weg, wist hij, en lopend door de woonkamer in de richting van de slaapkamer slaakte hij een hoorbare zucht. 'Kristin?' riep hij nog een keer voor de goede orde. 'Ben je thuis?'

De slaapkamer was leeg, het bed keurig opgemaakt; alle tekenen van hem weggevaagd. Alsof er gisteravond niets was gebeurd, dacht Will. Alsof hij niet bestond.

Hij rook Kristins shampoo en draaide zich om alsof hij haar half en half in de deuropening verwachtte met haar haar in een donzige, witte handdoek gewikkeld, haar roze, zijden ochtendjas halfopen, zodat hij een tergende glimp kon opvangen van wat daaronder zat. Hij herinnerde zich hoe het voelde om haar in zijn armen te hebben, haar uitnodigende zachte huid. *Nee. Nee. Ik kan het niet,* hoorde hij haar zeggen. *Het spijt me. Ik kan het gewoon niet.*

'Genoeg, genoeg,' zei Will hardop, die gedachten uit zijn hoofd bannend, en hij liep naar het nachtkastje.

Het pistool zat achter in de bovenste la van het nachtkastje, precies waar Jeff had gezegd dat het zou liggen. Will legde een trillende hand om de loop en trilde nóg harder toen hij het kleine wapen oppakte en in zijn hand omdraaide. Hij had nog nooit een echt pistool gezien, alleen in de film en op tv. Hij had er nog nooit een aangeraakt en al helemaal nooit een vastgehouden. Zijn moeder wilder vroeger niet eens speelgoedpistolen in huis.

'Tja, jongens blijven jongens,' mompelde Will nu, en hij hield het pistool eerst in zijn rechterhand, toen in zijn linkerhand en toen weer in zijn rechter. Het gewicht verraste hem. Evenals het onverwachte gevoel van macht dat hij in zich voelde opkomen. Hij zag zijn spiegelbeeld in de spiegel boven de ladekast en bloosde toen hij zijn eigen opgewonden blik zag. Wat moet Jeff in vredesnaam met een pistool, vroeg hij zich af, ook al wist hij het antwoord al.

Jeff wilde er Dave mee vermoorden.

En hij zag in Will zijn handlanger.

Nee, niet zijn handlanger, dacht Will, zijn eigen woordkeus

verbeterend. Jeff zag zijn broertje als niet meer dan een loopjongen. Ja, daar ben ik goed voor, dacht Will. Een boodschappenjongen. Iemand die medeplichtig is zonder zijn handen vuil te hoeven maken.

Een denker, geen doener.

Wills vingers klemden zich rond de kolf van het pistool, zijn wijsvinger gleed naar de trekker. Geen wonder dat Kristin hem had afgewezen. Geen wonder dat Suzy zijn broer had gekozen. Geen wonder dat Amy haar heil bij iemand anders had gezocht. 'Je bent een gevoelige jongen,' had zijn moeder hem een keer verteld. 'Dat is goed. Vrouwen hebben daar respect voor.'

Will moest lachen. Vrouwen hebben misschien wel respect voor een gevoelige man, besloot hij, maar ze duiken in bed met zijn broer.

En nu was zijn broer van plan om Suzy's man te vermoorden.

Kon hij dat laten gebeuren? Wilde hij daarbij betrokken worden?

Will wist dat Jeff een onderscheiden en goedgetrainde soldaat was die niet moeilijk deed over het afvuren van een pistool. Wie wist hoeveel mensen hij in Afghanistan had gedood? En Dave Bigelow was een klootzak die het waarschijnlijk verdiende. De wereld was vast beter af zonder hem.

Maar toch was hij een mens. Een gerespecteerd arts wiens talent ongetwijfeld veel mensenlevens had gered. Wie was Jeff om te bepalen dat Dave Bigelow het recht op zijn leven had verspeeld? Was het wel zijn beslissing? Jeff was kwaad; hij dacht niet goed na; misschien was hij zelfs verliefd. Maar was hij een moordenaar? Zou hij daadwerkelijk in staat zijn om iemand in koelen bloede te vermoorden?

Nota bene voor een vrouw die hij nog geen week kende.

Misschien wilde Jeff het pistool alleen om zich te kunnen beschermen, hield Will zichzelf voor. Dave was per slot van rekening een enge vent. Hij had bedreigingen geuit. Hij had zelfs geprobeerd Kristin te versieren. Wie wist waar hij toe in staat was, zeker als Suzy bij hem weg was. Mogelijk kwam hij achter Jeff aan met een eigen wapen. Jeff zou ook gewoon voorzichtig kunnen zijn.

Ach, wie hield hij voor de gek? Jeff was nog nooit van zijn leven voorzichtig geweest.

Deze keer was Jeff van plan om Dave te vermoorden zodat hij bij Suzy kon zijn.

Hoe was het zo gekomen?

Wat wisten ze eigenlijk van Suzy? Dat ze uit Fort Myers kwam? Dat ze in Coral Gables woonde? Dat ze van granaatappelmartini's hield?

Was het mogelijk dat zij dit zo had georganiseerd, dat ze de ene broer tegen de andere had uitgespeeld, dat ze hen allemaal had gebruikt om te bereiken wat ze wilde – voorgoed verlost zijn van een echtgenoot met losse handen? Als dat doel eenmaal was bereikt en Dave Bigelow dood was, zou ze dan in een magische rookwolk verdwijnen en hen achterlaten met de maar al te concrete gevolgen. Zou het haar iets kunnen schelen als Jeff werd opgepakt en de rest van zijn leven in de gevangenis zat? Zou ze hem opzoeken? Had ze überhaupt gevoelens voor Jeff?

Will besloot dat zijn broer het risico niet kon nemen. Ja, hij zou naar het motel gaan, maar alleen om Jeff tot rede te brengen. Het pistool liet hij hier. Jeff zou in eerste instantie woedend zijn, wist Will, maar hij zou gauw genoeg kalmeren en hem ooit misschien wel bedanken.

Will voelde zweetdruppeltjes over zijn voorhoofd parelen. Hij liep naar de badkamer en legde het pistool op de rand van de wasbak om koud water in zijn gezicht te spetteren. Dat was het moment waarop hij besefte dat hij niet langer alleen was, dat er iemand anders in de flat was. 'Hallo?' riep hij. Hij verstopte het pistool in het kastje onder de wasbak achter een stapel perzikkleurige handdoeken, en liep naar de woonkamer.

Tom stond in een vlekkerig, geruit shirt en een gescheurde, strakke spijkerbroek met zijn armen over elkaar en die stomme, arrogante grijns op zijn gezicht bij de bank. Zijn donkere haar was warrig en vet. Hij stonk naar bier en sigaretten.

Will voelde zijn hartslag versnellen. 'Heeft je moeder je nooit geleerd om eerst te kloppen?'

'Heeft je moeder je nooit geleerd de deur achter je kont dicht te doen?' was Toms weerwoord.

'Jeff is er niet.'

'Dat weet ik, sukkel. Wie denk je dat me gevraagd heeft hier te komen?'

'Jeff heeft je gevraagd hier te komen?' Waarom zou hij dat in godsnaam doen? Vertrouwde hij hem soms niet? Kende de broer die hem amper kende hem beter dan hij zichzelf kende?

'Hij heeft jou kennelijk gebeld toen hij mij niet te pakken kon krijgen,' zei Tom, zonder moeite te doen om de dronken, arrogante klank in zijn stem te verbloemen. 'Je bent dus niet langer nodig, broertje. Ik moest doorgeven dat er niet langer van je diensten gebruikgemaakt wordt.'

'Waar heb je het over?'

'Ik neem het over.'

'Dat dacht ik niet.'

'Hoor eens, ik ga geen ruzie met je maken. Dit komt van je grote broer. Hij wil jou er niet bij betrekken, zei dat je een filosoof bent, geen vechter.'

Een denker, geen doener, dacht Will. Hamlet, niet Hercules. Niet eens een boodschappenjongen.

'Dus als je het niet erg vindt... Ik ben hier helemaal naartoe gereden, dus ik pak even mijn pistool en dan ga ik weer.'

'Dat ligt hier niet,' zei Will, en hij bad dat de blik op zijn gezicht de leugen die uit zijn mond kwam niet verried.

'Waar heb je het over? Natuurlijk wel.'

'Nee, ik heb al gekeken.'

'Dan heb je niet goed gekeken.' Tom duwde Will opzij en liep de slaapkamer in. 'Op zoveel plaatsen kan het niet liggen.'

'Ik zeg je dat het hier niet ligt,' herhaalde Will, toen Tom regelrecht naar het nachtkastje liep, de bovenste la eruit trok, hem op bed gooide en zijn blik snel over de inhoud liet glijden. 'Misschien heeft Kristin het weggegooid,' opperde hij, terwijl Tom de la gefrustreerd omkieperde.

'Dat zou ze nooit doen.'

'Ze kreeg er de zenuwen van om een pistool in huis te hebben.'

'Kristin krijgt nergens de zenuwen van,' zei Tom, en hij richtte zijn aandacht op de ladekast.

'Nou, misschien heeft ze het aan Lainey gegeven,' improviseerde Will, en hij had er direct spijt van dat hij haar naam had genoemd.

'Waar heb je het over?'

Will deed een stap naar achteren, alsof Tom hem een duw had gegeven. 'Nergens. Alleen...'

'Wanneer zou ze het aan Lainey hebben kunnen geven?'

'Toen ze hier laatst was.' Will probeerde te glimlachen, maar wist alleen een kansloze, halve grimas op zijn gezicht te toveren. 'Heeft niemand je dat verteld?'

'Nee, dat heeft niemand me verteld. Wat moest ze hier?'

'Ze kwam voor Jeff.'

'Waarom zou ze Jeff willen spreken?'

'Hoe moet ik dat nou weten?'

'Je lult,' zei Tom, en hij schudde boos met zijn hoofd. 'Ik trapte er bijna in, klootzak.' Hij trok de laden uit de kast en smeet de inhoud op de grond. 'Dat rotpistool moet toch ergens liggen,' hield hij vol, en hij liet zich op zijn knieën vallen om onder het bed te kijken.

'Het is er niet,' antwoordde Will, opgelucht dat Tom het onderwerp Lainey had laten rusten. 'Ik heb overal al gekeken, dat zei ik toch?'

'Shit.' Tom kwam moeizaam overeind en liep terug naar de woonkamer.

'Wat nu?' vroeg Will. 'Moeten we Jeff bellen om te zeggen dat het niet doorgaat?'

'Wie zegt dat het niet doorgaat?' snoof Tom. 'Tom komt nooit ergens met lege handen.'

'Wat bedoel je?'

Tom trok zijn shirt omhoog en toonde trots zijn Glock .23 die achter de gesp van zijn riem zat. 'De andere liggen in de auto, geladen en wel.'

'Je bent gestoord.'
'Uit jouw mond is dat een compliment.'
'Shit, man. Geen wonder dat Lainey bij je weg is.' Het was eruit voor hij er erg in had.
Tom kneep zijn ogen samen. 'Wat zei je daar?' Hij deed een paar stappen in Wills richting. 'Wat zei je daar, verdomme?'
'Laat maar.'
'Mooi niet. Eerst verzin je een lulverhaal dat Lainey bij Jeff langs is geweest. En nu wilde je beweren dat ze terecht bij me weg is?'
'Ik zeg alleen dat je haar waarschijnlijk doodsbang hebt gemaakt.'
'Reken maar dat ik haar doodsbang heb gemaakt. Dat kutwijf verdient niet beter. En ze gaat helemaal nergens naartoe, dat kan ik je wel vertellen.'
'Omdat ze jouw vrouw is?' vroeg Will, die probeerde Tom aan de praat te houden, zodat hij de pistolen niet naar Jeff zou brengen.
'Tot de dood ons scheidt,' zei Tom.
'Dus heb je het recht om haar doodsbang te maken.'
'Ik heb het recht om te doen wat ik wil.'
'Zoals haar in elkaar slaan als ze niet luistert?'
'Als ik daar zin in heb,' beaamde Tom.
'Vertel me eens,' zei Will nieuwsgierig. 'Wat maakt jou dan anders dan Dave?'
'Wat?'
'Waarom moet Dave dood en jij niet?'
'Waar héb je het verdomme over?'
'Volgens mij zijn jullie uit hetzelfde hout gesneden.'
'Praat eens normaal, man.'
'Hoor je wel eens wat je zegt?' wilde Will weten. 'Heb je ooit wel eens echt logisch over iets nagedacht?'
'Volgens mij is het nu heel logisch als ik jou voor je kop schiet.'
'Ik probeer je te zeggen dat je op het punt staat een man te vermoorden die precies zo denkt als jij,' redeneerde Will. Hij wist niet goed hoe het verder moest, maar hij was vastbesloten om

het gesprek op gang te houden. 'Die zijn vrouw in het gareel wil houden. Ik dacht dat jij daar wel bewondering voor zou hebben.'

Tom keek moeilijk. 'Dit is anders.'

'Wat is er anders aan?' Wills mond werd droog. Hij was duizelig en moest wat water hebben. Hij kon dit niet eeuwig volhouden. Het was slechts een kwestie van tijd voordat Tom, dronken, high en stom als hij was, genoeg kreeg van Wills spitsvondige opmerkingen en wegging. Maar hij moest hem hier houden, hem bij Jeff weghouden. Als hij ze gescheiden kon houden, al was het maar voor vanavond, dan kon hij misschien de ophanden zijnde tragedie voorkomen.

'Het is gewoon anders.'

'Omdat Jeff het zegt?'

'Omdat het zo ís.'

'Jij gaat mijn broer helpen iemand te vermoorden omdat Jeff geilt op zijn vrouw.' Het was eerder een constatering dan een vraag.

'Ja.' Tom haalde zijn schouders op. 'Waarom niet?'

'Ach, ik weet het niet, hoor. Misschien omdat het immoreel is? Omdat het strafbaar is? Omdat het stom is en je gepakt wordt?'

'We worden niet gepakt.'

'De woorden van een ware veroordeelde. Vertel me eens, Tom, wat haal jij hieruit?'

'Hoe bedoel je?'

'Nou ja, Jeff krijgt het meisje. Maar jij? Betaalt hij je?'

Tom keek oprecht beledigd. 'Natuurlijk niet.'

'Dus híj krijgt het meisje, en jíj de voldoening van een geklaarde klus?'

'Zal wel.'

'Ervan uitgaande dat je niet ter dood veroordeeld wordt.'

'Dat gebeurt heus niet.'

'Waarom niet? Omdat je nog nooit iets verkloot hebt?'

'Jeff verkloot niks.'

'Nee, maar jij wel. Of ben je vergeten wat er in Afghanistan is gebeurd?'

'Wat weet jij daarvan?'

'Ik weet dat je het hebt verkloot,' zei Will. Hij voelde dat hij zich weer op gevaarlijk terrein begaf, maar er was geen weg terug. 'Ik weet dat Jeff met een medaille is thuisgekomen, en dat jij uit het leger geflikkerd bent.'

'Zo gaat dat,' zei Tom. Hij kneep zijn ogen samen en kreeg een valse blik op zijn gezicht. 'Jeff komt altijd overal mee weg. Hij wint altijd. Dat zou jij toch als geen ander moeten weten, broertje. Hij heeft Suzy Granaatappel zó onder je vandaan gesnaaid. O, wacht even. Ze lag helemaal niet onder je, of wel? Jeff zei al dat je wat problemen hebt op dat gebied.'

'Flikker op.' Wat had Jeff dit stuk verdriet verteld? *Jeff is niet bepaald de discretie zelve,* hoorde hij Kristin zeggen.

'Hoe heet ze ook al weer? Voor wie jij van Princeton bent afgetrapt?'

'Oké, zo kan-ie wel weer.' Zijn broer had Tom toch zeker niet over Amy verteld?

'Abigail? Annie? O, ik weet het al weer. Amy!'

Hij had kunnen weten dat hij zijn broer niet had moeten vertrouwen.

'Denk maar niet dat Jeff zijn meisje met een ander zou hebben laten gaan,' zei Tom treiterend. 'Hij zou haar van voren en van achteren hebben geneukt, en geloof me, als Jeff met een meisje naait, dan wordt ze goed genaaid.'

'Zoals Lainey?' sloeg Will terug, zonder nadenken.

'Wat?'

'Heeft Jeff jouw vrouw ook van voren en van achteren geneukt? Is zij ook goed genaaid?'

'Waar heb je het over?'

'Ik heb het over Jeff en Lainey,' riep Will, en de woorden stroomden uit zijn mond alsof er een kraan was opengezet. Hij wilde wel stoppen, maar kon het niet. De woorden bleven komen. 'Wat mankeert jou, Tom? Weet je dan niet dat je beste vriend het met je vrouw doet?'

'Je liegt, vuile klootzak.'

'Je wilde toch weten wat ze hier laatst deed? Wat denk je zelf?'

De woorden raakten Tom precies tussen de ogen en hij draaide zich om alsof hij neergeschoten was. Hij barstte in tranen uit en liet zich op de grond vallen.

Will staarde naar het ineengedoken hoopje voor zich en wist dat hij te ver was gegaan. 'Ga naar huis, Tom,' zei hij met een bonkend hoofd. 'Je ziet er uitgeput uit. Ga slapen. Je hebt gelijk. Het was een lulverhaal. Er is helemaal niks tussen Lainey en Jeff. Ik heb het verzonnen, ik zweer het je...'

Maar Tom krabbelde al overeind en stoof naar de deur met zijn pistool in zijn hand. 'Smerige klootzak,' zei hij huilend. 'Ik vermoord je, smerige klootzak.'

'Tom, doe dat pistool weg,' riep Will hem na.

Tom bleef abrupt staan. Hij draaide zich om en richtte de Glock .23 op Wills hoofd. 'Verroer je niet, broertje,' zei hij. 'Jij bent niet uitgenodigd voor dit feestje.'

En daarmee was hij weg.

31

'Will, doe even rustig,' zei Kristin. 'Ik begrijp niets van wat je zegt.' Ze wierp een behoedzame blik op haar baas, die het gesprek vanuit de gang volgde en duidelijk niet blij was met alle 'dringende' telefoontjes die ze vanavond al had gehad. Eerst belde Jeff al met een update – Suzy sliep nog, alles was onder controle en hij had Tom te pakken gekregen. Nu had ze Will weer aan de telefoon, die een warrig verhaal had over Tom en Lainey en god weet wat nog meer. 'Will,' zei ze opnieuw. 'Rustig aan. Vertel me precies wat er is gebeurd.' Ze luisterde vol ongeloof toen Will de details van zijn aanvaring met Tom herhaalde. Shit, dacht ze, en ze kreeg kippenvel. Waarom moesten mannen altijd alles zo ingewikkeld maken? 'Nee, niet de politie bellen,' fluisterde ze, met haar hand voor haar mond, zodat haar baas het niet zou horen. 'Daar krijgt Jeff alleen maar moeilijkheden mee. Ik bel hem wel om te zeggen wat er is gebeurd. Hij weet hoe hij met Tom moet omgaan. Nee. Blijf waar je bent. Ga jij nou niets doen. Toe, laat mij dit afhandelen. Goed? Beloof me dat je blijft zitten waar je zit.'

Kristin hing op en glimlachte liefjes naar haar baas. 'Nog één telefoontje, Joe. Dan ben ik klaar.' Ze beloofde verder maar niets, dat liet ze over aan de mannen op deze wereld. Mannen als

Will, die beloofde dat hij niets zou doen, terwijl ze allebei wisten dat hij zich daar niet aan zou houden. Mannen als Jeff, die beloofde dat hij alles onder controle had, terwijl dat niet zo was. Mannen als Norman, die beloofde dat ze de smaak van zijn grote, onbehouwen tong in haar kleine, tere mond lekker zou vinden. Mannen als Ron, die beloofde dat ze ervan zou genieten toen hij haar wreed ontmaagdde. Ze had genoeg van loze beloftes, dacht Kristin, en ze haalde een verfrommeld visitekaartje uit haar beha en keek naar het nummer. Maar goed dat ze het niet had weggegooid, besloot ze, toen ze het nummer met haar lange, donkerrode nagels intoetste.

De telefoon werd halverwege de eerste rinkel opgenomen. 'Dokter Bigelow,' blafte de stem, nu al ongeduldig.

'Dave?' vroeg Kristin, verbaasd dat haar stem een beetje trilde. Kan ik dit echt, vroeg ze zich af.

'Met wie spreek ik?'

'Met Kristin, de barkeeper van The Wild Zone.'

'Is mijn vrouw daar?' vroeg Dave zonder verdere plichtplegingen, duidelijk niet in de stemming voor spelletjes.

'Nee.' Kristin haalde diep adem en hield zichzelf in evenwicht met haar hand tegen de muur. 'Maar ik weet waar ze is.'

Stilte.

'Ze zit in het Southern Comfort Motel bij het vliegveld,' ging Kristin ongevraagd verder, en haar stem werd met elk woord krachtiger. 'Kamer 119.'

Will stond roerloos in het midden van de woonkamer en hoorde Kristins smeekbede nog in zijn oren. *Blijf waar je bent. Ga jij nou niets doen. Beloof me dat je blijft zitten waar je zit.*

Maar hoe kon hij nou hier blijven en niets doen? Zijn ondoordachte leugens hadden een vlam onder Toms beruchte, korte lontje gelegd, en nu was Tom op weg naar het motel. Niet om Jeff te helpen met zijn plan, maar om zijn eigen moordlustige plan uit te voeren. Hoe kon hij dan hier blijven en niets doen?

Opnieuw overwoog Will om de politie te bellen, maar Kristin

had hem gezegd dat hij Jeff juist in moeilijkheden zou brengen. Waarschijnlijk had ze gelijk, aangezien ze meestal gelijk had. Zijn broer had al genoeg problemen dankzij hem. Hij overwoog om Jeff te bellen om hem voor Tom te waarschuwen, maar hoe kon hij de afschuwelijke dingen, de leugens die hij had verteld verklaren? Nee, hij kon het beter allemaal aan Kristin overlaten.

Toch kon hij hier ook niet blijven staan. Hij kon zijn broer niet opnieuw laten opdraaien voor zijn eigen onbezonnen daden. Voor één keer in zijn leven moest hij eens niet nadenken, maar iets dóén.

'Het spijt me, Kristin,' zei Will, terwijl hij naar de badkamer rende om Toms .22 te pakken. Hij duwde hem in de zak van zijn bruine broek, rende de flat uit en sprong met twee treden tegelijk de trap naar de binnenplaats af.

Vijf minuten later zat hij in een taxi op weg naar het Southern Comfort Motel.

'Suzy, schatje,' fluisterde Jeff, en hij leunde over het bed om haar wang te kussen. Hij wilde haar liever niet wakker maken. Ze lag zo rustig te slapen.

Suzy deed haar helderblauwe ogen open. 'Hé, jij daar,' zei ze.

'Het spijt me dat ik je wakker maak.'

'Dat geeft niet. Hoe laat is het?'

'Over zevenen.'

'O, mijn god.' Ze duwde zich overeind. 'Niet te geloven dat ik zo lang heb geslapen.'

'Je hebt ook nogal wat meegemaakt. Je was uitgeput.'

'Dat zal wel. Is er iets gebeurd?'

'Nee. Niets. Alles is goed. Heb je trek?'

Suzy schoot in de lach. 'Ik verga van de honger.'

'Mooi,' zei Jeff. 'Je moet iets voor me doen.'

Op enkele minuten van het vliegveld stond Tom in de file. 'Rij eens door, mensen,' schreeuwde hij door het open raam, maar de hete, vochtige lucht in zijn gezicht was de enige reactie die hij kreeg. 'Verdomme...' Hij deed het autoportier open en stapte op het asfalt in een poging langs de vrachtwagen voor hem te kijken. Hoe was hij trouwens achter deze rottige vrachtwagen terechtgekomen? En nog belangrijker, hoe lang bleef hij hier nog staan? De klok tikt, dacht hij. Hij was al laat, hij had veel te lang staan ruziën met Will. Daar zou Jeff niet blij mee zijn.

Shit, besloot Tom met een lachje. Jeff zou sowieso niet blij zijn.

Misschien moest hij gewoon niet gaan; moest hij Jeff alles in zijn eentje laten oplossen. Hem eens laten voelen hoe het was om bedonderd te worden, hem doen beseffen dat hij Tom nodig had, altijd al nodig had gehad. 'Ik ben hier niet de prutser,' gromde hij. In de verte zag hij de zwaailichten van een ambulance. Een behoorlijk ongeluk, zo te zien, en Tom hoopte dat de veroorzaker dood was. Hij stapte zijn auto weer in, stak nog een sigaret op, zette de radio keihard aan en luisterde naar een of andere countryzangeres die in een onmogelijk hoog register jammerde over haar overspelige vriendje. In gedachten stelde hij zich voor hoe Lainey in bed lag met zijn beste vriend. 'Dat valse secreet,' vloekte hij. Zeggen dat ze niet begreep waarom vrouwen Jeff zo aantrekkelijk vonden, dat ze hem zelf helemaal niet zo knap vond. En al die tijd had ze achter zijn rug om met hem geneukt. Tom sloeg met zijn vuisten op het stuur en vroeg zich af hoe lang hun verhouding al bezig was, hoe lang zijn beste vriend al stiekem in zijn vuistje lachte. 'Doorrijden, klootzakken.'

Alsof iedereen opschrok, zette de lange rij auto's en vrachtwagens zich in beweging, steeds sneller, langs twee behoorlijk gedeukte auto's aan de kant van de weg en politieagenten die verklaringen van de betrokkenen opnamen. 'Leer toch rijden, klootzakken,' riep Tom, toen hij veilig buiten gehoorsafstand was.

Hij nam de rechter baan en daarna de eerste afslag, reed toen tien minuten lang rondjes in een poging het Southern Comfort Motel te vinden. 'Kon weer geen Holiday Inn kiezen,' mopperde hij. 'Moest zo nodig naar een of andere tent waar nog nooit iemand van heeft gehoord.'

Je zou zo'n GPS-*ding moeten hebben, net als ik*, had Lainey hem een keer voorgesteld. *Ik gebruik die van mij altijd.*

'Natuurlijk gebruik je die,' zei Tom nu. 'Je zou anders je reet nog niet kunnen vinden.'

Hoewel ze kennelijk zonder enige moeite Jeff had weten te vinden.

'Waar zit je, verdomme?' riep Tom, terwijl er boven zijn hoofd een vliegtuig de landing inzette. En toen zag hij het: de gloed van de neonreclame op het volgende rijtje, aan de linkerkant. SOUTHERN COMFORT MOTEL stond er, met daaronder in kleinere, oplichtende letters: KAMERS VRIJ.

'Nee, dank u,' zei Tom, en hij keek verlangend naar de wapens op de stoel naast zich, terwijl hij de linker baan nam. 'Ik heb al een kamer.'

Jeff zat in de bruine stoel tegenover het bed toen hij buiten een auto hoorde. 'Eindelijk,' zei hij, en hij blies zijn adem uit die hij een tijd had ingehouden. Waarom had Tom er zo lang over gedaan? Hij liep naar de deur en zag zichzelf in de spiegel. Hij keek bang, besefte hij, en hij vroeg zich niet voor het eerst af of hij dit echt wilde. Kon hij werkelijk in koelen bloede iemand neerschieten?

En – nog belangrijker – kon hij er ongestraft mee wegkomen?

Ja en ja, stelde Jeff zichzelf gerust. En nu Tom er eindelijk was, konden ze volgens plan verder.

Jeff deed de deur open. 'Het werd tijd,' zei hij.

Hij voelde de klap pas toen hij al op de grond lag, en wist niet wat hem overkwam, totdat hij Daves vuist weer op zich af zag komen. 'Waar is ze, klootzak?' schreeuwde Dave met zijn knieën aan weerszijden van Jeffs borst. 'Suzy, kom hier, als je niet wilt dat je vriendje tot moes geslagen wordt!'

'Ze is er niet,' sputterde Jeff, die zijn best deed om weer overeind te komen. Wat was er in vredesnaam gebeurd? Waar was Tom?

'Ja, vast. Suzy, ik waarschuw je! Ik wil je niet achterna moeten komen.'

'Ik verzeker je dat ze er niet is,' riep Jeff.

'Je liegt.'

Jeff kon zich niet herinneren wanneer voor het laatst de lucht uit hem was geslagen. Hij moest zijn best doen om zich te concentreren en recht uit zijn ogen te kijken, ook al tolde de kamer nog steeds. Dit was niet de bedoeling, dacht hij. Wat is er fout gegaan?

Dave pakte Jeff bij de keel vast, tilde de sprei op en keek onder het bed. 'Waar is ze, verdomme?'

'Geen idee.'

'Ik zou nog maar eens goed nadenken voor je iets zegt.' Dave gaf hem weer een klap, deze keer een krachtige stomp in de maag, waardoor Jeff naar adem hapte. 'Waar is ze? En zeg me niet dat je dat niet weet. Ik ben dokter, weet je nog. Ik weet precies hoe ik je pijn moet doen.' Hij duwde zijn vingers tussen twee ribben om dit te illustreren.

'Ze is vertrokken. Een halfuurtje geleden ongeveer.'

'Waarnaartoe?'

'Dat weet ik niet.' Jeff schreeuwde van pijn toen Dave Bigelows vingers dieper in zijn vlees duwden. 'Ze zei dat ze er niet mee door kon gaan, dat ze naar huis ging.'

'Goh, wat toevallig,' zei Dave. 'Waarom geloof ik je nou niet?' Opnieuw kwam zijn gebalde vuist tegen Jeffs kaak aan. 'Ik tel tot drie,' kondigde hij aan, terwijl achter hem de deur van de motelkamer zachtjes openging, 'en dan breek ik alle botten in je lijf.'

Jeffs hoofd tolde toen hij zijn kaakbeen voelde knappen. Het werd wazig voor zijn ogen en hij dreigde bewusteloos te raken. Waar was Tom verdomme, vroeg hij zich af, toen de duisternis de kamer steeds meer overnam en de schaduwen dichterbij kwamen.

'Een... twee.'

Er klonk een schot.

Dave kromde zijn rug, zijn schouders verstijfden en hij sperde zijn ogen vol schrik en ongeloof. Daarna werd zijn blik troebel en viel hij als een lappenpop naar voren, over Jeff heen.

'Drie,' zei een stem in de schaduw.

Met al zijn kracht, duwde Jeff Dave van zich af. Nog voor hij het bloed op zijn shirt zag, dat een grote kring rond zijn hart vormde, wist hij dat Dave dood was. Terwijl hij tegen het bed leunde en moeizaam ademhaalde, schoot zijn blik omhoog naar de persoon die in de deuropening stond. 'Tom! Jezus, wat is er gebeurd? Waar was je nou?'

'Commentaar?' Tom trapte de deur achter zich dicht met de hak van zijn zwarte leren laars.

'Echt niet!'

'Waar is Suzy?'

'Ik heb haar op pad gestuurd om wat eten te halen, gezegd dat ze het rustig aan moest doen, dat ik een paar dingen moest regelen en dat ik haar over een paar uur weer hier zou zien. Ik wilde dat ze een alibi had. Ze heeft geen idee wat er gebeurt.'

'Wat een heer.'

Jeff meende iets van sarcasme in Toms stem te horen, maar dacht dat het door het suizen in zijn oren kwam.

'Wat nu?' vroeg Tom.

Jeff haalde een paar keer diep adem voor hij antwoord gaf. Praten deed pijn. Zijn hoofd bonkte, zijn kaak klopte. Hij moest goed nadenken. Het oorspronkelijke plan was geweest om Dave naar het motel te lokken door te zeggen dat Suzy er was, iets wat Kristin met haar gebruikelijke talent en doortastendheid had gedaan. Dave zou dan niet Suzy aantreffen, maar Jeff en Tom. Ze zouden hem dwingen naar de Everglades te rijden, hem daar doodschieten en zijn lichaam in een of ander moeras vol alligators dumpen. Maar Dave was te vroeg geweest en Tom te laat, waardoor de boel in de war was geschopt. 'Alles is veranderd,' zei Jeff hardop, en de woorden veroorzaakten stuk voor stuk pijnscheuten in zijn kaak.

'Wat wilde je daarmee zeggen?'

'Nou ja, om te beginnen hoeven we Daves lichaam niet langer te dumpen.'

'Hoezo?'

'Het was overduidelijk zelfverdediging.'

‘Jij hebt de eikel niet vermoord,’ zei Tom. ‘Dat heb ik gedaan.’

‘Het is nog altijd een rechtmatige verdediging. Je hebt hem gedood om mij te redden.’

‘Alleen is de klootzak ongewapend,’ zei Tom, terwijl hij Daves lichaam fouilleerde. ‘De politie zal zeggen dat ik overmatig geweld heb gebruikt.’

‘Je kijkt te veel televisie,’ zei Jeff. De woorden gleden uit zijn afhangende mond.

‘Ik heb geen tv meer, weet je nog? Die heb ik kapotgeschoten.’

‘Maar je hebt meer dan één pistool,’ zei Jeff, ‘en die staan geen van alle op jouw naam. Wie kan bewijzen dat een van die pistolen niet van Dave is? Dat hij niet hier kwam om me te vermoorden?’

Tom snoof. Echt weer iets voor Jeff om het allemaal op zichzelf te betrekken. Jeffs probleem was per slot van rekening opgelost, geveld door een kogel uit Toms .23. En nu werd Tom geacht de gevolgen op zich te nemen, terwijl Jeff samen met het meisje van zijn dromen de zonsondergang tegemoet ging.

Mooi niet, dacht Tom. Deze keer niet.

‘Trouwens,’ ging Jeff verder. ‘Iemand moet dat schot hebben gehoord. We kunnen hier niet stiekem wegsluipen met een lijk. We worden vast in de gaten gehouden, misschien hebben ze de politie al gebeld.’

Tom dacht over dit laatste beetje informatie na en had zo’n vermoeden dat Jeff gelijk had. De politie was waarschijnlijk al onderweg. Er was niet veel tijd om af te maken waar hij voor gekomen was. ‘En wederom ben jij de winnaar. Altijd en eeuwig de kampioen.’

‘Is er iets?’ vroeg Jeff.

‘Wat zou er toch kunnen zijn?’

‘We moeten de politie bellen.’ Jeff reikte naar de telefoon, vastbesloten om de valse toon in Toms stem te negeren. ‘Ze vertellen wat er is gebeurd, voordat ze hier zijn. Daarmee laten we zien dat we niets te verbergen hebben.’

‘Ik weet het niet, hoor. Volgens mij heb jij meer dan genoeg verborgen gehouden.’

'Waar slaat dat op?' Jeff begon ongeduldig te worden. Wat was er met Tom aan de hand? Goed, hij had waarschijnlijk zijn leven gered, maar als hij niet zo laat was geweest, was Jeffs leven helemaal niet in gevaar geweest. En nu hij tijd nodig had om zijn gedachten op een rijtje te zetten, om zijn verhaal voor de politie te oefenen, nu alle puzzelstukjes bijna op hun plek lagen, deed Tom moeilijk. Hij was natuurlijk dronken. Mogelijk ook in shock. 'Zeg, kom even zitten,' zei Jeff, en hij negeerde zijn eigen pijn. 'Je hebt net iemand gedood. Dat is niet niks.'

'Het is makkelijker dan je denkt,' antwoordde Tom cryptisch.

'Ik zal een glas water voor je pakken. En daarna bel ik de politie.'

'Jij belt helemaal niemand.' Tom hief zijn pistool op en richtte het op Jeffs hoofd.

'Wat doe je nou?'

'Wat denk je zelf?'

'Hoor eens, ik heb genoeg van...'

'Wanneer heb jij ooit genoeg?' wilde Tom weten. 'Van wát dan ook.'

'Waar heb je het over?'

'Ik heb het over het feit dat je er waarschijnlijk niet genoeg aan hebt om Kristin, Suzy en half Florida te neuken, maar dat je ook nog achter Lainey aan moet.'

'Wat? Ben je gek? Denk je dat ik het met je vrouw doe?'

'Ontken je het?'

'Reken maar! Je bent mijn beste vriend. Godsamme, Tom, denk eens na. Je weet dat ik nooit...'

'Ik weet dat ze bij je thuis is geweest.'

Jeff groef als een razende in zijn geheugen naar de laatste keer dat Lainey bij hem thuis was geweest. 'Ze is helemaal niet... O, wacht even. Ja. Oké. Kristin vertelde dat Lainey laatst langs is geweest. Ze wilde dat ik met jou ging praten, maar ik was niet thuis. Ik heb haar niet eens gezien. Vraag maar aan Kristin als je me niet gelooft. Of aan Will. Hij was er bij. Die vertelt het je wel.'

'Dat heeft hij al gedaan.'

'Nou, dan...'

'Hij heeft me alles verteld over jou en Lainey.'

'Waar heb je het over?' vroeg Jeff opnieuw.

Er werd hard op de deur gebonsd. 'Jeff... Tom...' riep Will. 'Laat me erin.'

'Goddank,' zei Jeff opgelucht. 'Dit is overduidelijk een gigantisch misverstand...' Hij liep naar de deur toen hij een scherpe pijnscheut in zijn borst voelde, vrijwel direct gevolgd door een tweede. 'Wat krijgen we...' wilde hij zeggen, toen een derde kogel uit Toms pistool zich diep in zijn vlees boorde, zijn lichaam met kracht deed draaien en hem met de lome gratie van een danser van de grond tilde. Door de vierde kogel viel hij met zijn gezicht naar voren op het bed. Zijn neus en mond verdwenen in de vouwen van de gekreukelde lakens. Suzy's geur omwikkelde hem alsof ze hem in haar armen nam.

Ik hou van je, hoorde hij haar in zijn oor fluisteren, en haar woorden deden al het andere verstommen.

Jeff voelde haar lippen zacht en teder op de zijne.

Daarna voelde hij niets meer.

Will stond voor de motelkamer toen Tom de deur opentrok en hem naar binnen wenkte.

Het eerste wat hij zag was Dave, die met zijn gezicht naar beneden op de grond lag in een plas van zijn eigen bloed.

Het tweede wat hij zag was Jeff, languit op het onopgemaakte bed, zijn gezicht half begraven in de lakens.

Het derde wat hij zag was Tom, die nu met een zelfvoldane grijns op zijn gezicht en een pistool in zijn uitgestrekte hand midden in de kamer stond. 'Kijk nou wat je hebt gedaan, broertje,' zei hij, terwijl politiesirenes om hen heen loeiden.

Bittere tranen sprongen in Wills ogen. Zijn lichaam wankelde, zijn knieën knikten.

'Laat je wapens vallen,' hoorde hij een stem achter zich roepen, en pas toen werd hij zich bewust van de .22 in zijn geheven hand. 'Politie. Laat je wapens vallen,' herhaalde de stem. 'Nu.' Het geluid van autoportieren die werden dichtgeslagen, geweren die werden doorgeladen, voetstappen die dichterbij kwamen.

Wills vinger trilde voor de trekker, zijn hele lichaam klaar om die over te halen. Zou hij het kunnen, vroeg hij zich af. Geen jury in de wereld zou hem veroordelen voor het neerschieten van de man die zijn broer had vermoord. Al was hij wel schuldig aan een misdrijf dat veel erger was, gaf hij in stilte toe, en zijn schouders zakten verslagen naar voren. *Kijk nou wat je hebt gedaan, broertje*, hoorde hij Tom weer zeggen.

Tom had gelijk.

Het was zíjn schuld dat Jeff dood was.

Will liet het pistool vallen en stak zijn beide handen in overgave in de lucht.

'Wat een verrassing,' zei Tom. Hij lachte, hief zijn wapen op en schoot zijn laatste kogel in Wills borstkas.

Hij stond nog steeds te lachen toen geweerschoten de kamer vulden.

32

Het was drukker dan ooit op het vliegveld van Miami.

'Jemig, waar gaan al die mensen naartoe?' vroeg Kristin.

'Vast niet allemaal naar Buffalo,' zei Will, en er gleed een trage glimlach over zijn lippen.

Kristin stak haar arm voorzichtig door de zijne en hielp hem door de menigte naar de juiste gate. Het was fijn om Will weer te zien glimlachen, bedacht ze, hoe aarzelend dan ook. Ze had lang geen glimp van een glimlach op zijn lieve gezicht gezien. 'Lukt het?' vroeg ze. 'Ga ik niet te snel?'

'Nee, het gaat prima.'

Toch ging ze wat langzamer lopen en luisterde ze naar het zachte geschuifel van Wills linkervoet, het gevolg van politiekogels in zijn knie en dij. De kogel uit Toms pistool had zijn hart met een paar centimeter gemist, hem tegen de grond geslagen en ironisch genoeg zijn leven gered toen de politie het vuur had geopend. Tom had minder geluk gehad. Hij was op slag dood door de kogelregen die was gevolgd.

Will had bijna vier weken in het ziekenhuis gelegen, verschillende pijnlijke operaties moeten ondergaan, gevolgd door zo'n twee maanden in een revalidatiecentrum. Hij was bijna vijf kilo afgevallen. Zijn huid zag nog steeds heel bleek, bijna doorzichtig, maar de laatste week had hij weer een lichte blos op zijn wangen. Zijn moeder was regelmatig op bezoek geweest en had zelfs een paar keer bij Kristin gelogeerd. Zijn vader was maar één keer langsgekomen. Hij had het te druk met zijn nieuwe vriendin en de baby die ze de komende lente verwachtten. 'Misschien krijg ik binnenkort zelf wel een broertje,' had Will Kristin tijdens een van haar laatste bezoekjes toevertrouwd.

'Ik wilde dat je met me meeging,' zei hij nu.

'Dat gaat niet,' zei Kristin. 'Dat weet je.'

Ze bleven staan.

'Waarom niet?' vroeg Will, zoals hij al zeker tien keer die ochtend had gevraagd. 'Er is niets wat je hier houdt.'

'Dat weet ik.'

'Ga dan mee.'

'Dat gaat niet.'

'Mijn moeder zal zo teleurgesteld zijn als ze je niet uit het vliegtuig ziet komen.'

'Je moeder zal dolgelukkig zijn. Ze vindt dat ik een slechte invloed heb.'

'Onzin. Ze is dol op je.'

Kristin liep verder, en Will had geen andere keus dan achter haar aan te lopen. 'Ze tolereert me,' verbeterde ze hem.

'Is liefde dan niet eenvoudigweg een hogere stap van tolerantie?' vroeg Will.

Kristin lachte lang en hard. 'Pas maar op,' waarschuwde ze hem. 'De filosoof in je laat zich zien.'

'O nee, niet híj weer.'

'Je bent wie je bent, Will.'

'Wie van ons is nu de filosoof?'

Kristin glimlachte en bleef staan. 'Ik zal je missen.' Ze bracht haar hand omhoog en streelde zijn wang.

'Dat hoeft niet. Ga met me mee,' zei Will weer. Hij pakte haar hand vast en legde hem op zijn hart. 'Dan beginnen we overnieuw. We hoeven niet in Buffalo te blijven. Ik hoef niet terug naar Princeton. Ik kan mijn proefschrift ook wel ergens anders afmaken.'

Met tranen in haar ogen wendde Kristin haar blik af. 'Het gaat niet,' zei ze opnieuw.

'Vanwege Jeff?'

Kristin voelde zich inzakken bij het horen van Jeffs naam, als een leeglopende band. Ze was aan het instorten, dacht ze, en het kostte moeite om overeind te blijven. Ademhalen deed gewoon pijn. 'Misschien. Ik weet het niet.' Zelfs na twee maanden kon ze maar moeilijk accepteren dat Jeff echt dood was. Dat was nooit de bedoeling geweest. Kristin schudde haar hoofd en haar lange staart sloeg tegen haar nek.

'Je haar zit mooi, zo,' zei Will. Hij deed zijn best om hun afscheid te rekken en hoopte nog steeds dat hij de magische woorden kon vinden waardoor ze van gedachten zou veranderen en met hem meeging. *En wat zouden jullie idioten willen als de geest uit de fles één wens zou vervullen*, hoorde hij zijn broer vragen op die noodlottige avond in The Wild Zone. De avond die alles in werking had gezet.

'Will?'

'Hè? Sorry. Zei je iets?'

'Ik zei dat ik erover denk om mijn implantaten te laten verwijderen. Denk je dat ik er dan goed uit zou zien?'

'Ik denk dat je er fantastisch uit zou zien, wát je ook doet.'

'Wat ben je toch lief.'

'Nee,' zei Will.

'Ja, jawel.'

Ze naderden de lange rij bij de beveiliging.

'Gaan door al die ijzerwaren in je lichaam alle toeters en bellen af als je door het röntgenapparaat gaat?' vroeg Kristin half serieus.

'Vast. Misschien mag ik niet eens weg,' zei Will bijna hoopvol. En toen: 'Ik hoef niet te gaan.'

'Daar hebben we het al over gehad.'

'Weet ik.'

'Je moet gaan, Will. Je hoort hier niet.'

'Jij wel?'

Ze haalde haar schouders op.
'Bel je me als er problemen zijn?' vroeg hij.
'Die zijn er niet.'
'Misschien heeft de politie nog vragen...'
'Vast niet.'
'Vast niet,' herhaalde Will.
De conclusie van het politieonderzoek was dat Dave Bigelow achter de verhouding van zijn vrouw met Jeff was gekomen en naar het Southern Comfort Motel was gegaan om hem hiermee te confronteren en dat Tom high en dronken was komen opdagen en zowel Dave als Jeff had gedood. In het verslag stond verder dat Tom Whitman bekend was bij de politie en dat hij geneigd was tot willekeurige geweldplegingen. Dit scenario werd bevestigd door verklaringen van Toms ex-vrouw, zijn vroegere baas en een meisje van een escortservice dat hij onlangs had mishandeld. Suzy Bigelow was ondervraagd en al snel vrijgepleit van enige betrokkenheid bij de dood van haar man.
'Heb je nog iets van Suzy gehoord?' vroeg Will nu.
Opnieuw schudde Kristin haar hoofd. 'Na de rouwdiensten is ze een beetje uit beeld verdwenen.'
'Nu Dave dood is, is ze zeker behoorlijk rijk.'
'Dat zal wel.'
'Denk je dat ze echt van Jeff hield?'
'Ik denk het wel,' gaf Kristin bedroefd toe. 'Een beetje, in elk geval.'
'Uw ticket en instapkaart, alstublieft,' zei een geüniformeerde beveiligingsmedewerkster.
'Zo te zien scheiden onze wegen zich hier,' zei Kristin, toen Will zijn ticket en instapkaart liet zien aan de vrouw met de strenge blik, die beide zorgvuldig bekeek.
'Kan ik echt niets zeggen...?'
Kristin leunde naar voren en kuste Will teder op de lippen. 'Heb een goed leven, Will,' zei ze. 'Wees gelukkig.'
'Ik moet u helaas vragen door te lopen, meneer,' zei de beveiligingsmedewerkster dringend.

Kristin deed een stap naar achteren. Onwillig liep Will verder, voortgeduwd door de mensen achter zich. 'Je kunt nog van gedachten veranderen,' riep hij over zijn schouder. Hij bleef abrupt staan en besloot om het nog één keer te proberen. Ze stond aan de zijkant en leunde tegen een pilaar. Hij zag haar een laatste keer met haar hoofd schudden en die oogverblindende glimlach als afscheid. Toen keek hij hoe ze in de menigte verdween.

De lucht was bewolkt toen Kristin voor Tallahassee Drive 121 tot stilstand kwam. De jarenzestigmuziek die uit de autoradio had geschald zweeg abrupt.

Ze keek naar de voorkant van de bruine bungalow met het witte, leien dak en glimlachte. Suzy zat met blote voeten en felroze gelakte teennagels op het stoepje. Haar sandalen lagen op de trede naast haar. Zachte golven bruin haar vielen over haar schouders en omlijstten een gezicht zonder blauwe plekken. Een paar meter vóór haar, tegen een groot TE KOOP-bord midden op het gras, stond haar weekendtas.

'Hé, hoi,' zei Kristin teder. Ze opende het portier en stapte uit, terwijl Suzy overeind sprong.

'Hoe is het gegaan?' vroeg Suzy en ze trok snel haar sandalen aan.

'Min of meer zoals we hadden verwacht.'

'Het spijt me dat ik er niet bij kon zijn.'

'Het was beter zo.'

'Heeft hij nog naar me gevraagd?'

Kristin knikte. 'Ik heb gelogen en gezegd dat je min of meer uit beeld was verdwenen na de rouwdiensten.' Ze pakte Suzy's weekendtas en wilde hem over haar schouder gooien. 'Mijn god, dit ding is loodzwaar! Wat heb je er allemaal in zitten?'

'Daves as,' zei Suzy alsof het de gewoonste zaak van de wereld was.

'Wat?' De tas viel uit Kristins hand.

'Voorzichtig, straks breekt hij nog.' Suzy moest lachen. 'Ik wil dat alles perfect is als ik de klootzak aan de alligators voer.'

'Volgens mij zijn er geen alligators in San Francisco.'

'We rijden een stukje om,' zei Suzy. 'Vind je het erg? Ik droom hier al jaren van.'

'Everglades, we komen eraan,' zei Kristin. Ze pakte de tas en gooide hem op de achterbank.

'Hoe oud is deze auto eigenlijk?' vroeg Suzy, terwijl ze op de passagiersstoel ging zitten en direct haar schoenen weer uittrok. 'Help Dave eraan herinneren dat hij een nieuwe voor je koopt.' Ze moest weer lachen, maar haar lach stokte in haar keel toen ze de afkeurende blik op Kristins gezicht zag. 'Sorry. Dat was niet echt grappig.'

'O god, Suzy,' kreunde Kristin. 'Hoe is het mogelijk dat alles zó uit de hand is gelopen?'

'Sommige dingen gebeuren nou eenmaal,' zei Suzy. 'Dingen die je niet verwacht. Dingen die je niet altijd kunt voorzien.'

'Het was de bedoeling dat alleen Dave iets overkwam. Will had niet neergeschoten mogen worden. Tom en Jeff hadden niet dood mogen gaan.'

'Gek, hè?' beaamde Suzy. 'Je denkt dat je alles hebt uitgewerkt en dan gebeurt er iets, iemand zegt iets wat niet in het script staat en opeens verandert alles.'

'En nu zijn er drie mensen dood.'

'Wíj leven nog. En ik ben eindelijk van dat monster verlost.' Suzy nam Kristins hand in de hare en bracht hem naar haar lippen.

Kristin wierp een snelle blik naar buiten. 'Dat moeten we niet doen. Niet hier.'

'Het geeft niet,' zei Suzy. 'Niemand kan ons nog iets maken.'

'Niemand mag jou ooit nog pijn doen,' zei Kristin. Ze keek naar Suzy's lieve gezicht, de blauwe ogen die ze voor het eerst als bang meisje van zestien had gezien. *Ik ben mijn portemonnee kwijt*, had ze tegen Suzy gezegd, tijdens een van hun eerste ontmoetingen. *Weet jij daar iets van?*

Suzy heeft gelijk, dacht Kristin, toen ze wegreed. Er gebeuren dingen die je niet verwacht, die je niet altijd kunt voorzien. Wie had kunnen denken dat twee eenzame meisjes in een gezinsvervangend tehuis – onder de onverschillige zorg van de kinderbescherming – niet alleen verliefd zouden worden, maar een hechtere band zouden vormen dan ze ooit met iemand anders zouden krijgen, en dat hun liefde scheiding en afstand, echtgenoten en minnaars, teleurstellingen en ontgoocheling, de tijd en omstandigheden zou overleven?

Dat ze elkaar weer hadden gevonden was op zich al een wonder. Suzy was net met haar sadistische man naar Coral Gables verhuisd. In een opwelling, wanhopig en alleen, had ze Kristin opgezocht op internet en had ontdekt dat die in South Beach werkte in een kroeg die The Wild Zone heette. Op een middag toen Dave in het ziekenhuis was, was ze er langsgegaan, zonder te weten of Kristin haar nog zou kennen.

Ze hadden elkaar direct herkend, de jaren waren als oude foto's weggevaagd. Ze hadden elkaar bijgepraat en elkaar de intieme, soms hartverscheurende details van hun leven verteld sinds ze elkaar voor het laatst hadden gezien. Kristin had over Jeff verteld; Suzy over Dave. Niet lang daarna hadden ze een plan bedacht om de een te gebruiken om van de ander af te komen.

Daves gewelddadigheid nam toe, zowel in intensiteit als frequentie. Ze konden niet lang wachten.

En toen waren opeens alle puzzelstukjes op hun plek gevallen. Will was ten tonele verschenen en had onaangename herinneringen meegebracht waardoor een aloude rivaliteit was verergerd en nieuwe waren ontstaan. Oude wrok kwam boven; nieuwe banden werden gesmeed.

Tijd voor Suzy om haar intrede te doen.

Er waren maar een paar woorden nodig geweest om alles in gang te zetten.

Lainey was bij Tom weggegaan, waardoor hij nog kwader werd dan anders, en Ellie had Jeff gebeld met het nieuws van de ophanden zijnde dood van hun moeder, waardoor hij kwetsbaar en in gewetensnood was. Daarna was het een kwestie van weten wanneer ze moesten handelen en wanneer ze moesten afwachten, aan welke touwtjes ze moesten trekken, hoe hard of voorzichtig ze moesten zijn. Een dodelijke combinatie van geslepenheid en spontaniteit, van vrouwelijke listen en mannelijke halsstarrigheid, van kansen en geluk.

Beide vrouwen hadden hun rol prachtig gespeeld. En hoewel het moeilijk was geweest, soms bijna onmogelijk, om afstand te bewaren toen het plan eenmaal in gang was gezet, hadden ze afgesproken om hun contact tot een minimum te beperken... Tot alles achter de rug was.

Geen van beiden had kunnen voorspellen hoe vlug het allemaal zou gaan. Hoe gemakkelijk de statige wals zou ontaarden in een spastische jive, hoe snel de rustige draaimolen als een bezetene in het rond zou gaan tollen, en het geheel zou ontaarden in een wilde en dodelijke dollemansrit.

En niemand had kunnen voorzien dat Jeff verliefd zou worden.

Kristin huiverde bij de herinnering aan die zenuwslopende momenten waarop ze bang was dat Suzy zijn gevoelens zou beantwoorden, dat Suzy net zo hard en onverwachts voor Jeff zou vallen als hij voor haar. En misschien wás ze ook wel voor hem gevallen, dacht Kristin nu. Een beetje, zoals ze daarstraks tegen Will had gezegd.

Net zoals Kristin een beetje verliefd was geworden op Will.

'Heb je het koud?' vroeg Suzy, en ze streelde Kristins arm.

'Nee, ik voel me prima.'

En dat was ook zo. Dave Bigelow was dood. Het geld van de verkoop van zijn huis en dure auto's zou een aangename toekomst voor zijn weduwe betekenen. Will was weer op weg naar Buffalo, Kristin had haar baan bij The Wild Zone opgezegd. Over een paar minuten zouden zij en Suzy de snelweg op draaien, en na een korte omweg om Dave zijn verdiende afscheid te geven, begonnen ze aan hun rit dwars door het land in de richting van hun nieuwe leven in San Francisco.

Suzy trok goedmoedig aan Kristins staart. 'Ik hou van je,' zei ze. 'Zoveel.'

Kristin glimlachte en voelde de glimlach van haar hoofd tot aan haar tenen, voordat hij voldaan haar hart omsloot. 'Ik hou ook van jou.'

Zo eindigt het.

Dankwoord

Ik bof maar dat ik elke keer min of meer dezelfde groep mensen mag bedanken. Het betekent dat mijn netwerk sterk is en fantastisch werk verricht. Dus daar gaan we weer:

Voor alles wat zij gedaan hebben en nog altijd doen, gaat mijn enorme en oprechte dank uit naar Larry Mirkin, Beverley Slopen, Tracy Fisher, Elizabeth Reed, Emily Bestler, Sarah Branham, Judith Curr, Laura Stern, Louise Burke, David Brown, Carole Schwindeller, Brad Martin, Maya Mavjee, Kristin Cochrane, Val Gow, Adria Iwasutiak en al die andere geweldige mensen van de William Morris Agency, Atria Books in de Verenigde Staten en Doubleday in Canada, die zo hard werken om van mijn boeken een succes te maken. Dank ook aan al mijn buitenlandse uitgevers en vertalers en aan de beste webdesigner en operator ter wereld, Corinne Assayag.

Bijzondere dank gaat uit naar softwaredesigner en privétrainer Michael Raphael die mij niet alleen twee keer per week in het zweet laat werken, maar me ook het waanzinnige work-outschema heeft gegeven dat in dit boek staat beschreven.

Aan het thuisfront wil ik Aurora Mendoza bedanken die me van eten voorziet en verzorgt. Ook wil ik mijn man Warren bedanken voor zijn niet-aflatende aanmoedigingen en steun, en voor het feit dat hij het niet vervelend vond dat ik de slechterik naar hem heb vernoemd. Dank aan mijn dochter Shannon omdat ze a) een beeldschone, getalenteerde dochter is, en b) mijn Twitter- en Facebook-pagina's onderhoudt. Dank aan mijn andere beeldschone en talentvolle dochter Annie en haar partner Courtney, die er – tegen de tijd dat jullie dit lezen – voor gezorgd hebben dat ik voor de eerste keer oma ben. Ik ben dolgelukkig en dankbaar.

En tot slot gaat mijn dank – zoals altijd – uit naar jullie, de lezers, die alles de moeite waard maken.